ヘルステックの法務
Q&A 第2版

森・濱田松本法律事務所
ヘルスケアプラクティスグループ 編

商事法務

第 2 版はしがき

　2019 年 12 月に本書の初版を発刊した後、2020 年の初頭にはじまった新型コロナウイルス感染症は瞬く間に世界に拡大し、我々の生活は一変した。また、ヘルスケアの分野におけるデジタル・トランスフォーメーション（DX）の加速、革新的な製品・サービスのリリースも、とどまるところをしらない。これに呼応して、ヘルステックに関わる法制度は、大きな変容を続けている。

　第 2 版では、ヘルステックに関わる幅広い分野の法律について、実務に役立つ情報を読者の皆様に Q&A 形式で分かりやすく解説するという初版のコンセプトを踏襲しつつ、最新の動向をふまえて大幅な加筆・修正を行った。

　第一に、第 11 章を新設し、新型コロナウイルス感染症への対応にフォーカスした法制度上のトピックを解説した。類書にはない、新たな試みと自負している。

　第二に、初版に続き、タイムリーな具体的事例を多数取り上げ、ヘルステックの現場で法制度が具体的にどのように機能しているかについて、読者の皆様に具体的なイメージを持っていただけるよう努めた。例えば、バイタルデータ計測アプリや新型コロナウイルス検査の法制度上の整理、医療機関・薬局等の DX に関する法制度の進展などの興味深い事例を新たに取り上げている。

　第三に、改正薬機法、（ヘルスケアの視点で必要な情報を網羅した）改正個人情報保護法、プログラムの医療機器への該当性に関するガイドライン、改正オンライン診療ガイドライン・オンライン服薬指導通知、緊急承認制度など、法制度の新設・改正を網羅するとともに、分かりやすく解説するよう努めた。なお、令和 4 年 5 月 13 日に薬機法の更なる改正法が成立したが、本文中の条文番号については同改正前のものである。

　読者の皆様のお手元に本書をおいていただけてお役に立つことができれば、執筆者一同の望外の喜びである。

最後に、本書の執筆にあたっては、初版に続き、株式会社商事法務の辻有里香氏に、多大なご尽力をいただいた。この場を借りて、厚くお礼を申し上げる次第である。

2022 年 4 月

執筆者を代表して
森・濱田松本法律事務所
　　弁護士　浦岡　　洋
　　弁護士　岡田　　淳
　　弁護士　大室　幸子
　　弁護士　代　　宗剛
　　弁護士　大野　志保
　　弁護士　堀尾　貴将

初版はしがき

IoTやAI、ビッグデータといった最先端のテクノロジーを駆使して既存産業に新たな価値や仕組みを提供し、今までの常識を打ち破るような革新的なサービスを創出する、いわゆる「X-Tech（クロステック）」が様々な業界においてトレンドを生み出している。

その中でも、医療・健康分野においてヘルスケアとテクノロジーを融合した「ヘルステック」は、少子高齢化や医療・介護費増大等の課題を抱える日本においてこそ、誰もが健康で長生きできる生涯現役社会を実現するとともに、新たなヘルスケア・サービスを創出して経済を活性化させるための起爆剤として、今最も注目されている領域の1つといえる。

これまで病院で医師が対面で診察をしていた治療の場は、発症前や治療後の日常生活におけるデータ収集・解析に基づく生活の場に広がり、患者を中心としたケア全体で治療成果を向上させることが重要になっている。また、ヘルスケア業界における伝統的なプレイヤーとしても、単体の医薬品・医療機器だけでなく、予防・モニタリングを含めたヘルスケア・ソリューションを提供するビジネスモデルへの転換を迫られている。AIによる診断補助、アプリを活用した情報提供、手術等へのロボット導入、オンライン診療、カルテ等の電子化、再生医療の発展など、ヘルスケア業界のイノベーションを促進するためのテクノロジーは限りない可能性に満ちている。

テクノロジーがヘルスケア業界を急速に革新していく過程において、法律もまた変革の波とは無縁でいられない。製品販売からソリューション提供へとビジネスモデルが変革する中で、薬機法や医療法、医師法といった伝統的な業規制は変容を迫られるとともに、個人情報保護法や知的財産法、製造物責任法といった汎用的な法律の解釈もまた個別分野でのテクノロジーの進展の影響を免れることはできない。様々なガイドライン、倫理指針なども同様であり、技術の革新にスピーディにキャッチアップしていくことが求められている。

そのことは、法律を実際に活用する弁護士や企業担当者等の実務家としても肝に銘じる必要がある。既存業界のプレイヤーはテクノロジーの進展に伴って業規制以外にも広汎な法知識を習得する必要があるし、逆に新規参入するプレイヤーはヘルスケア業界に特有の伝統的な法枠組を理解する

必要がある。

　このように、ヘルステックの急速な発展に応じて、どのプレイヤーにとっても、多様な法律を複眼的に考察するリーガルマインドが一層求められているにも拘らず、ヘルステックに関わる法律を横断的に詳述した書籍はいまだ見当たらない。

　そこで、本書では、必ずしも伝統的な薬事プラクティスに縛られることなく、様々な法律分野においてヘルステック案件対応に実務の第一線で日々奮闘している気鋭の弁護士一同が、企業担当者の日常的に遭遇する法律問題に分かりやすく答えるべく、ヘルステックが関わるあらゆる法律について、ヘルステックに関与する全ての皆様に対し、Q&A形式で分かりやすく解説することを目指したものである。

　ヘルステックに関する法律は、これからもテクノロジー技術の進展に伴い、変化していくことが予想される。しかし、現状の法規制を、横断的に、平易な言葉で解説する羅針盤がなければ、何が現状の問題点であり、何をどのように変化させるべきかを正しく理解することはできない。本書が、企業の実務担当者や法曹実務家にとって、そのような羅針盤としての役割を果たし、現状のヘルステックに関する法律の内容を明らかにすることで、少しでも今後のヘルスケア業界の発展に役に立てればと思う次第である。

　最後に、本書の執筆にあたっては、株式会社商事法務の下稲葉かすみ氏および辻有里香氏に、校正その他について多大なご尽力をいただいた。この場をお借りして厚くお礼を申し上げる次第である。

2019 年 7 月

執筆者を代表して
森・濱田松本法律事務所
　　弁護士　浦岡　　洋
　　弁護士　岡田　　淳
　　弁護士　大室　幸子
　　弁護士　代　　宗剛
　　弁護士　大野　志保

目　次

第1章　ヘルスケア情報の収集・利活用

Q 1　個人情報保護法の概要　2

Q 2　病歴や診断結果等のセンシティブ情報の取扱い　6

Q 3　仮名化・匿名化・統計化した診療データの取扱い　9

Q 4　医療情報の取扱いに関するその他の関連法令・ガイドライン　14

Q 5　医療情報システムとセキュリティ　21

Q 6　健康情報の取得・利用　26

Q 7　健康データの第三者提供　30

Q 8　カルテのマスキングと個人情報の該当性　36

Q 9　大学や研究機関との共同研究における患者データの利活用　39

Q 10　海外の第三者に対する個人の健康データの提供　46

Q 11　海外の医療機関等からの医療データの日本への移転　50

Q 12　匿名化された医療ビッグデータを第三者から入手する場合の留意点　52

Q 13　医療データの著作権と権利制限規定　57

Q 14　医療情報管理システムに関するサービス提供　59

第2章　ヘルスケア分野におけるAIの活用

Q 15　AI自動診断システム開発における法的規制　64

Q 16　AI開発の過程における当事者間での知的財産権の帰属　69

Q 17　機械学習機能を有するAI自動診断システム　73

Q 18　AI自動診断システムの誤診により生じた事故の法的責任　76

Q 19　「学習済みモデル」の知的財産権の保護　78

Q 20　AIを用いたケアプランの作成　81

Q 21　AIを用いたケアプランと介護保険等　85

第3章　医療ロボット・介護ロボット

Q 22　医療ロボットと介護ロボットの差異　88

Q 23　福祉用具該当性　90

Q 24　手術支援ロボットの開発における法的規制　94

vi　目　次

Q 25　医療ロボットの誤作動により生じた事故の法的責任　95

Q 26　介護支援ロボットの開発・実証実験における法的規制　98

Q 27　介護支援ロボット等の導入と介護保険　100

Q 28　介護ロボット導入のメリット・導入支援　104

Q 29　最新の介護用機械に支給される補助金　107

第4章　ヘルスケア情報に関するアプリ・ウェブサイト

Q 30　医薬品等の広告規制の概要　112

Q 31　医療機関等の広告規制の概要　117

Q 32　「医行為」の範囲　121

Q 33　「医療機器」の範囲　125

Q 34　医療・ヘルスケア関連の知識・情報サイト——留意すべき法令　128

Q 35　医療・ヘルスケア関連の知識・情報サイト——代表的なリスクと対策　131

Q 36　医療相談サイトの法的規制の概要　134

Q 37　医療相談サービスとオンライン診療サービスとの相違点　139

Q 38　医療相談サイトの運営形態と民事責任　141

Q 39　医療相談サービスを実施する場合の社内体制　144

Q 40　運動指導、健康・生活支援サービス情報の提供、栄養指導　147

Q 41　特定保健指導　149

Q 42　利用者から提供されたデータに基づく情報提供　151

Q 43　利用者の症状等をオンラインで確認した上での情報提供　154

Q 44　セカンドオピニオン提供サービス・医師紹介サービス　157

Q 45　バイタルデータを計測するアプリの「医療機器」該当性について　161

Q 46　医療機器の広告に際しての留意点　164

Q 47　医薬品等の口コミサイト　166

Q 48　医療機器プログラムと医療保険　170

第5章　オンラインによる診療・服薬指導・医薬品販売

Q 49　オンライン診療の可否　174

Q 50　オンライン診療の開始時・開始後の留意点　178

Q 51　オンライン診療を受ける場所　187

Q 52　オンライン診療における情報セキュリティの観点からの留意点　189

Q 53　オンライン診療システム事業者の留意点　192

目 次 vii

Q 54 オンライン診療と診療報酬 194

Q 55 海外とのオンライン診療 201

Q 56 オンライン診療（D to P with D） 204

Q 57 オンライン服薬指導(1) 206

Q 58 オンライン服薬指導(2) 210

Q 59 医薬品インターネット販売実施のための構造設備・体制 217

Q 60 医薬品インターネット販売の広告表示 220

Q 61 医薬品インターネット販売のための端末設置 223

Q 62 インターネット販売した医薬品の配送・在庫融通 225

Q 63 インターネットを利用した特定販売の該当性 227

第 6 章　医療機関・薬局等における DX

Q 64 医療機関・薬局等における DX の現状 230

Q 65 カルテ等の電子化に関する規制 233

Q 66 電子カルテサービス 236

Q 67 オンライン資格確認等システムを基盤とした電子処方箋システム 239

Q 68 電子処方箋に関する制度 242

Q 69 電子お薬手帳サービスの意義と留意点 245

Q 70 電子お薬手帳における家族情報の管理機能 249

第 7 章　再生医療

Q 71 細胞加工に関わる事業と法規制 254

Q 72 再生医療等製品の早期の実用化 258

Q 73 再生医療等の提供と規制 260

第 8 章　遺伝子検査サービス・遺伝情報の利用

Q 74 遺伝子検査サービスとは 266

Q 75 遺伝子検査サービスと医師法の関係 269

Q 76 遺伝子検査サービスの規制 272

Q 77 遺伝子検査サービスの法的留意点——受付・検体採取 274

Q 78 遺伝子検査サービスの法的留意点——解析・結果報告・処置 277

Q 79 遺伝子検査と保険 279

viii　目　次

第9章　ヘルステック分野における M&A・ベンチャービジネス

Q 80　ヘルステック事業の M&A とストラクチャリング　284

Q 81　ヘルステック事業の法務 DD における留意点　286

Q 82　バイオベンチャー企業への投資にあたっての課題　288

Q 83　バイオベンチャー企業のバリュエーションについて　291

Q 84　大学との協働にあたっての留意点——大学との間の契約　293

Q 85　大学との協働にあたっての留意点——利益相反・贈収賄　298

第10章　ヘルステック法務における留意点

Q 86　医療機器の製造販売に関連する業許可と承認等　304

Q 87　新製品が「医療機器」に該当するかの確認方法　307

Q 88　新製品のボトルネックとなる規制の解消方法　309

Q 89　ヘルスケア関連の研究実施にあたっての留意点　311

Q 90　介護保険制度の概要　314

Q 91　医療機器と医療保険制度　316

第11章　新型コロナウイルス感染症をめぐる法規制

Q 92　唾液を用いた PCR 検査の医行為該当性　322

Q 93　新型コロナウイルス抗原定性検査キットの体外診断用医薬品該当性　325

Q 94　新型コロナウイルス感染症のワクチンや治療薬の緊急承認制度　328

Q 95　新型コロナワクチン接種の任意性　331

執筆者一覧　334

ix

凡　例

1　法令・ガイドラインの略称

医療介護ガイダンス	医療・介護関係事業者における個人情報の適切な取扱いのためのガイダンス
医療介護ガイダンスQ&A	「医療・介護関係事業者における個人情報の適切な取扱いのためのガイダンス」に関するQ&A（事例集）
オンライン診療指針	オンライン診療の適切な実施に関する指針
個人情報保護法	個人情報の保護に関する法律
個人情報保護法ガイドライン（通則編）	個人情報の保護に関する法律についてのガイドライン（通則編）
個人情報保護法ガイドライン（外国第三者提供編）	個人情報の保護に関する法律についてのガイドライン（外国にある第三者への提供編）
個人情報保護法ガイドライン（確認・記録義務編）	個人情報の保護に関する法律についてのガイドライン（第三者提供時の確認・記録義務編）
個人情報保護法ガイドライン（仮名・匿名加工情報編）	個人情報の保護に関する法律についてのガイドライン（仮名加工情報・匿名加工情報編）
個人情報保護法ガイドラインQ&A	「個人情報の保護に関する法律についてのガイドライン」に関するQ&A
個人情報保護法施行規則	個人情報の保護に関する法律施行規則
個人情報保護法施行令	個人情報の保護に関する法律施行令
再生医療等安全確保法	再生医療等の安全性の確保等に関する法律
再生医療等安全確保法施行規則	再生医療等の安全性の確保等に関する法律施行規則

× 凡 例

次世代医療基盤法	医療分野の研究開発に資するための匿名加工医療情報に関する法律
薬機法	医薬品、医療機器等の品質、有効性及び安全性の確保等に関する法律
薬機法施行規則	医薬品、医療機器等の品質、有効性及び安全性の確保等に関する法律施行規則
薬機法施行令	医薬品、医療機器等の品質、有効性及び安全性の確保等に関する法律施行令
療担規則	保険医療機関及び保険医療養担当規則
e‐文書法	民間事業者等が行う書面での保存等における情報通信の技術の利用に関する法律

2 判例誌等の略称

刑集	最高裁判所刑事判例集
大刑集	大審院刑事判例集
刑録	大審院刑事判決録
新聞	法律新聞
判時	判例時報
判タ	判例タイムズ

第1章

ヘルスケア情報の収集・利活用

2　第 1 章　ヘルスケア情報の収集・利活用

Q1　個人情報保護法の概要

Q　ヘルステック関連の業務に携わる企業や医療機関等においては、様々な場面で、患者の個人情報を扱うことが想定されます。個人情報保護法上、こうした情報は、どのように取り扱うことが求められているのでしょうか。

- ▶

A　取り扱う情報が患者の個人情報に該当する場合、個人情報保護法その他の関連規制に従った取扱いが必要です。個人情報保護法は、主に、個人情報の取得、管理、利用、提供および消去の各段階について規制を設けています。

═══ 解　説 ═══

1　個人情報保護法

　個人情報の取扱いに関して、実務上最も重要な法律が、個人情報保護法である。ヘルスケア・医療の分野も例外ではなく、企業や医療機関が患者の個人情報を取り扱う場合には、常に個人情報保護法を念頭に置く必要がある（個人情報の定義については、**Q8** 参照）。

　個人情報保護法は、平成 15 年に制定された後、平成 27 年、令和 2 年および令和 3 年[1] に大幅な改正案が可決された。そして、令和 4 年 4 月 1 日には、令和 2 年改正が全面的に施行され、併せて、令和 3 年改正のうち、地方公共団体に関係する以外の部分も施行された。令和 5 年春には、地方公共団体に関係する部分の施行も予定されている。今後も、個人情報保護法は、改正法の施行後 3 年を目途として、国際的動向、情報通信技術の進展、新たな産業の創出および発展の状況等を勘案し、新個人情報保護法の施行状況について検討を加えながら、必要がある場合には、見直しをすることになっているため（令和 2 年改正附則 10 条）、引き続き、最新の動向に注意を払う必要がある。

　なお、令和 4 年 3 月 31 日以前においては、個人情報保護法は、主に民

---

1)　令和 3 年の個人情報保護法の改正は、デジタル社会の形成を図るための関係法律の整備に関する法律 50 条および 51 条に伴う改正である。

間の事業者が取り扱う個人情報について規律していた。しかし、令和3年改正により令和4年4月1日以降は、個人情報保護法内に、行政機関や独立行政法人に対する規律についても定められることとなった（**Q4** 参照）。もっとも、本書では、主に民間の事業者が服する規律について説明を行う。

　個人情報保護法は、取得、管理、利用、提供および消去の各段階について規制を設けている。以下では、まず、個人情報保護法の全体像を把握するために、各段階での主要な規制を述べる（個人情報保護法以外の関連法令やガイドラインについては、**Q4** 参照）。ただし、個人情報保護法には、種々の例外や、例外の例外が設けられているので、実際の個人情報の利活用の場面に応じて、本章の関連する設問を参照されたい。

2　個人情報の取得

(1)　個人情報の取得の禁止

以下の場合には、個人情報の取得が禁止される。

- ・　偽りその他不正の手段により個人情報を取得することの禁止（個人情報保護法20条1項。なお、個人情報保護法ガイドライン（通則編）3-3-1によれば、不正の手段による取得とは、「個人情報を取得する主体や利用目的等について、意図的に虚偽の情報を示して、本人から個人情報を取得する場合」や「不正の手段で個人情報が取得されたことを知り、又は容易に知ることができるにもかかわらず、当該個人情報を取得する場合」などが該当する）
- ・　要配慮個人情報を、原則として、本人の同意なく取得することの禁止（同法20条2項。なお、医療に関する個人情報の多くは要配慮個人情報に該当する。詳細は、**Q2** 参照）

(2)　個人情報・個人データ取得時の義務

　個人情報・個人データ（個人情報データベース等（同法16条1項）を構成する個人情報をいう（同法16条3項））を取得する際には、以下の義務を遵守しなくてはならない。

- ・　個人情報を取り扱うにあたっては、利用目的をできる限り特定すること（同法17条1項）
- ・　個人情報を取得した場合は、利用目的を公表している場合を除き、

原則として、速やかに、利用目的を本人に通知しまたは公表すること（同法 21 条 1 項）

- 本人から直接書面に記載された個人情報を取得する場合は、原則として、本人に対し、利用目的を明示すること（同法 21 条 2 項）
- 第三者から個人データの提供を受ける場合には、原則として、当該第三者による当該個人データの取得の経緯等の確認を行い、その記録を作成すること（同法 30 条 1 項および 3 項）

3 個人データの管理

個人データの管理について、以下の義務を遵守しなくてはならない。

- 個人データの漏えい、滅失または毀損（以下「漏えい等」）の防止等の安全管理のために必要かつ適切な措置を講じること（個人情報保護法 23 条）
- 個人データの漏えい等について、個人情報保護法施行規則に定めるもの[2]が生じた場合には、個人情報保護委員会に報告し、原則として本人に通知すること（同法 26 条）

4 個人情報の利用

個人情報を利用するにあたっては、以下の規制を遵守しなくてはならない。

- 本人の同意を得た場合を除き、原則として、利用目的の達成に必要な範囲を超えて、個人情報を取り扱わないこと（個人情報保護法 16 条 1 項）
- 違法または不当な行為を助長し、または誘発するおそれがある方法により個人情報を利用してはならないこと（同法 19 条）。

---

[2] 個人データ（ただし、高度な暗号化その他の個人の権利利益を保護するために必要な措置を講じたものを除く）について、次のいずれかに規定する事態が生じた場合（個人情報保護法施行規則 7 条）。
①要配慮個人情報が含まれる個人データの漏えい等が発生し、または発生したおそれがある事態　②不正に利用されることにより財産的被害が生じるおそれがある個人データの漏えい等が発生し、または発生したおそれがある事態　③不正の目的をもって行われたおそれがある個人データの漏えい等が発生し、または発生したおそれがある事態　④個人データに係る本人の数が 1,000 人を超える漏えい等が発生し、または発生したおそれがある事態

5　個人データの提供

　個人データを第三者に提供するには、原則として、次のいずれかの条件を満たす必要がある（個人情報保護法27条各項）。

- ・　本人の同意を得ること（同法27条1項）
- ・　第三者に提供する個人データの項目、第三者への提供方法等を、個人情報保護委員会に届け出るとともに、本人に通知または本人が容易に知り得る状態に置き、本人の要請があった場合には、その本人の個人データの第三者への提供を停止すること（いわゆるオプトアウト。ただし、要配慮個人情報および、偽りその他不正の手段により取得された個人情報、または、このオプトアウトの方法により提供されていた個人情報については、この方法は認められない）（同法27条2項）
- ・　個人データの取扱いの全部または一部の委託に伴い、委託先に対して提供すること（同法27条5項1号）
- ・　特定の者との間で共同利用すること（ただし、一定の事項（①共同利用する旨、②共同利用の対象となる個人データの項目、③共同して利用する者の範囲、④利用する者の利用目的および⑤当該個人データの管理について責任を有する者の氏名または名称および住所ならびに法人にあっては、その代表者の氏名）を本人に通知し、または本人が容易に知り得る状態に置く必要がある（同法27条5項3号））

　また、本人の同意またはオプトアウトにより、個人データを第三者に提供する際には、個人データ提供の記録を作成して保管しなければならない（同法29条）。

6　個人データの消去

　個人データについては、利用する必要がなくなったときは、遅滞なく消去する努力義務が課されている（個人情報保護法22条）。

　また、保有個人データ（同法16条4項）については、法令に違反した利用若しくは取得があった場合、利用する必要がなくなった場合、個人情報保護委員会への報告の対象になる漏えい等が発生した場合、または、当該本人の権利または正当な利益が害されるおそれがある場合には、本人からの請求があれば消去等の対応を行う法的な義務がある（同法35条1項および5項）。

6　第1章　ヘルスケア情報の収集・利活用

Q2　病歴や診断結果等のセンシティブ情報の取扱い

Q　ヘルステック関連のビジネスに携わる企業等が、患者の健康状態や治療歴等に関する情報を取り扱う場合に、個人情報保護法上、特別に気をつけなければならないことがあれば、教えてください。

- ▶

A　個人の健康状態や治療歴等に関する情報は、個人情報保護法の「要配慮個人情報」に該当する場合があります。その場合には、取得および提供に一定の制限が加わります。

═══ 解　説 ═══

1　「要配慮個人情報」とは

個人情報保護法では、特にセンシティブと考えられる情報について、「要配慮個人情報」という類型を設けている（個人情報保護法2条3項）。

ヘルスケアや医療に関する情報では、病歴等（同法2条3項）、心身の機能の障害があること（同法2条3項、同法施行令2条1号）、医師等による健康診断等の結果（同法2条3項、同法施行令2条2号）、医師等が行った指導または診療もしくは調剤の事実（同法2条3項、同法施行令2条3号）などが要配慮個人情報に該当する。

なお、要配慮個人情報そのものではなく、要配慮個人情報であることを「推知させる情報にすぎないもの」については、要配慮個人情報に該当しない（個人情報保護法ガイドライン（通則編）2-3、個人情報保護法ガイドラインQ&A　Q4-8）。したがって、本人の話し方や振る舞いなどから、障害や疾患の事情が推知されるにすぎない場合には、要配慮個人情報には該当しない（例えば、「Aさんは、高齢で忘れっぽい」という情報は、認知症の事情を推知させ得るが、それ自体は一般に要配慮個人情報に該当しないと考えられる）。

そして、要配慮個人情報については、 **Q1** で説明した個人情報保護法の一般的な規制に加えて、次のとおり、取得と提供に関する規制が追加で課される。また、要配慮個人情報を含む個人データの漏えい等またはその

おそれは、漏えい等報告の対象となる（個人情報保護法26条1項、同施行規則7条1号）。

2　要配慮個人情報の取得

　要配慮個人情報は、原則として、本人の同意を得ないで取得することが禁止される（個人情報保護法20条2項柱書）。この例外として、法令に基づく場合（同法20条2項1号）、本人が自ら公開している場合（同法20条2項7号）、目視することで外形上明らかな情報を取得する場合（同法20条2項6号、同法施行令9条1号）、委託や共同利用により取得する場合（同法20条2項4号、同法施行令9条2号、同法27条5項）等が挙げられる。

　もっとも、本人から要配慮個人情報を直接取得する場合には、本人から当該情報が提供されたことをもって同意があったと通常は考えられる。この点、医療介護ガイダンス32頁によれば、「例えば、患者が医療機関の受付等で、問診票に患者自身の身体状況や病状などを記載し、保険証とともに受診を申し出ることは、患者自身が自己の要配慮個人情報を含めた個人情報を医療機関等に取得されることを前提としていると考えられるため、医療機関等が要配慮個人情報を書面又は口頭等により本人から適正に直接取得する場合は、患者の当該行為をもって、当該医療機関等が当該情報を取得することについて本人の同意があったものと解される」とされている。ただし、例えば、患者の家族とのみやり取りをするようなケースでは、必ずしも本人の同意を得られているとは限らないので注意が必要である。

3　要配慮個人情報の第三者提供

　要配慮個人情報については、オプトアウトの方法（**Q1 Q7** 参照）による第三者提供が禁止される（個人情報保護法27条2項ただし書）。したがって、要配慮個人情報が含まれる個人データを第三者提供する場合には、法令等で認められている場合（同法27条1項各号）のほかは、①本人の同意を得る、②共同利用または委託とする、③匿名化等の処理を行う（**Q3 Q12** 参照）、④学術研究機関等に学術研究目的で提供する（**Q9** 参照）等のいずれかの対応を検討することになる。

　なお、次世代医療基盤法の下では、医療情報取扱事業者は、同法に規定する条件（次世代医療基盤法30条）の下で、本人またはその遺族が提供を

8 第1章 ヘルスケア情報の収集・利活用

拒否した場合を除き（オプトアウト）、認定匿名加工医療情報作成事業者に対する医療情報の第三者提供が可能となっている（**Q 12** 参照）。

Q3 仮名化・匿名化・統計化した診療データの取扱い

Q 多数の診療データ等を加工することにより仮名化または匿名化して、新たな治療法の開発のために利用することを考えています。個人を特定できないように加工した情報であれば、個人情報保護法の適用はないのでしょうか。仮名化または匿名化した情報の取扱いについて、教えてください。

A ①匿名加工情報（特定の個人を識別することができないように個人情報を加工して得られた個人に関する情報）、②統計情報（個人情報を統計化することで得られた情報）、および、③次世代医療基盤法に基づき作成された「匿名加工医療情報」については、個人情報でないことから、個人情報保護法に定める個人情報の取扱いに関する規制は適用されません。また、令和2年の個人情報保護法の改正で導入された④仮名加工情報（他の情報と照合しない限り特定の個人を識別することができないように個人情報を加工して得られた個人に関する情報）については、個人情報に該当するものとそうでないものがあります。ただし、①、③および④の情報の取扱いに際しては、法律上一定の制限が課されています。

═══ **解　説** ═══

1　匿名加工情報

　個人情報から当該個人情報に含まれる記述等を削除（他の記述に置き換えることを含む）することで、特定の個人を識別することができないように個人情報を加工して得られる個人に関する情報であって、当該個人情報を復元することができないようにした情報を「匿名加工情報」という（個人情報保護法2条5項）。なお、個人情報保護法ガイドライン（仮名・匿名加工情報編）3-1-1によれば、ここでいう「特定の個人を識別することができない」および「個人情報を復元することができない」の程度については、少なくとも、一般人および一般的な事業者の能力、手法等を基準として当該情報を通常の方法により特定ないし復元できないような状態とすることで足りるとされている。

　匿名加工情報は、もはや、特定の個人を識別することができない情報で

10 第1章 ヘルスケア情報の収集・利活用

あるから、個人情報には該当せず、したがって、個人情報を取り扱う際の規制（**Q1**参照）は適用されない。とりわけ、匿名加工情報であれば、本人の同意を得ていない場合でも第三者への提供が認められることから、多数の個人情報を集積したビッグデータを第三者に利用させる場合には、実務上、匿名加工情報を活用することも有効な手段であって、現に活用事例も増加している。

ヘルスケア・医療の分野における要配慮個人情報であっても、この匿名加工情報の仕組みを用いることが可能である。例えば、風邪と診断された患者の処方箋から、患者の氏名・生年月日や処方医の氏名等を削除し、患者の住所および医療機関所在地を都道府県単位に、処方年月日を月単位に修正し、患者の年齢の1桁を四捨五入し、さらに、その他特異な記述（例えば、処方薬の種類や量があまりにも珍しい場合には、その種類や量）を削除した処方箋の情報は、その他に特定の個人を識別できるような情報が残っていなければ、一般に、匿名加工情報として扱われるものと思われる。

ただし、匿名加工情報は、依然として「個人に関する」情報であることには変わりなく、加工方法が不十分だったり、復元を試みられたりした場合には、加工前の個人情報の主体が特定されるなどして、個人の権利利益を損ねてしまうおそれがある。したがって、個人情報保護法は、次のとおり、匿名加工情報の取り扱いについて一定の義務を課している。

- ・ 匿名加工情報の作成時に、適正に個人情報を加工する義務（同法43条1項）
- ・ 加工方法の漏えい防止措置を講じる義務（同法43条2項）
- ・ 匿名加工情報の作成時に一定の事項を公表する義務（同法43条3項、44条）
- ・ 匿名加工情報の提供時に一定の事項を公表し、提供を受ける者に対して、匿名加工情報である旨を明示する義務（同法43条4項、44条）
- ・ 匿名加工情報から本人を識別することを目的として、他の情報と照合したり（同法43条5項、45条）、加工の方法に関する情報を取得したりすることの禁止（同法45条）

なお、利用目的の特定（同法17条1項。**Q1**および**Q6**参照）との関係では、匿名加工情報への加工を行うこと自体を利用目的とする必要はない（個人情報保護法ガイドラインQ&A Q 15-7）。

2 統計情報

個人情報を統計化した情報、すなわち、複数人の情報から共通要素に係る項目を抽出して同じ分類ごとに集計して得られるデータで、集団の傾向または性質などを数量的に把握するものについては、個人情報保護法ガイドライン（仮名・匿名加工情報編）3-1-1上、統計情報として扱われる。

具体的には、「A県内で、2021年10月に風邪と診断された患者のうち、ロキソプロフェン（解熱鎮痛剤）を処方された患者の総数とその割合」というような情報がこれにあたる。

統計情報は、特定の個人との対応関係が排斥されている限りにおいては、「個人に関する情報」に該当するものではないため、匿名加工情報には該当せず、また、個人情報にもあたらない。したがって、統計情報については、個人情報保護法上何の規制も設けられていないため、自由に利用することができる。ただし、統計化した情報の形を取っていても、サンプルが著しく少ない領域が生じるような形である項目の値が区切られたために、誰の情報であるかが特定されやすくなることもあり得るため、特定の個人との対応関係が十分に排斥できるような形で統計化されていることが重要であるとされている[1]。また、希少疾病に関する治験データなども、サンプル数が少ないため、統計化には困難が伴う。

なお、統計情報についても、匿名加工情報と同様に、利用目的の特定との関係では、統計情報への加工を行うこと自体を利用目的とする必要はない（個人情報保護法ガイドラインQ&A Q 2-5）。

3 匿名加工医療情報

次世代医療基盤法は、大臣認定制度の下で認定を受けた事業者（認定匿名加工医療情報作成事業者）が、オプトアウトの方法により（本人が提供を拒否した場合を除き）、医療情報取扱事業者（病院等）から医療情報の提供を受け、匿名加工医療情報を作成することを認めている（詳細は、**Q 12**参照）。

この匿名加工医療情報は、個人情報保護法の匿名加工情報と同じく、特

---

1) 個人情報保護委員会「仮名加工情報・匿名加工情報　信頼ある個人情報の利活用に向けて ——制度編〔第2版〕」（2022年3月）57頁

12 第1章 ヘルスケア情報の収集・利活用

定の個人を識別することができないように加工された個人に関する情報である（次世代医療基盤法2条3項）ため、個人情報には該当しない。したがって、個人情報を取り扱う際の個人情報保護法上の規制の適用を受けずに、第三者に提供することが可能である。

　もっとも、匿名加工情報と同じく、匿名加工医療情報についても、加工が不十分だった場合等に、加工前の個人情報の主体が特定されるなどして、個人の権利利益を損ねてしまうおそれがある。そこで、認定匿名加工医療情報作成事業者は、大臣認定制度の下で匿名医療加工情報作成事業の適正かつ確実な実施に関する基準に適合する者のみが認定され、また、同事業者には、匿名加工医療情報の作成時に、適正に医療情報を加工する義務（同法18条1項）や、匿名加工医療情報から本人を識別することを目的として、他の情報と照合することの禁止（同法18条2項）等の義務が課せられている。

4　仮名加工情報

　令和2年改正個人情報保護法では、個人情報と匿名加工情報の中間的な位置づけとなる「仮名加工情報」の概念が創設された。これは、「他の情報と照合しない限り特定の個人を識別することができないように個人情報を加工して得られる個人に関する情報」のことである（同法2条5項）。仮名加工情報の匿名化の程度は、匿名加工情報よりも弱いものであり、匿名加工情報は「本人か一切わからない程度まで加工されたもの」であることが必要であるが、仮名加工情報は「対照表と照合すれば本人がわかる程度まで加工されたもの」でよい[3]。

　仮名加工情報は、基本的には、個人情報に該当し[4]、原則として、第三者提供が認められない等の制限がある。一方で、その利点は、新たな利用目的の公表は必要となるものの、本人の同意を得ずに、また、従前の利用目的との関連性も問題とせずに、異なる利用目的への変更が可能となることである（同法41条9項）。

　なお、個人情報保護法は、匿名加工情報と同様、仮名加工情報の取り扱

3）佐脇紀代志編著『一問一答　令和2年改正個人情報保護法』（商事法務、2020）14頁
4）佐脇編著・前掲注3）15頁。以下では、個人情報に該当する仮名加工情報についてのみ説明する。

いについても、一定の義務を課しており、主な義務は以下のとおりである。

- ・ 仮名加工情報の作成時に、適正に個人情報を加工する義務（同法41条1項）
- ・ 仮名加工情報の作成に用いられた個人情報から削除された記述等の漏えい防止措置を講じる義務（同法41条2項）
- ・ 匿名加工情報から本人を識別することを目的として、他の情報と照合することの禁止（同法41条7項）
- ・ 仮名加工情報に含まれる連絡先等を利用して、電話、郵便、ファックス、電子メール及び住居訪問等を行うことの禁止（同法41条8項）

なお、仮名加工情報についても、匿名加工情報・統計情報と同様に、利用目的の特定との関係では、仮名加工情報への加工を行うこと自体を利用目的とする必要はない（個人情報保護法ガイドラインQ&A Q14-9）。

5　仮名加工情報・匿名加工情報の事例について

個人情報保護委員会は、2022年3月に、「仮名加工情報・匿名加工情報　信頼ある個人情報の利活用に向けて——制度編〔第2版〕」および「仮名加工情報・匿名加工情報　信頼ある個人情報の利活用に向けて——事例編」を公表した。

特に「事例編」については、仮名加工情報や匿名加工情報のユースケースが紹介されており、実務上参考になる。

14　第1章　ヘルスケア情報の収集・利活用

| Q4 | 医療情報の取扱いに関する
その他の関連法令・ガイドライン |

Q　ヘルスケア・医療に関する分野で個人情報を取り扱う場合、個人情報保護法以外では、個人情報の取扱いに関係する法令やガイドライン等には、どのようなものがあるのでしょうか。

A　個人情報保護法に関しては、ガイドラインやQ&Aが公表されています。さらに、個人情報はプライバシーとしても保護されるほか、その他にも関連し得る法令や指針があります。

═══ 解　説 ═══

1　個人情報保護法のガイドライン等

個人情報保護法に関しては、個人情報保護委員会が、次のガイドラインおよびQ&Aを公表している。

作成者	名　称	説　明
個人情報保護委員会	個人情報保護法ガイドライン（通則編、外国第三者提供編、確認・記録義務編、仮名・匿名加工情報編および認定個人情報保護団体編）	逐条解説形式で、個人情報保護法の解釈を説明したもの
	個人情報保護法ガイドラインQ&A	Q&A形式で、個人情報保護法の解釈を説明したもの

また、個人情報保護委員会および厚生労働省が、医療介護分野において、次のガイダンスおよびQ&Aを公表している。

Q4　医療情報の取扱いに関するその他の関連法令・ガイドライン　15

作成者	名　称	説　明
個人情報保護委員会厚生労働省	医療介護ガイダンス	民間病院、診療所、薬局等の事業者が行う個人情報の適正な取扱いの確保に関する活動を支援するための具体的な留意点・事例等を示したもの
	医療介護ガイダンスQ&A（事例集）	医療介護ガイダンスに基づき、Q&A形式で、個人情報保護法の解釈を説明したもの

2　行政機関や独立行政法人が個人情報を取り扱う場合

　個人情報保護法は、政府に対して個人情報の保護に関する基本方針の策定を義務付け（個人情報保護法7条）、国の機関、独立行政法人等および地方公共団体に対して個人情報の適正な取扱いが確保されるよう必要な措置を講ずることを求める（同法8条、9条）等の規定を含んでいる。

　個人情報保護法上の規律は、大別すると、「個人情報取扱事業者」を対象とする民間部門に対する規律（第4章（16条～59条））と、「行政機関等」を対象とする公的部門に対する規律（第5章（60条～126条））に分かれている。

　国の機関および独立行政法人は、原則として、行政機関等として公的部門に対する規律を受ける。なお、独立行政法人のうち、国立の病院および大学等[1]については、従前（令和4年3月31日まで）は、独立行政法人として公的部門における規律（独立行政法人個人情報保護法）を一律に受けていた。しかし、同法の令和3年改正により、民間学術研究機関、医療機関等と同じく、基本的には民間部門と同じ規律が適用されることになった（同法2条11項2号かっこ書、16条2項3号）が、他方では、その特性を踏まえ、開示請求等に係る制度、行政機関等匿名加工情報の提供等については、引き続き、公的部門における規律が適用されることとなった（同法58

---

1) 個人情報保護法別表第二に掲げられている法人（沖縄科学技術大学院大学学園、国立研究開発法人、国立大学法人、大学共同利用機関法人、独立行政法人国立病院機構、独立行政法人地域医療機能推進機構および放送大学学園）など

条1項、123条2項)。

　また、現在は、地方公共団体の機関における病院、診療所および大学の運営や、学術研究および医療事業を行う地方独立行政法人は、個人情報保護法の対象外であり（同法16条2項2号・4号）、各地方公共団体の条例により規律されている。しかし、令和3年改正のうち、地方公共団体に関わる部分が令和5年春に施行されると、国立の病院および大学等と同様、原則として民間部門における個人情報の取扱いに係る規律が適用され、他方で開示請求等に係る制度および行政機関等匿名加工情報の提供については、公的部門における規律が適用されることになる（地方公共団体の機関について、令和3年改正全面施行後の個人情報保護法58条2項1号、125条1項、地方独立行政法人について、同法2条11項4号かっこ書、16条2項4号、58条1項2号、125条2項)。

　令和3年改正個人情報保護法施行前の体系については以下を、施行後の体系については次頁の図表を参照されたい。

［令和3年改正前の個人情報保護法の体系］

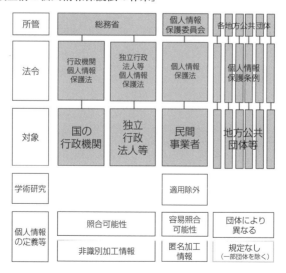

［令和3年改正後の個人情報保護法の体系］

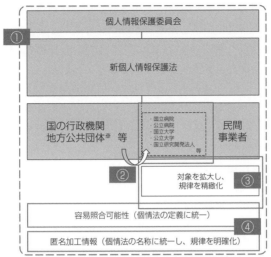

※ 条例による必要最小限の独自の保護措置を許容

① 個人情報保護法、行政機関個人情報保護法、独立行政法人等個人情報保護法の3本の法律を1本の法律に統合するとともに、地方公共団体の個人情報保護制度についても統合後の法律において全国的な共通ルールを規定し、全体の所管を個人情報保護委員会に一元化。
② 医療分野・学術分野の規制を統一するため、国公立の病院、大学等には原則として民間の病院、大学等と同等の規律を適用。
③ 学術研究分野を含めた GDPR の十分性認定への対応を目指し、学術研究に係る適用除外規定について、一律の適用除外ではなく、義務ごとの例外規定として精緻化。
④ 個人情報の定義等を国・民間・地方で統一するとともに、行政機関等での匿名加工情報の取扱いに関する規律を明確化。

(出典：個人情報保護委員会「個人情報保護制度見直しの全体像」を元に作成)

3 プライバシー

　プライバシーの定義については、多数の考え方があるが、伝統的な考え方（「宴のあと事件」（東京地判昭39・9・28判タ165号184頁））に従えば、①私生活上の事実または私生活上の事実らしく受け取られるおそれのあることがらであること、②一般人の感受性を基準にして当該私人の立場に立った場合公開を欲しないであろうと認められることがらであること、③一般の人々に未だ知られていないことがらであることの各要件を満たす場合には、プライバシーの対象となる。そして、プライバシーの侵害行為は、民法上の不法行為を構成することになり、被害者に対して損害賠償責任を負うことになる（民法709条）。
　ヘルスケア・医療の分野で扱う個人情報は、上記の各要件を満たすこと

が多いと考えられるため、個人情報保護法による保護だけでなく、プライバシーとしての保護も受ける。したがって、正当な理由なく、本人に無断で個人情報を第三者に提供したり、不正アクセス等があって過失により個人情報が漏えいしたりした場合には、プライバシー侵害として、不法行為に基づく損害賠償責任を負う場合があると考えられる。

　参考事例として、エステティックサロンのウェブサイトで、回答したアンケートの情報が漏えいした事件では、情報の機微性を踏まえ、弁護士費用5,000円を含めて1人あたり35,000円の損害賠償が認められている（東京地判平19・2・8判タ1262号270頁）。ヘルステックに関して、病歴などの個人情報を取り扱う場合には、そうした情報は、このエステの事例と同様に（場合によってはそれ以上に）、特に他人に知られたくない情報だと考えられることから、情報漏えい等が発生した場合には、比較的高額の損害賠償が命じられる可能性も否定できない点には留意が必要である。

4　生命科学・医学系研究に関する指針

　厚生労働省は、関係省庁等と連携して、適正に医学研究を実施するための指針の策定を行っている。こうした指針は、あくまでも法的拘束力はなく、行政指導の基準として位置づけられるものに過ぎない。他方で、実務上は、こうした指針の遵守が学術雑誌への論文掲載等の要件になっていたり、同省が、指針等の遵守を厚生労働科学研究費補助金等の交付の条件とし、違反があった場合には補助金の返還、補助金の交付対象外（最大5年間）とする措置を講ずることがあり得るものとしているため、実務上はこれに従わない研究を行うことは極めて困難であるとの指摘[2]もなされている。

　医学研究に関する指針のうち、主なものは以下のとおりである。

2）米村滋人『医事法講義』（日本評論社、2016年）310頁

作成者	名　称	説　明
文部科学省 厚生労働省 経済産業省	人を対象とする生命科学・医学系研究に関する倫理指針	人を対象とする生命科学・医学系研究の実施にあたり、関係者が遵守すべき事項について定めたもの
文部科学省 厚生労働省 経済産業省	人を対象とする生命科学・医学系研究に関する倫理指針ガイダンス	人を対象とする生命科学・医学系研究に関する倫理指針の解釈や具体的な手続の留意点等を説明したもの
文部科学省	人を対象とする生命科学・医学系研究に関する倫理指針・ガイダンス　よくあるご質問（FAQ）	上記倫理指針・ガイダンスについてよくある質問をまとめたもの

5　医療情報安全管理関連ガイドライン

　医療に関する患者情報（個人情報を含む）およびその情報を扱うシステム（いわゆる医療情報システム）については、厚生労働省、経済産業省および総務省が作成した以下のガイドラインが適用される（詳細は、 Q5 参照）。

作成者	名　称	説　明
厚生労働省	医療情報システムの安全管理に関するガイドライン	医療機関等における電子的な医療情報の取扱いにつき、医療情報システムの安全管理やe‐文書法への適切な対応を行うため、技術的および運用管理上の観点から必要な対策を示したもの
厚生労働省	「医療情報システムの安全管理に関するガイドライン」に関するQ&A	上記ガイドラインにつきQ&A形式でその解釈を説明したもの

経済産業省 総務省	医療情報を取り扱う情報システム・サービスの提供事業者における安全管理ガイドライン	医療情報を取り扱う情報システムやサービスを提供する事業者に対し、医療情報を電子的に作成し保存する際の安全を確保するために必要な対策を示したもの
	医療情報を取り扱う情報システム・サービスの提供事業者における安全管理ガイドラインFAQ	上記ガイドラインの内容をより理解しやすくするため、基本的な考え方をまとめたもの

6 PHR に関する指針

　総務省、厚生労働省および経済産業省は、令和3年4月に、民間PHR（Personal Health Record）サービスの利活用の促進に向け、PHRサービスを提供する事業者が遵守すべき事項について、次のような指針を発表している（詳細は、 **Q7** を参照）。

作成者	名　称	説　明
総務省 厚生労働省 経済産業省	民間PHR業者による健診等情報の取扱いに関する基本的指針	健診等情報を取り扱うこととなるサービスを提供する民間事業者が、適正なPHRの利活用を促進するために遵守することが必要と考えられる事項を示したもの
	民間PHR事業者による健診等情報の取扱いに関する基本的指針に関するQ&A	上記指針につきQ&A形式でその解釈を説明したもの

7 次世代医療基盤法

　平成30年5月に施行された次世代医療基盤法では、医療情報取扱事業者（病院等）が、認定匿名加工医療情報作成事業者に本人の同意を得ずに医療情報を提供し、提供を受けた認定匿名加工医療情報作成事業者が、当該医療情報を匿名加工したうえで、第三者に提供するというスキームが想定されている（詳細は、 **Q12** を参照）。

Q5 医療情報システムとセキュリティ

Q ヘルステック関連の業務に携わる企業や医療機関等において、患者やユーザーの個人情報を情報システムを用いて管理する場合に、セキュリティの観点では、どのような点に留意が必要でしょうか。

A 個人情報保護法上の安全管理措置を講じるとともに、本来紙で保存すべき文書をデジタルデータで保存する場合にはe‐文書法に定める要件を充たす必要があります。また、医療情報システムに関してこれらの規制を具体的にどのように遵守すべきかの指針が、3省2ガイドラインにおいて示されています。

═ 解 説 ═

1 個人情報保護法上の安全管理措置

個人情報取扱事業者（個人情報データベース等を事業の用に供している者）は、個人情報保護法23条に定める安全管理措置を講じる義務を負うことから、企業や医療機関等がヘルスケア・医療に関する個人情報を含むデータベースをその事業に用いている場合も、この安全管理措置を講じる必要がある。同条は、安全管理措置の内容について、「個人データの漏えい、滅失又は毀損の防止その他の個人データの安全管理のために必要かつ適切な措置」とのみ定めており、具体的にどのような措置が必要とされるかは、個人情報保護法ガイドラインのほか、後述する3省2ガイドラインで具体化されている。そして、実施した安全管理措置は、原則として、本人の知り得る状態（本人の求めに応じて遅滞なく回答する場合を含む）に置かなければならない（個人情報保護法32条1項4号、同施行令10条1号）。

なお、3省2ガイドラインのうちの1つである「医療情報システムの安全管理に関するガイドライン〔第5.2版〕」が適用される場合には、海外のベンダーが提供するシステムで個人情報を管理することは難しい場合が多いと考えられる（ **Q14** 参照）。一方、当該ガイドラインが適用されない場合でも、外国において個人データを取り扱う場合、すなわち、外国に

22　第 1 章　ヘルスケア情報の収集・利活用

ある第三者の提供するクラウドサービスを利用する場合や外国にある第三者に個人データの取扱いを委託する場合（個人情報保護法ガイドラインQ&A Q 10-24、Q 10-25）等には、安全管理措置の一環として、当該外国の個人情報保護制度等を把握するとともに、個人データの安全管理のために必要かつ適切な措置を講じなければならない（外的環境の把握義務。個人情報保護法ガイドライン（通則編）10-7。**Q 10** 参照）。当該外国の個人情報保護制度等を把握するに当たっては、当該外国を特定しつつ、その国における個人情報保護制度等を調査する必要がある。かかる調査においては、個人情報保護委員会による調査（**Q 10** 参照）結果（情報提供文書）を参照することが考えられる。また、必要かつ適切な措置の具体的な内容は、現段階ではガイドライン等で公表されておらず、今後の運用の明確化が待たれるところではあるが、上記の個人情報保護制度等の把握により、日本と同様の個人情報保護制度等が認められる国および地域であれば、日本と同様の安全管理措置を講じることで、当該措置を講じていると判断される可能性が高いと考えられる。

2　e‐文書法

　紙の書面を保存する義務がある場合に、一定の要件の下でこれを電子データで保存することを認めるのが、e‐文書法である。ヘルスケア・医療の分野では、例えば、診療録（カルテ）（医師法 24 条、医療法 21 条、同法施行規則 20 条 10 号）、処方箋（医師法 22 条）、病院日誌、各科診療日誌、手術記録、看護記録等を含む診療に関する諸記録（医療法 21 条、同法施行規則 20 条 10 号）等について、法令で作成・保存等が義務付けられているところ、e‐文書法によって、これらの書面を電子的に取り扱うことが可能となった。

　ヘルスケア・医療の分野における e‐文書法の適用に関して基準等を定めるのが「厚生労働省の所管する法令の規定に基づく民間事業者等が行う書面の保存等における情報通信の技術の利用に関する省令」ならびに厚生

---

1)　厚生労働省「民間事業者等が行う書面の保存等における情報通信の技術の利用に関する法律等の施行等について」（平成 17 年 3 月 31 日）
2)　厚生労働省「『診療録等の保存を行う場所について』の一部改正について」（平成 25 年 3 月 25 日）

労働省が発出したいわゆる「施行通知」[1] および「外部保存通知」[2] であり、施行通知において、以下のとおり、電子保存の3原則、すなわち、①「見読性」②「真正性」③「保存性」の要件が示されている。

(1) 見読性の確保

必要に応じ電磁的記録に記録された事項を出力することにより、直ちに明瞭かつ整然とした形式で使用に係る電子計算機その他の機器に表示し、および書面を作成できるようにすること。

① 情報の内容を必要に応じて肉眼で見読可能な状態に容易にできること

② 情報の内容を必要に応じて直ちに書面に表示できること

（施行通知第2・2(3)①）

(2) 真正性の確保

電磁的記録に記録された事項について、保存すべき期間中における当該事項の改変または消去の事実の有無およびその内容を確認することができる措置を講じ、かつ、当該電磁的記録の作成に係る責任の所在を明らかにしていること。

① 故意または過失による虚偽入力、書換え、消去および混同を防止すること

② 作成の責任の所在を明確にすること

（施行通知第2・2(3)②）

(3) 保存性の確保

電磁的記録に記録された事項について、保存すべき期間中において復元可能な状態で保存することができる措置を講じていること（施行通知第2・2(3)③）。

3 3省2ガイドライン

医療情報システムを用いた医療情報の安全管理（セキュリティ）については、前記のとおり、個人情報保護法およびe-文書法が適用されるところ、具体的な運用基準については、従来、事業者向けに、総務省が2つ、経済産業省が1つ、医療機関向けに、厚生労働省が1つのガイドラインを

策定しており、合計3省4ガイドラインにより規律されていた。しかし、平成30年7月に、総務省の2ガイドラインが統合され、また令和2年8月に総務省と経済産業省のガイドラインが統合されたことにより、現在は、以下のとおり、3省2ガイドラインとなっている。

(1) 厚生労働省「医療情報システムの安全管理に関するガイドライン〔第5.2版〕」（令和4年3月）

医療機関等向けのガイドラインであり、個人情報を含むデータを扱う場合の指針、保存義務のある診療録等を電子的に保存する場合および医療機関等の外部に保存する場合の指針、e-文書法に基づいてスキャナ等により電子化して保存する場合の指針等が示されている。また、厚生労働省作成の「『医療情報システムの安全管理に関するガイドライン第5.2版』に関するQ&A」（令和4年4月）や「医療情報システムの安全管理に関するガイドライン　医療機関のサイバーセキュリティ対策チェックリスト」および「医療情報システムの安全管理に関するガイドライン　医療情報システム等障害発生時の対応フローチャート」も参考になる。

「医療情報システムの安全管理に関するガイドライン〔第5.2版〕」は、医療機関等を対象とするサイバー攻撃、スマートフォンや各種クラウドサービス等の医療現場での普及、各種ネットワークサービスの動向への対応に関する項目等について改定を行った第5.1版（令和3年1月公表）について、その後の医療等分野および医療情報システムに対するサイバー攻撃の一層の多様化・巧妙化が進み、医療機関等における診療業務に大きな影響を及ぼす被害が生じたことを踏まえ、更なる改定が行われたものである。

具体的な改定内容としては、ランサムウェアによる攻撃への対応としてバックアップのあり方等の対策を示した（本ガイドライン6.10章）ほか、適切なリスク分析を行い被害時の対策を速やかに講じられるよう、医療情報システムに関するネットワーク構成図等の全体構成図およびシステム責任者一覧を整備する旨を示した（同6.2章）。また、クラウドサービスなどの普及に伴い、API連携によって医療情報システムと外部サービスとを連携して用いる場面が増えていることを踏まえ、アプリケーション間の安全性を確保する観点から、外部アプリケーションとの連携における利用者の認証・許可に関する記述が追加された（同6.5章）。それ以外には、リ

モート署名等の新たな電子署名の利用形態が普及しつつあることを踏まえて、記名・押印を電子署名に代える場合の条件等が整理される（同6.12章）などの変更も行われた。なお、本ガイドラインは、第5.2版より、利用用途に応じて閲覧しやすいよう、本編と別冊とに分冊化された。本編では医療機関において実施すべき内容を示し、別冊では、その考え方や対応例などが示されている。

(2) 経済産業省・総務省「医療情報を取り扱う情報システム・サービスの提供事業者における安全管理ガイドライン」（令和2年8月）

上述のとおり、経済産業省の「医療情報を受託管理する情報処理事業者における安全管理ガイドライン〔第2版〕」（平成24年10月）と、総務省の「クラウドサービス事業者が医療情報を取り扱う際の安全管理に関するガイドライン〔第1版〕」（平成30年7月）を統合・整理する形で本ガイドラインが策定された。

本ガイドラインの対象範囲は、医療機関等との契約等に基づいて医療情報システムやサービスを提供する事業者とされているが、医療機関等と直接的な契約関係のない事業者であっても、医療情報システム等に必要な資源や役務を提供している事業者や、患者等の指示に基づいて医療機関等から医療情報を受領する事業者には、本ガイドラインが適用される。

本ガイドラインでは、対象事業者が医療機関等に対し医療情報システム等を提供するに当たり、契約前・契約中・危機管理対応時に要求される事項を定めている。具体的には、対象事業者と医療機関等との間における合意形成および合意形成にあたって対象事業者から医療機関等に情報提供すべき項目等のほか、安全管理のためのリスクマネジメントプロセスの内容・実施手順・留意事項や、法令等の制度上の要求事項等が示されている。

26 第1章 ヘルスケア情報の収集・利活用

Q6 健康情報の取得・利用

Q 　当社は、当社のサービスを利用するユーザーが自分の氏名・住所・Eメールアドレス・趣味・好きな食べ物等のプロフィールを登録することで、血圧・心拍数・身長・体重などのデータを当社サーバーで保存できる健康管理アプリを開発する予定です。

　　当社は、AIを用いて、この登録プロフィールおよび保存されたデータから、ユーザーの行動・関心等の情報を分析し、その分析結果に基づいて、数多くある自社の健康食品から、ユーザーに気に入ってもらえそうなものをピックアップします。そして、そのユーザーのEメールアドレスに、当社が通信販売を行う健康食品の広告をEメールで送る場合には、個人情報保護法上、どのような対応が必要でしょうか。

-->

A 　個人情報の取得時に、その個人情報の利用目的をできるだけ特定し、さらに、登録されたEメールアドレスに健康食品の広告Eメールを送ることを、ユーザーに明示しておく必要があります。なお、特定電子メール法および特定商取引法についても別途留意する必要があります。

≡ 解　説 ≡

1　利用目的の特定

　個人情報を取り扱うには、まず、利用目的をできる限り特定しなければならない（個人情報保護法17条1項。**Q1** 参照）。そして、個人情報保護法ガイドライン（通則編）3-1-1は、本人が、自らの個人情報がどのように取り扱われるか、合理的に予測・想定できるようなものであることを求めている。とりわけ、本人に関する行動・関心等の情報を分析する場合には、「分析するため」という利用目的では足りず、具体的な個人情報の取扱いについて特定する必要がある。

　この例として、同ガイドライン（通則編）では、以下のような事例が紹介されている。

具体的に利用目的を特定していない事例	具体的に利用目的を特定している事例
・「事業活動に用いるため」 ・「マーケティング活動に用いるため」 ・お客様のサービス向上のため	・○○事業における商品の発送、関連するアフターサービス、新商品・サービスに関する情報のお知らせのため （本人から得た情報から、行動・関心等の情報を分析する場合） ・取得した閲覧履歴や購買履歴等の情報を分析して、趣味・嗜好に応じた新商品・サービスに関する広告のために利用いたします ・取得した行動履歴等の情報を分析し、信用スコアを算出した上で、当該スコアを第三者へ提供いたします

　以上のガイドラインの記載を踏まえると、本設問の個人情報の利用目的として、「登録されたプロフィール情報や保存された健康データ等を分析して、お客様の興味・ニーズに応じ、健康食品事業における商品に関する情報をお知らせするために利用いたします」という程度に特定することが必要になるものと考えられる。

2　利用目的の通知または公表・明示

　個人情報の取得にあたっては、その利用目的を事前に公表するか、または、取得後速やかに、その利用目的を本人に通知または公表しなければならない（個人情報保護法21条1項）のが原則である（**Q1** 参照）。

　さらに、この特則として、「本人との間で契約を締結することに伴って契約書その他の書面（電磁的記録を含む……）に記載された当該本人の個人情報を取得する場合その他本人から直接書面に記載された当該本人の個人情報を取得する場合は、あらかじめ、本人に対し、その利用目的を明示」すべきことが求められている（同条2項）。この「明示」とは、個人情報保護法ガイドライン（通則編）3-3-4によると、「その利用目的を明確に示す」という意味である。こうした規制が設けられているのは、契約書や電子商取引等を通じて入手した個人情報については、データベース化される可能性が高く、個人情報の流通に伴う危険が大きいため、取得段階に

28　第 1 章　ヘルスケア情報の収集・利活用

おける本人の慎重な判断の機会を確保する必要があるために、単なる通知や公表ではなく、「明示」が要求されているのだと考えられている[1]。

　そして、本設問の事例では、プロフィールの登録時に、電磁的記録に記載された本人の個人情報を直接取得することから、利用目的の通知や公表ではなく、「明示」が求められている。そこで、プロフィールの登録画面において、上記の利用目的を、わかりやすい場所に記載することが必要になる。

　利用目的の通知または公表・明示義務は、「取得の状況からみて利用目的が明らかであると認められる場合」には、適用が除外される（同条 4 項4 号）。この具体例として、個人情報ガイドライン（通則編）3-3-5 では、「商品・サービス等を販売・提供するに当たって住所・電話番号等の個人情報を取得する場合で、その利用目的が当該商品・サービス等の販売・提供のみを確実に行うためという利用目的であるような場合」が挙げられている。しかし、本設問の事例のように、アプリの提供とは関係がない健康食品の広告 E メール送信のために、個人情報を取得する場合は、この適用除外はあたらない。

3　利用目的の変更

　なお、利用目的は、「変更前の利用目的と関連性を有すると合理的に認められる範囲」に限り、個人情報の取得後に変更をすることも可能（個人情報保護法 17 条 2 項）である。しかしこれにより、利用目的の変更が認められるのは、個人情報保護法ガイドライン（通則編）3-1-2 によれば、「社会通念上、本人が通常予期し得る限度と客観的に認められる範囲内」に限定される。この利用目的の変更が認められる場合および認められない場合について、個人情報保護法ガイドラインQ&A　Q 2-8 およびQ 2-9 では、以下のような例が挙げられている。

---

1)　宇賀克也『新・個人情報保護法の逐条解説』（有斐閣、2021 年）225 頁

利用目的の変更が認められる例	利用目的の変更が認められない例
・「当社が提供する新商品・サービスに関する情報のお知らせ」という利用目的について、「既存の関連商品・サービスに関する情報のお知らせ」を追加する場合 ・「当社が取り扱う既存の商品・サービスの提供」という利用目的について、「新規に提供を行う関連商品・サービスに関する情報のお知らせ」を追加する場合	当初の利用目的を「会員カード等の盗難・不正利用発覚時の連絡のため」としてメールアドレス等を取得していた場合において、新たに「当社が提供する商品・サービスに関する情報のお知らせ」を行う場合

　そして、個人情報を、利用目的の達成に必要な範囲を超えて取り扱うには、原則として、本人の同意が必要となる（同法18条）。

　したがって、個人情報の取得時点で明示した利用目的と異なる利用をすることは、仮名加工情報や匿名加工情報として利用する場合を除いては（**Q3** 参照）、実務上困難な場合も多いと考えられる。そうすると、本設問のようなケースに限らず、個人情報を取得する際には、将来的にどのような利用をする可能性があるかを考えて、事前に利用目的を精査しておくべきである。

4　広告Eメールと通信販売の留意点

　なお、個人情報保護法の問題から離れるが、広告Eメールを配信する場合には、特定電子メールの送信の適正化等に関する法律（特定電子メール法）の遵守が、健康食品の通信販売やそれに伴う広告Eメール配信には、特定商取引に関する法律（特定商取引法）の通信販売規制等の遵守が求められる。

30　第 1 章　ヘルスケア情報の収集・利活用

Q7　健康データの第三者提供

Q　当社が提供する健康管理アプリのユーザーから取得した血圧・心拍数・身長・体重などのデータを、個人を特定できる形で第三者に提供することを検討しています。個人情報保護法上、どのような対応が必要でしょうか。

A　本人の同意を得ることが原則であり、また、提供にあたって特定の事項を記録する義務も課せられます。ただし、委託または共同利用の条件を満たせば本人の同意を得ることは求められず、記録義務もありません。

━━━ 解　説 ━━━

1　第三者提供規制

　個人データの第三者提供には、原則として本人の同意が必要である（個人情報保護法 27 条 1 項）。したがって、本設問の事例では、プロフィールの登録画面で、「当社は、登録されたプロフィールの情報および本アプリ経由で当社のサーバーで保存される血圧・心拍数・身長・体重などのデータを ABC 社に提供します」という内容の文章をわかりやすい箇所に掲載し、「同意する」ボタンをクリックする等の方法により、ユーザーにその文章に同意してもらうことが考えられる。

　そして、個人情報を第三者に提供する場合には、まず、第三者に提供することを、個人情報の利用目的に含めて規定し、ユーザーにその利用目的を明示する必要がある（同法 17 条 1 項、21 条 2 項）。

　なお、このように、同意の取得が原則ではあるものの、3 以下で述べるとおり、委託、共同利用およびオプトアウトの方法による提供の場合には、同意がなくても個人データの提供が可能である（その他、①法令に基づく場合、②人の生命、身体または財産の保護のために必要がある場合であって、本人の同意を得ることが困難であるとき、③公衆衛生の向上または児童の健全な育成の推進のために特に必要がある場合であって、本人の同意を得ることが困難であるとき、④学術研究機関等に対する学術研究目的の個人データの提供が一定の条件を満たす場合（同法 27 条 1 項各号）、および合併等の事業承

継に伴う場合（同条5項2号）等にも、本人の同意なく第三者に提供可能である）。

2 個人データ提供の記録義務

同意に基づき個人データを第三者に提供したときは、①本人の同意を得ている旨、②提供先の第三者の氏名等、③当該個人データによって識別される本人の氏名等および、④当該個人データの項目について、記録を作成しなければならない（個人情報保護法29条1項、同法施行規則20条1項2号）。

なお、個人情報保護法ガイドライン（確認・記録義務編）2-2-1-1(2)によれば、個人情報取扱事業者が本人からの委託等に基づき当該本人の個人データを第三者提供する場合は、当該個人情報取扱事業者は「本人に代わって」個人データの提供をしているものとして、解釈上、記録義務の適用が免除されるため、第三者に提供する目的次第では、記録義務の適用を受けない場合もあると考えられる。

3 委 託

個人情報取扱事業者が利用目的の達成に必要な範囲内において、個人データの取扱いの全部または一部の委託に伴い提供される場合には、受領者は第三者に該当しないものとして扱われる（個人情報保護法27条5項1号）。具体的には、個人データの入力（本人からの取得を含む）、編集、分析、出力等の処理を行うことを委託すること等が想定されている。

この根拠は、本人との関係において受託者は提供主体である個人情報取扱事業者と一体のものとして取り扱われることに合理性があるためである。したがって、受託者は、委託された業務以外に当該個人データを取り扱うことはできない。

本設問でも、個人データの提供先において、提供者の事業目的にのみ使い、自己の事業目的には使わないというのであれば、委託の要件を満たすものと考えられる。なお、個人データの取扱いの全部または一部を委託する場合は、その取扱いを委託された個人データの安全管理が図られるよう、委託を受けた者に対する必要かつ適切な監督を行わなければならない（同法25条）。具体的には、個人情報保護法ガイドライン（通則編）3-4-4によれば、個人情報取扱事業者は、個人情報保護法23条に基づき自らが

32 第1章 ヘルスケア情報の収集・利活用

講ずべき安全管理措置（詳細は、 **Q5** 参照）と同等の措置が講じられるよう、委託先の監督を行う必要があるとされており、リスクに応じて、①適切な委託先の選定、②委託契約の締結、③委託先における個人データ取扱状況の把握等の措置を講じることになる。

4 共同利用

特定の者との間で個人データを共同利用する場合には、当該受領者は第三者に該当しないものとして扱われる（個人情報保護法27条5項3号）。この場合には、次の事項を、あらかじめ、本人に通知し、または本人が容易に知り得る状態に置く必要がある（同号）。

① 共同利用する旨
② 共同利用の対象となる個人データの項目
③ 共同して利用する者の範囲
④ 利用する者の利用目的
⑤ 当該個人データの管理について責任を有する者の氏名または名称および住所ならびに法人にあっては、その代表者の氏名

なお、ここでいう「あらかじめ」とは、個人情報の取得前ではなく、「個人データの共同利用が開始される前」のことである（個人情報保護法ガイドライン Q&A Q7-46）。また、「本人が容易に知り得る状態」の概念は、「公表」（同法21条1項等）とは異なり、「事業所の窓口等への書面の掲示・備付けやホームページへの掲載その他の継続的方法により、本人が知ろうとすれば、時間的にも、その手段においても、簡単に知ることができる状態をいい、事業の性質及び個人情報の取扱状況に応じ、本人が確実に認識できる適切かつ合理的な方法によらなければならない（規則第11条第1項第2号）」（個人情報保護法ガイドライン（通則編）3-6-3(3)※4、3-6-2-1(9)※2）とされている。

また、個人情報保護法ガイドライン（通則編）3-6-3(3)によれば、「既に特定の事業者が取得している個人データを他の事業者と共同して利用する場合には、当該共同利用は、社会通念上、共同して利用する者の範囲や利用目的等が当該個人データの本人が通常予期し得ると客観的に認められる範囲内である必要がある。その上で、当該個人データの内容や性質等に応じて共同利用の是非を判断し、既に取得している事業者が法第17条第1項の規定により特定した利用目的の範囲で共同して利用しなければならな

い」と解説されている（個人情報保護法ガイドライン Q&A Q 7-51 も参照）。

そのため状況次第ではあるものの、本設問のようなアプリで取得したユーザーの個人データを第三者と共同利用することが、ユーザー本人が通常予期し得ると客観的に認められる範囲内であるかについては、その都度慎重に検討する必要がある。

5 オプトアウト

要配慮個人情報（詳細は、 **Q2** 参照）を含まない個人データであれば、オプトアウトの方法による第三者提供（個人情報保護法 27 条 2 項）も考えられる。

具体的には、本人の求めに応じて当該本人が識別される個人データの第三者への提供を停止することとしている場合（いわゆるオプトアウト）であって、次の事項を、あらかじめ、本人に通知し、または本人が容易に知り得る状態に置くとともに、個人情報保護委員会に届け出たときは、当該個人データを第三者に提供することができる。ただし、オプトアウトによって提供された個人データをさらにオプトアウトによって提供することはできない（同法 27 条 2 項ただし書）。

① 第三者への提供を行う個人情報取扱事業者の氏名または名称および住所ならびに法人にあっては、その代表者の氏名

② 第三者への提供を利用目的とすること

③ 第三者に提供される個人データの項目

④ 第三者に提供される個人データの取得の方法

⑤ 第三者への提供の方法

⑥ 本人の求めに応じて当該本人が識別される個人データの第三者への提供を停止すること

⑦ 本人の求めを受け付ける方法

⑧ 第三者に提供される個人データの更新の方法

⑨ 当該届出に係る個人データの第三者への提供を開始する予定日

しかしながら、アプリ上でユーザーに個人情報を入力してもらう場合には、その際に、本人から第三者提供の同意を取る機会があるため、実務上は、個人情報保護委員会は、オプトアウトの方法による第三者提供は望ましくないと考えているようである。実際に、オプトアウトの届出事業者と

34　第1章　ヘルスケア情報の収集・利活用

して、個人情報保護委員会のウェブサイトで公表されている事業者の多くは、名簿業者、地図業者等であるため、本設問のようなアプリの場合には、オプトアウトの方法による第三者提供に依拠することは望ましくない。

6　匿名加工情報・仮名加工情報、統計情報

　なお、本設問とは異なり、特定の個人を識別できない形（匿名加工情報、統計情報など）に加工して第三者に提供するのであれば、個人情報の第三者提供の規制の適用は受けない。こうした匿名化または統計化した情報の扱いについての詳細は、**Q3** を参照されたい。また、令和2年改正によって新たに導入された類型として「他の情報と照合しない限り特定の個人を識別することができないように個人情報を加工して得られる個人に関する情報」（個人情報保護法2条5項。仮名加工情報）があるが、仮名加工情報は匿名加工情報とは異なり第三者への提供は原則として禁止されている（同法41条6項。詳細は **Q3** 参照）。

7　PHR 指針

　経済産業省、厚生労働省および総務省は、令和3年4月23日、健康診断等の情報を活用して PHR（Personal Health Record）サービスを提供する事業者が遵守すべき指針として「民間 PHR 事業者による健診等情報の取扱いに関する基本的指針」（以下「指針」という。指針1.1）を発表しており[1]、提供する健康アプリ事業が指針の対象となっていないかについても検討しておく必要がある。

　指針の対象となる情報は、個人が自らの健康管理に利用可能な要配慮個人情報で、次に掲げるもの、および予防接種歴である（以下「健診等情報」という。指針1.1）。

　① 　個人がマイナポータル API 等を活用して入手可能な健康診断等の情報[2]

---

1) https://www.meti.go.jp/press/ 2021 / 04 / 20210423003 / 20210423003 .html
2)「マイナポータル API 等を活用して入手可能な健康診断等の情報」には健康保険組合や医療機関等から入手する場合または個人が自らアプリ等に入力する場合等も含まれる（総務省、厚生労働省、経済産業省「民間 PHR 事業者による健診等情報の取扱いに関する基本的指針に関する Q&A」（令和3年4月）Q 1-3)

② 医療機関等から個人に提供され、個人が自ら入力する情報

③ 個人が自ら測定または記録を行うものであって、医療機関等に提供する情報

指針の対象事業者は健診等情報を取り扱う PHR サービスを提供する民間事業者であり、専ら個人が自ら日々計測するバイタルまたは健康情報等のみを取り扱う事業者は、対象事業者には含まれない（指針1.2）。

本設問においては、対象となる情報が要配慮個人情報であって、入力する情報が医療機関から提供されている場合や、提供先の第三者が医療機関である場合には、上記②または③に該当する可能性があるため、指針にも留意する必要がある。

指針は基本的に個人情報保護法令に即した内容を規定しているが、PHR サービス提供事業を想定してより踏み込んだ内容が定められている。例えば、情報の取得時および第三者提供時の本人同意の撤回について、同意する際と同程度の容易さで行えるよう工夫しなければならないとしている（指針3.3 (2) ①）。また、保有個人データの消去について、個人情報保護法35条5項および6項が本人から請求を受けた場合に消去する旨を定めているのに対して、指針では本人からの請求がなくても健診等情報の利用の必要がなくなった場合には消去を求めている（指針3.3 (2) ②、「民間 PHR 事業者による健診等情報の取扱いに関する基本的指針に関する Q&A」Q 3-10）。

なお、指針に基づく要請に違反したとしても直ちに罰則の適用対象となるわけではない。ただし、本指針を遵守していない場合には、PHR 事業者は、マイナポータル API 経由での健診等情報の入手ができなくなる等の事実上の不利益がある（同 Q&A Q 1-13）。

指針は、令和4年4月1日に一部改定され、個人関連情報および仮名加工情報に関する留意事項等が追加されたほか令和2年個人情報保護法改正に対応した変更が行われている[3]。また、特に個人の予防接種歴が「健診等情報」にあたることが強調され、予防接種歴の取得に際して本人から事前の同意を取得しなければならないこと、オプトアウト手続きによる予防接種歴の取得および第三者提供を行わないことが規定された（指針3.2 (2) ①）。

3）https://www.meti.go.jp/policy/mono_info_service/healthcare/phr.html

36 第1章 ヘルスケア情報の収集・利活用

Q8 カルテのマスキングと個人情報の該当性

Q 画像診断ソフトウェアの研究開発を行う会社から、当病院（民間病院）に
対して、過去の患者のカルテのデータを提供してほしいという依頼がありま
した。カルテから氏名や住所などの記載をマスキングした上で提供する分に
は、個人情報保護法には違反しないでしょうか。

--->

A カルテから氏名や住所などの記載をマスキングしただけでは、依然とし
て、個人情報および個人データに該当する場合があると考えられます。この
場合には、原則として、第三者に提供するには、同意を得ることが必要で
す。

═══ 解 説 ═══

1 個人情報の定義

　個人情報保護法で保護の対象となるのは、個人情報である。そこで、個
人情報の定義が重要となるが、その定義は、①当該情報に含まれる氏名、
生年月日その他の記述等により特定の個人を識別することができるもの
（他の情報と容易に照合することができ、それにより特定の個人を識別すること
ができることとなるものを含む。後記2参照）、または、②個人識別符号（後
記3参照）が含まれるものである（個人情報保護法2条1項）。

　あくまでも、ある1つの情報の中に、特定の個人を識別することができ
るもの、または、個人識別符号が含まれれば、当該情報は全体として個人
情報として扱われる点に留意が必要である。複数の情報であっても、容易
に照合でき、特定の個人を識別できる場合は同様である。例えば、単なる
病名は、それが特定の個人を識別できるほど特異なものであるなどの場合
を除き、通常、個人情報には該当しない。しかし、当該病名が、個人の氏
名等とともにその者の既往歴として管理されている場合には、当該個人の
個人情報に該当することになる。

　そして、個人情報が個人情報データベース等（同法16条1項）を構成す
る場合（個人データとなる場合（同法16条3項））には、個人情報保護法

上、当該第三者への提供には、原則として同意が必要となる（同法27条1項)[1]。

　逆に、ある1つの情報から、特定の個人を識別することができるもの、および、個人識別符号を適切に除去することができれば、当該情報はもはや個人情報にはあたらず、同法27条1項により、第三者への提供に同意が必要になることもない（ただし、そのような加工をした結果、匿名加工情報（同法2条6項）が作成された場合には、匿名加工情報に関する規制（同法43条等）を遵守する必要がある（**Q3** 参照))。

2　特定の個人を識別することができるもの

　前記1で述べた①の要件との関係では、カルテから氏名や住所などの記載をマスキングしても、依然として特定の個人を識別することができる場合がある。この点について、医療介護ガイダンスQ&A Q 2-11には、「個人情報から氏名等の特定の個人を識別することができる情報を削除したとしても、医療・介護関係事業者内で得られる他の情報と照合することにより、特定の患者・利用者等を識別することができる場合には、その情報は個人情報に該当する場合があります」と記載されている。

　例えば、カルテから氏名や住所などの記載を削除し、代わりに、「筋ジストロフィーを発症して、令和3年5月9日に受診した患者」という情報を記載した事例において、筋ジストロフィーは珍しい疾患であることを踏まえると、「筋ジストロフィーを発症して、令和3年5月9日に受診した患者」という情報と、当該病院内で保管されている資料（例：診断書の控えや元のカルテ）に含まれる情報とを容易に照合することができ、それにより当該患者の氏名が判明するようなケースも十分考えられ、このような場合には、当該カルテは、依然として個人情報に該当する可能性があるということになる。

3　個人識別符号について

　前記1で述べた②の「個人識別符号」とは、一定の DNA 配列や、指紋認識データ、顔認証データなどのほか、パスポート番号、免許証の番号、

---

1) 第三者への個人データの提供に関する規制の詳細は、**Q7** を、共同研究として第三者提供規制の適用が除外される場合については、**Q9** を参照。

38 第1章 ヘルスケア情報の収集・利活用

健康保険証の番号および記号などのことである（個人情報保護法2条2項、同法施行令1条等）。

　特に、カルテの中には、健康保険証の番号および記号が含まれている場合もあると考えられる。このような場合には、当該カルテは、個人識別符号を含むことになるため、氏名などの記載がなくても、全体として個人情報として扱われることになる。なお、本設問では情報の提供元として民間病院を想定しているが、国立の病院および大学等についても、令和3年改正個人情報保護法により、民間の学術研究機関および医療機関等と同じ規律が適用されることとなった（詳細は **Q9** を参照）。

Q9 大学や研究機関との共同研究における患者データの利活用 39

| Q9 | 大学や研究機関との共同研究における患者データの利活用 |

Q 当病院では、大学・企業と共同で、多数の患者のカルテを分析し、適切な治療方法を提案するソフトウェアの研究開発を企画しています。この研究過程で、過去の患者のカルテを共有したいのですが、個人情報保護法や倫理指針上、どのような点に留意すればよいでしょうか。

--►

A 個人情報保護法においては、学術研究分野における個人情報の利活用に関しては、一定の条件を満たせば、同法の義務が例外的に適用されない可能性があります。その他、いわゆる公衆衛生例外規定を根拠にする余地もあります。また、倫理指針では、試料・情報の提供に関する条件が定められており、これを守ることが求められています。

═══════ **解 説** ═══════

1 個人情報保護法における留意点

(1) 同意取得・共同利用の難しさ

病院等の医療機関[1] が、カルテなどの個人データを第三者に提供するには、個人情報保護法上、本人の同意を取得するか（個人情報保護法27条1項）、共同利用の条件（同法27条5項3号）、その他例外規定を満たす必要がある（詳細は、**Q7** 参照）（カルテには、通常、病歴などの要配慮個人情報が含まれているため、オプトアウトの方法による第三者提供は認められない（同法27条2項柱書ただし書、詳細は、**Q2** 参照））。なお、医療介護ガイダンス（7頁）によれば、診療録について、「（診療録の）これら全体が患者

---

1) 国立の病院および大学等については、令和3年の個人情報保護法の改正により、民間学術研究機関、医療機関等と同じく民間部門と同じ規律が適用されることとなった（ただし、当該特性を踏まえて開示請求等に係る制度、行政機関等匿名加工情報の提供等については、引き続き公的部門における規律が適用される）。他方で、公立の病院および大学等に関しては、個人情報保護法の令和3年改正部分に関する施行が令和5年春に予定されており、それまでは引き続き個人情報保護法の対象外であり、各地方公共団体の条例により規律される点には注意する必要がある（**Q4** 参照）。

個人に関する情報に当たるものであるが、あわせて、当該診療録を作成した医師の側からみると、自分が行った判断や評価を書いているものであるので、医師個人に関する情報とも言うことができる。したがって、診療録等に記載されている情報の中には、患者と医師等双方の個人情報という二面性を持っている部分もあることに留意が必要である」とされている。したがって、カルテの記載から、特定の医師を識別可能であれば、そのようなカルテは、患者および医師双方にとって個人データにあたり得ることから、第三者提供に際して本人の同意を取得する方法（同法27条1項）による場合、患者と医師の双方の同意が必要となるものと考えられる。

　しかし、少なくとも、過去の患者から本人の同意を取得するのは容易ではない。また、共同利用についても、個人情報保護法ガイドライン（通則編）3-6-3によれば、「既に特定の事業者が取得している個人データを他の事業者と共同して利用する場合には、当該共同利用は、社会通念上、共同して利用する者の範囲や利用目的等が当該個人データの本人が通常予期し得ると客観的に認められる範囲内である必要がある。その上で、当該個人データの内容や性質等に応じて共同利用の是非を判断し、既に取得している事業者が法第17条第1項の規定により特定した利用目的の範囲で共同して利用しなければならない」とされている。本設問のように、患者から個人データを取得した後で、大学と共同利用することは、患者本人が通常予期し得ると客観的に認められる範囲内とは言い難く、共同利用による第三者提供規制の例外を使うことも容易ではないと考えられる。

(2)　学術研究分野における適用除外規定

　そこで、令和3年の改正個人情報保護法において精緻化された、学術研究分野における適用除外規定の利用の可否を検討することとなる。従前、学術研究を目的とする団体等の学術研究目的での個人情報等の取扱いについて、一律に個人情報保護法上の義務が適用除外となっていた（令和3年改正前同法76条1項3号）。しかし、令和3年改正の個人情報保護法では、当該規定が削除され、学術研究機関等が学術研究目的で個人情報等を取り扱う場合も、個人情報保護法上の各種義務の対象に含めた上で、適用除外とするか否かは、個別の義務ごとに規定されることとなった。

　そして、適用除外の対象となる義務は、(i)利用目的による制限（個人情報保護法18条）、(ii)要配慮個人情報の取得制限（同法20条）、(iii)個人データ

の第三者提供の制限（同法27条）の3つであり、それぞれについて詳細に適用除外の条件が定められた（同法18条3項5号〜6号、20条2項5号〜6号、27条1項5号〜7号）。このうち、本設問と関連する(iii)については、以下の①〜③のいずれかに該当する場合、当該義務が適用されないこととなる（同法27条1項5号〜7号）。

① 個人データの提供が学術研究の成果の公表または教授のためにやむを得ないとき

② 学術研究機関等が学術研究目的で個人データを提供する必要があるときであって、提供元と提供先が共同して学術研究を行う場合

③ 提供先が学術研究機関等であり、当該第三者が当該個人データを学術研究目的で取り扱うとき

　このうち、①は、論文の公表や大学での講義の際に個人データの提供が行われる場合等が想定される。また、②は提供元が「学術研究機関等」（次段落参照）であることが必要とされるところ、本設問のような病院の場合には、特別の研究機関が付属しているなどの場合を除き、これに該当しない。そこで、以下では③に該当するかを検討する。

　まず、提供先が「学術研究機関等」である必要があるところ、「学術研究機関等」とは、「大学その他の学術研究を目的とする機関若しくは団体又はそれらに属する者をいう」（同法16条8項）。そして、「大学その他の学術研究を目的とする機関若しくは団体」とは、国立・私立大学、公益法人等の研究所等の学術研究を主たる目的として活動する機関や学会をいい、「それらに属する者」とは、国立・私立大学の教員、公益法人等の研究所の研究員、学会の会員等をいうとされている。また、民間団体付属の研究機関等における研究活動についても、当該機関が学術研究を主たる目的とするものである場合には、「学術研究機関等」に該当するとされている（個人情報保護法ガイドライン（通則編）2-18）。

　次に、「学術研究目的」とは、条文上「当該個人情報を取り扱う目的の一部が学術研究目的である場合を含」むとされている（同法18条3項5号かっこ書）。したがって、製品開発と学術研究の目的が併存する場合でも、学術研究の目的が含まれている場合には、この要件を満たす可能性はあると考えられる一方、それを超えて、専ら製品開発の目的のみである場合には、この要件を満たさないことになる。なお、学術研究目的の研究を共同で行う場合について、「当該共同研究の目的が営利事業への転用に置

かれているなど、必ずしも学術研究目的とはみなされない場合には、提供に当たってあらかじめ本人の同意を得る必要があることに留意が必要」とされている（個人情報保護法ガイドラインQ&A Q 11-6）ことからすれば、専ら製品開発の目的ではないとしても、将来的に営利事業への転用を目的とする研究である場合には、「学術研究目的」に該当しない可能性がある点に注意する必要がある。

　したがって、本設問のように、病院が大学に対し、多数の患者のカルテを分析し、適切な治療方法を提案するソフトウェアの研究開発を企画する目的で患者のカルテを提供する場合には、当該目的の一部が学術研究であれば、上記の③に該当するものとして、患者本人の同意なく当該カルテの提供が可能になる可能性があると考えられるが、将来的に営利事業への転用が目的とされている場合には「学術研究目的」に該当しない余地があることから、提供にあたっては事前に本人の同意を得る必要が生じる点に留意すべきである。

(3)　公衆衛生例外

　上記に加え、いわゆる公衆衛生例外（個人情報保護法18条3項3号、20条2項3号、27条1項3号）、すなわち、「公衆衛生の向上又は児童の健全な育成の推進のために特に必要がある場合であって、本人の同意を得ることが困難であるとき」の該当性についても検討の余地がある。従前、この要件は厳しく解釈されており、実務上はあまり活用されていなかった。しかし、個人情報保護委員会は、令和元年12月13日に公表された「個人情報保護法いわゆる3年ごと見直し制度改正大綱」において、公衆衛生例外等の「例外規定が厳格に運用されている傾向があることから、想定されるニーズに応じ、ガイドラインやQ&Aで具体的に示していくことで、社会的課題の解決といった国民全体に利益をもたらす個人情報の利活用を促進する」との方針を示した。

　これを受けて、個人情報保護法ガイドラインQ&Aでは、例えば、「医療機関が保有する患者の臨床症例に係る個人データを、有効な治療方法や薬剤が十分にない疾病等に関する疾病メカニズムの解明を目的とした研究のために製薬企業に提供する場合であって、本人の転居により有効な連絡先を保有しておらず本人からの同意取得が困難であるとき」について、公衆衛生例外の規定を根拠に、本人の同意を得ることなく実施可能であると

の見解が示された（個人情報保護法ガイドライン Q&A Q 7-25、Q 2-14、Q 7-24）。

このような考え方を応用すれば、ソフトウェアの研究開発の場合にも、本人からの同意取得が困難であると認められる場合には、公衆衛生例外の規定を根拠として、本人の同意を得ることなくカルテの共有を実施できる可能性がある。

2　倫理指針における留意点

学術研究においては、上記のように、個人情報保護法の適用が除外される場合があるが、その個人情報の取扱いは、必ずしも無制限というものではない。すなわち、人を対象とする生命科学・医学系研究に関する倫理指針[2]では、研究者等が研究を実施しようとするときまたは既存試料・情報の提供のみを行う者が既存試料・情報を提供しようとする場合に、原則として、 以下の各場合について同指針の定める手続に従い、あらかじめインフォームド・コンセントを受けなければならないとしている（同指針 14頁以下）。

① 新たに試料・情報を取得して研究を実施しようとする場合
② 自らの研究機関において保有している既存試料・情報を研究に用いる場合
③ 他の研究機関に既存試料・情報を提供しようとする場合
④ 既存試料・情報の提供のみを行う者の手続
⑤ ③の手続に基づく既存試料・情報の提供を受けて研究を実施しようとする場合
⑥ 外国にある者へ試料・情報を提供する場合の取扱い

例えば、本設問の場合は、③または④に該当する。そして、③他の研究機関に既存試料・情報を提供しようとする場合には、概要以下のような手続を経ることが求められている。

ⓐ 既存の試料および要配慮個人情報を提供しようとする場合

---

2) 令和3年3月23日、従前の「ヒトゲノム・遺伝子解析研究に関する倫理指針」および「人を対象とする医学系研究に関する倫理指針」を統合する形で文部科学省、厚生労働省、経済産業省により策定された。なお、同指針は、令和2年、令和3年の改正個人情報保護法を踏まえて、令和4年3月10日に改訂された。

44 第1章 ヘルスケア情報の収集・利活用

　必ずしも文書によりインフォームド・コンセントを受けることを要しないが、これを受けない場合は、一定の説明事項について、口頭によりインフォームド・コンセントを受け、説明の方法および内容ならびに受けた同意の内容に関する記録を作成する必要がある。ただし、これらの手続を行うことが困難であり、かつ次のいずれかに該当するときは、当該手続は不要とされていることに留意する必要がある。

（ⅰ）既存の試料のみを提供し、かつ、当該既存試料を特定の個人を識別することができない状態で提供する場合であって、当該試料の提供先となる研究機関において当該試料を用いることにより個人情報が取得されることがないとき

（ⅱ）（ⅰ）に該当せず、当該既存の試料および要配慮個人情報を提供することについて可能な限り研究対象者等が拒否できる機会を設けるように努め、かつ一定の要件[3]のいずれかに該当する場合であって、インフォームド・コンセントの簡略化に関する手続の要件を充足し、かつ適切な措置を講じたとき

（ⅲ）（ⅰ）または（ⅱ）のいずれにも該当しない場合であって、研究対象者等に一定の事項を通知した上で適切な同意を受けているとき、または一定の要件[4]を満たしたとき

ⓑ　既存の試料および要配慮個人情報を提供しようとする場合以外

　研究に用いられる情報（要配慮個人情報を除く）の提供を行うときは、必ずしもインフォームド・コンセントを受けることを要しないが、これを受けない場合は、原則として適切な同意を受けなければならない。ただし、一定の要件[5]を充足する個人関連情報を用いる場合や、適切な同意を得ることが困難で一定の要件[6]を充足する場合などには、当該同意を受けることは不要とされている。

3）ⓐ既存試料・要配慮個人情報を学術研究目的で共同研究機関に提供する必要性があり、かつ研究対象者の権利利益を不当に侵害するおそれがないこと、ⓑ既存試料・要配慮個人情報を提供する特段の理由があって、研究対象者等から適切な同意を得ることが困難なこと、など。

4）前掲注3）の要件のいずれかを満たしており、一定の通知事項を研究対象者等に通知し、または容易に知り得る状態に置き、かつ当該既存試料および要配慮個人情報が提供されることについて原則として研究対象者等が拒否できる機会を保障すること。

5）提供先となる研究機関が、当該個人関連情報を個人情報として取得しないときなど。

6）提供する情報が匿名加工情報であるときなど。

また、④既存試料・情報の提供のみを行う者である場合は、上記③の手続に加えて、その者が所属する機関の長における必要な体制および規程の整備、および(i)提供について当該機関の長が把握できるようにするか、(ii)倫理審査委員会の意見を聴いた上で当該機関の長の許可を得ていることのいずれかが求められる（(i)または(ii)のいずれが必要かは、具体的な事案により異なる）。

　この改正では、原則として「個人情報」「要配慮個人情報」を始めとした用語の定義が、個人情報保護法に規定されるものに揃えられた。また、インフォームド・コンセントとの関係では、令和2年、令和3年の改正個人情報保護法を踏まえて手続規定が見直された。

46　第1章　ヘルスケア情報の収集・利活用

Q10 海外の第三者に対する個人の健康データの提供

Q　私たちの企業は、海外の企業と共同して、個人の健康データを用いたサービスの開発を検討しています。この開発にあたって、私たちの企業で保管している個人の健康データを海外企業に提供したいと考えているので、個人情報保護法上の問題を教えてください。また、同じサービスの開発にあたり、海外の企業との共同開発ではなく、海外の企業をデータ処理の委託先として個人の健康データを提供する場合の留意点も教えてください。

A　EEA加盟国および英国を除く海外の企業に対し個人データを提供する場合、本人の同意を取得することが原則になります。例外的に本人の同意の取得が不要となる場合がありますが、一定の措置の実施等が必要になる場合もあるため、個人情報保護法の関連規定を確認しておく必要があります。

━━━ 解　説 ━━━

1　外国にある第三者への個人データの提供

⑴　本人の同意を得る必要がある場合

　本設問は、商用目的かつ個人データの提供先が外国に所在している点において、**Q9** と異なる。外国（EEA加盟国（欧州経済領域（EEA）協定に規定された国）および英国を除く国または地域。⑵参照）にある第三者への個人データの提供にあたっては、委託や共同利用の場合を含めて、原則として本人の同意を得ることが求められている（個人情報保護法28条）[1]。また、この同意を得て第三者に個人データを提供する場合には、個人情報保護法29条に基づく記録作成の義務が課せられる（**Q7** 参照）。

　この場合、当該同意を取得するに先立って、①外国の名称、②外国の個人情報保護制度に関する情報、③外国にある第三者が個人情報の保護のために講ずる措置に関する情報の3点を本人に提供する必要がある（同法28

---

1) なお、公衆衛生例外に該当する場合は、外国にある第三者に提供する場合でも、本人の同意は不要である（個人情報保護法28条1項、同27条1項3号）

条 2 項、同法施行規則 17 条 2 項）。

外国の名称（①）について、当該外国を特定できない場合は、その旨およびその理由、ならびに可能であれば参考となるべき情報（候補となっている外国など）を提供する必要がある（同法施行規則 17 条 3 項）。

外国の個人情報保護制度に関する情報（②）については、当該事業者において、当該外国の個人情報保護制度を調査し、その結果を提供する必要がある。当該情報は外国における個人情報保護制度と個人情報との間の本質的な差異を本人が合理的に認識できる情報とされており、以下の観点を踏まえた情報を提供する必要がある（個人情報保護法ガイドライン（外国第三者提供編）5-2(2)）。

(i) 当該外国における個人情報保護制度の有無

(ii) 当該外国の個人情報保護制度についての指標となり得る情報の存在

(iii) OECD プライバシーガイドライン 8 原則[2]に対応する事業者の義務または本人の権利の不存在

(iv) その他本人の権利利益に重大な影響を及ぼす可能性のある制度の存在

なお、個人情報保護委員会から、40 の国または地域[3]における個人情報の保護に関する制度の調査結果が「情報提供文書」としてインターネット上で公表されている[4]。そして、実務上は、当該文書またはそのリンクの情報を本人に提供することにより、当該外国の個人情報保護制度に関する情報提供義務を果たすことができる場合が多いと考えられる。他方で、個人データを提供する外国が、これらの国もしくは地域または英国もしくは EEA 加盟国以外の場合は、自ら調査する必要がある。

---

2) 収集制限の原則、データ内容の原則を始めとした 8 つの原則を指す。一般財団法人日本情報経済社会推進協会のウェブサイトにて、日本語の仮訳が公開されている。

3) 米国（連邦、イリノイ州、カリフォルニア州、ニューヨーク州）、アラブ首長国連邦（連邦、Abu Dhabi Global Market、Dubai Healthcare City、Dubai International Financial Centre）、インド、インドネシア、ウクライナ、オーストラリア、カナダ、韓国、カンボジア、シンガポール、スイス、タイ、台湾、中国、トルコ、ニュージーランド、フィリピン、ブラジル、ベトナム、香港、マレーシア、ミャンマー、メキシコ、ラオスおよびロシア（以上、令和 4 年 1 月 25 日公表）、イスラエル、カタール、コスタリカ、チュニジア、パナマ、ペルー、南アフリカ、モロッコおよびモンゴル（以上、同年 4 月 28 日公表）

4) https://www.ppc.go.jp/personalinfo/legal/kaiseihogohou/

48 第1章 ヘルスケア情報の収集・利活用

(2) 本人の同意を得る必要がない場合

外国にある第三者に個人データを提供する場合であっても、以下のいずれかの条件を満たす場合には、本人の同意を得る必要はない。

① 個人データの提供を受ける者が、個人の権利利益を保護する上で日本と同等の水準にあると認められる個人情報の保護に関する制度を有している外国として個人情報保護委員会が指定する国[5]にある第三者である場合（個人情報保護法28条1項、同法施行規則15条1項）

② 個人情報取扱事業者と個人データの提供を受ける者との間で、当該提供を受ける者における当該個人データの取扱いについて、適切かつ合理的な方法により、個人情報保護法第4章第2節の規定の趣旨に沿った措置の実施が確保されている場合（同法28条1項、同施行規則16条1号）

③ 個人データの提供を受ける者が、個人情報の取扱いに係る国際的な枠組みに基づく認定を受けている場合（同法28条1項、同施行規則16条2号）[6]

このうち、②を根拠とする場合には、相当措置の継続的な実施を確保するために必要な措置を講じるとともに、本人の求めがあるときは、その措置に関する情報[7]を本人に提供する必要がある（同法28条3項、同法施行規則18条1項）。かかる「必要な措置」とは、以下の2点である。

（i）相当措置の実施状況および外国の個人情報保護制度の定期的な確認

1年に1回程度またはそれ以上の頻度で、相当措置の実施状況および相当措置の実施に影響を及ぼすおそれのある当該外国の法制度の有無および内容を調査して確認する必要がある。具体的な対応としては、上記（1）

---

5) イギリス、ドイツなど、平成31年1月23日現在で計31か国（個人の権利利益を保護する上で我が国と同等の水準にあると認められる個人情報の保護に関する制度を有している外国等（平成31年個人情報保護委員会告示第1号））。

6) 提供先の外国にある第三者が、アジア太平洋経済協力（APEC）の越境プライバシールール（CBPR）システムの認証を取得していることが該当する（個人情報保護法ガイドライン（外国第三者提供編）4-3）。

7) ①基準適合体制の整備の方法、②相当措置の概要、③相当措置の実施状況ならびに相当措置の実施に影響を及ぼすおそれのある制度の有無およびその内容の確認に関して、その方法および頻度、④外国の名称、⑤相当措置の実施に影響を及ぼすおそれのある当該外国の制度の有無およびその概要、⑥相当措置の実施に関する支障の有無およびその概要、⑦⑥の支障に関して講じた措置の概要（個人情報保護法施行規則18条3項、個人情報保護法ガイドライン（外国第三者提供編）6-2-2）。

で言及した個人情報保護委員会による「情報提供文書」などを利用することが考えられる。

(ii) 是正措置および提供停止

当該第三者による相当措置の実施に支障が生じたときは、是正措置を講じる。また、当該相当措置の継続的な実施の確保が困難となったときは、個人データの当該第三者への提供を停止する。

なお、上記①〜③のいずれかの条件を満たす場合には本人の同意は不要ではあるものの、国内の第三者に個人データを提供するのと同様のルール（**Q7** 参照）は依然として適用されることに注意が必要である。特に要配慮個人情報については、オプトアウトの方法による第三者提供が禁止されるため、原則として当該個人データの第三者提供について本人の同意を得る必要があることに変わりはない。

2 委託に基づく越境移転の場合における留意点

第三者への個人データの提供には原則として本人の同意が必要というルール（個人情報保護法27条1項）は、委託に基づいて当該個人データが提供される場合には、受領者は「第三者」に該当しないと扱われるため、適用がない（同法27条5項1号）。しかし、外国にある第三者への個人データの提供が委託に基づく場合には、この委託例外の適用はなく、受領者は原則どおり「第三者」として扱われることから、1で述べた諸規制の適用が除外されるものではない。

この場合、上記1の(1)または(2)のいずれの場合によっても、外国にある第三者に個人データの取扱いを委託する場合には、当該第三者を監督する（同法25条）とともに、安全管理措置（同法23条）の一環として外的環境の把握を行う必要がある。外的環境の把握を含む安全管理措置の状況については、原則として、本人の知り得る状態（本人の求めに応じて遅滞なく回答する場合を含む）に置く必要がある（**Q5** 参照）。

50 第1章 ヘルスケア情報の収集・利活用

Q11 海外の医療機関等からの医療データの日本への移転

Q 国際的な疾病動向を分析する研究に関して、海外の医療機関から、現地の
カルテ等を含む医療データを収集したいと考えていますが、留意すべきこと
はありますか。

- ▶

A 日本の個人情報保護法が適用されますが、EEA 加盟国および英国域内か
ら個人データを収集する場合には、補完的ルールが別途適用される点にも留
意する必要があります。また、多くの国において個人情報や医療データの取
扱いについて規制があることから、現地の規制の内容も確認する必要があり
ます。

═══ 解 説 ═══

1 日本の個人情報保護法上の留意点

居住地や国籍を問わず、日本の個人情報取扱事業者が取り扱う個人情報
は、日本の個人情報保護法による保護の対象となり得る。したがって、外
国に居住する外国人に関する情報であっても、それが特定の個人を識別す
ることができるようなものである以上は、個人情報保護法上の個人情報に
該当し、海外の医療機関から提供を受ける際には、個人情報の取得および
利用等に関する規制が適用される（ **Q1** **Q6** **Q7** 等参照）。

一方、外国の医療機関や企業等において既に統計情報に加工され、個人
を識別することができないようになっている場合には、個人情報の取得お
よび利用等に関する規制が適用されない（ **Q3** 参照）。

なお、欧州経済領域（EEA）協定に規定された国（EEA 加盟国）および
英国域内から日本国内に個人データを移転する場合には、個人情報保護法
のみならず、個人情報保護委員会の「個人情報の保護に関する法律に係る
EU 及び英国域内から十分性認定により移転を受けた個人データの取扱い
に関する補完的ルール」（いわゆる補完的ルール）も遵守する必要がある。

2 海外の個人情報保護等に関する規制

　日本の個人情報保護法と同様、多くの国や地域において、個人情報の取扱いについて規制があり、個人情報を含むデータを第三者に提供したり、国外に持ち出したりする際のルールが規定されている可能性がある。また、ヘルスケア・医療関連の情報を医療機関外へ持ち出すこと、さらには国外へ持ち出すことについて、一般的な個人情報保護に関する規制とは別に規制がある可能性もある。

　したがって、いずれの国の医療機関から医療データの提供を受けるかによって規制の内容が異なってくることから、当該国の規制を確認する必要がある。

52　第1章　ヘルスケア情報の収集・利活用

Q12 匿名化された医療ビッグデータを 第三者から入手する場合の留意点

Q　匿名化されたもので十分なので、医療に関する個人情報ビッグデータを入手し、医療に関するデータマイニングをしたいと考えています。匿名化された医療情報の提供を受けるにあたり、個人情報保護法上の留意点を教えてください。

A　匿名加工情報や統計情報であれば、個人情報としての規律を受けることなく、医療機関から提供を受けることができます。もっとも、実務上は、医療機関が匿名加工情報や統計情報を作成することは難しいことから、認定匿名加工医療情報作成事業者を活用する方法も考えられます。

━━ 解　説 ━━

1　要配慮個人情報の第三者提供

　医療に関する個人情報を入手するためには、まず、提供側である医療機関において、その保有する個人情報（特に、病歴等に代表される要配慮個人情報（**Q2**参照））を第三者に提供することが、個人情報保護法上、許容されなければならない。

　しかし、個人情報保護法では、個人データを構成する要配慮個人情報を第三者へ提供するには、原則として本人の同意が必要となる（個人情報保護法27条1項）。また、この同意の例外となるオプトアウトの方法による第三者提供は、要配慮個人情報には適用されない（同法27条2項）。

　さらに、要配慮個人情報についても、共同利用による第三者提供の例外（同法27条5項3号）は認められるが、これも、個人情報保護法ガイドライン（通則編）3-6-3によれば、「既に特定の事業者が取得している個人データを他の事業者と共同して利用する場合には、当該共同利用は、社会通念上、共同して利用する者の範囲や利用目的等が当該個人データの本人が通常予期し得ると客観的に認められる範囲内である必要がある」ことから、個人情報を取得した後で、本設問のような事例で共同利用を新たに行うことは容易ではない場合が多いといえる（**Q7** **Q9**参照)[1]。

したがって、要配慮個人情報を含む個人データを第三者に提供するには、事実上、本人の同意に依拠せざるを得ない場合が多いが、個人情報を取得した後に、本人から第三者提供のための同意を個別に求めていくのは、現実的には難しいことが多いと考えられる。

2 匿名加工情報・統計情報

他方で、匿名加工情報または統計情報（ **Q3** 参照）であれば、個人情報保護法の第三者提供の規律の適用を受けることがない。そこで、医療に関する個人情報を入手するにあたり、医療機関に対して、保有している医療情報を、匿名加工情報または統計情報に加工した上で、その情報を提供するよう依頼することが考えられる。

しかし、そうした加工の作業には相応の労力が必要であることから、個別の医療機関に交渉するのもまた容易ではないと思われる。

3 次世代医療基盤法

このような問題に対処するため、平成30年5月から、次世代医療基盤法が施行されている。この法律は、デジタルデータを活用した次世代の医療分野の研究、医療システム、医療行政を実現するための基盤として、デジタル化した医療現場からアウトカムを含む多様なデータを大規模に収集・利活用する仕組みを設けるものである。

次世代医療基盤法では、医療情報取扱事業者（病院等）が、本人またはその遺族からのオプトアウトを受け付けるなどの一定の条件[2]を満たす場合には、認定匿名加工医療情報作成事業者（主務大臣（内閣総理大臣、文部科学大臣、厚生労働大臣および経済産業大臣）から、認定を受けた者）に対して、医療情報（医療に関する個人情報。なお、故人の情報を含む）を提供することを認めている（次世代医療基盤法30条）。

そして、認定匿名加工医療情報作成事業者は、医療機関から提供を受けた医療情報を、法令の規定に従って匿名加工医療情報に加工することで、個人情報としての性質を失わせた上で[3]、医療に関する個人情報ビッグ

---

1) この他の個人データの第三者提供の例外として、委託に伴う個人データの提供（個人情報保護法27条5項1号）もありえるが、委託の場合には、受託者の事業目的に個人データを利用することは認められないため、やはり本設問の事例で依拠することは困難である。

個人の権利利益の保護に配慮しつつ、匿名加工された医療情報を安心して円滑に利活用することが可能な仕組みを整備。
①高い情報セキュリティを確保し、十分な匿名加工技術を有するなどの**一定の基準**を満たし、医療情報の管理や利活用のための匿名化を**適性かつ確実**に行うことができる者を**認定する仕組み**（＝**認定匿名加工医療情報作成事業者**）を設ける。
②医療機関等は、**本人が提供を拒否しない場合**、認定事業者に対し、**医療情報を提供できる**こととする。
認定事業者は、収集情報を匿名加工し、医療分野の研究開発の用に供する。

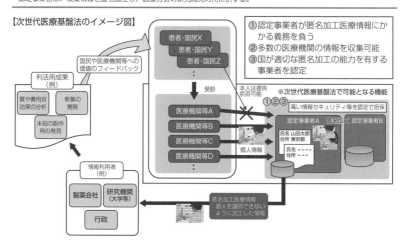

（参考：内閣府健康・医療戦略推進事務局のウェブサイトを元に作成）

データの入手を希望する者に提供[4]することになる。
　本設問についても、このような方法で匿名加工医療情報のビッグデータ

---

2) 「一定の条件」につき次世代医療基盤法30条は本人またはその遺族からのオプトアウトを受け付ける場合であって、以下の①～⑤に掲げる事項について、主務省令で定めるところにより、あらかじめ、本人に通知するとともに、主務大臣に届け出たときと定めている。
　① 当該医療情報取扱事業者の氏名または名称および住所ならびに法人にあっては、その代表者（法人でない団体で代表者または管理人の定めのあるものにあっては、その代表者または管理人）の氏名
　② 医療分野の研究開発に資するための匿名加工医療情報の作成の用に供するものとして、認定匿名加工医療情報作成事業者に提供すること
　③ 認定匿名加工医療情報作成事業者に提供される医療情報の項目、医療情報の取得の方法、提供の方法
　④ 本人またはその遺族からの求めに応じて当該本人が識別される医療情報の認定匿名加工医療情報作成事業者への提供を停止すること、求めを受け付ける方法
　⑤ その他個人の権利利益を保護するために必要なものとして主務省令で定める事項
3) 特定の個人を識別できず、かつ、個人識別符号を含まない情報に加工する（個人情報保護法2条1項および Q3 参照）。
4) 通常は有償となるであろう。

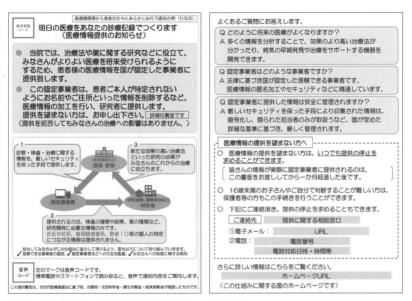

(出典：内閣府健康・医療戦略推進事務局のウェブサイト）

を入手すれば、医療に関するデータマイニングも可能になる[5]。令和4年4月1日現在で、認定匿名加工医療情報作成事業者の認定を受けた事業者は2事業者（認定医療情報等取扱受諾事業者は3事業者）であり、「千年カルテプロジェクト」（4参照）のような医療情報のビッグデータの集約・蓄積が進められている。

なお、内閣官房健康・医療戦略室のウェブサイトには、上の文書が、「医療機関等から患者の方々にあらかじめ行う通知の例（ひな形）」として公開されている。

4　現在利用可能なデータベース

現在でも、匿名化された医療情報についてアクセス可能なデータベースが複数提供されている。

---

[5] ただし、当該匿名加工医療情報の作成に用いられた医療情報に係る本人を識別することを目的として、加工の方法に関する情報を取得し、または当該匿名加工医療情報を他の情報と照合することは禁止される（次世代医療基盤法18条3項）。

56　第1章　ヘルスケア情報の収集・利活用

　例えば、独立行政法人医薬品医療機器総合機構は、国内のいくつかの協力医療機関が保有する電子カルテやレセプト（保険診療の請求明細書）等の電子診療情報をデータベース化して、それらを解析するシステム（MID-NET）を提供している。

　また、厚生労働省は、医療費適正化計画の作成、実施および評価のための調査や分析などのために、レセプト情報および特定健診・特定保健指導情報を格納・構築した、レセプト情報・特定健診等情報データベース（NDB）を提供している。

　なお、上記以外にも、認定匿名加工医療情報作成事業者として認定された事業者により、医療情報等を集約・蓄積したデータベースの構築が進められている。

　例えば、一般社団法人ライフデータイニシアティブは、令和元年12月19日に、認定匿名加工医療情報作成事業者の認定を受けた。同法人は、NPO法人である日本医療ネットワーク協会が実施する「千年カルテプロジェクト」の下で、同協会の共同利用型EHR（Electronic Health Record）センターに集約・蓄積された医療情報について、その利活用対応等の業務を実施している。

　また、公益社団法人日本医師会によって設立された一般財団法人日本医師会医療情報管理機構（J-MIMO）も、令和2年6月30日に認定匿名加工医療情報作成事業者の認定を受けた。同機構は、医療機関、健診機関、介護事業所等から提供された医療情報、健診情報、介護情報、死亡情報、生活情報を集約・蓄積した情報基盤である「生涯保健情報統合基盤」の構築・提供を目指している。

Q13 医療データの著作権と権利制限規定 57

Q 13 医療データの著作権と権利制限規定

Q 医療情報に関するビッグデータを入手して活用したいのですが、データ自体に著作権が発生する場合はあるのでしょうか。その場合に、著作権者の同意を得ずにデータを活用する方法はあるでしょうか。

A 原則としてデータに著作権が発生することはありませんが、例外的に、データそのものに創作的な表現が含まれている場合や、データを構成するデータベースの構成が情報の選択または体系的な構成によって創作性を有する場合には著作権が発生することがあります。ただし、著作物を情報解析の用に供する場合には、権利制限規定を活用できる場合があります。

解 説

1 データと著作権

著作権法による保護の対象は「著作物」である。そして、「著作物」とは、「思想又は感情を創作的に表現したものであつて、文芸、学術、美術又は音楽の範囲に属するもの」（著作権法2条1項1号）をいう。

そのため、数字データ、機械的に撮影された写真、ありふれた表現には、思想または感情が創作的に表現されていないことから、「著作物」には該当しない。例えば、糖尿病患者の血糖値をまとめたデータ、MRIで撮影された画像、「肺炎の疑いがあるため、抗生物質を投与」というありふれた記述は、どれも著作物には該当しないと考えられる。

ただし、カルテの記述であっても、創作性のある記述については著作権が発生する可能性がある。また、例えば、カルテに添付する創傷の写真について、撮影時に、患部がきれいに映るように、カメラのしぼりや、角度、照明等をうまく調整して撮影された写真については、著作権が発生する余地がある。

さらに、単純な数字データであっても、データベース化され、「その情報の選択又は体系的な構成によつて創作性を有する」ものについては、データベースの著作物（同法12条の2第1項）として著作権が発生する。

58 第1章 ヘルスケア情報の収集・利活用

具体的には、患者の状態（体温、脈拍、呼吸、意識、血圧等）から、候補となる疾病を検索できるようなデータベースについては、その情報の選択や構成次第では著作物となる可能性がある。

2　情報解析のための利用

著作物については、権利制限規定の適用がない限り、権利者の許諾なくして利用（コピーや、編集をすること）は認められない（著作権法21条、27条等）。

しかし、平成30年の著作権法改正によって、情報解析のための権利制限規定が改正され、著作物を情報解析のために利用する行為が広く認められるようになった。すなわち、同改正によって新たに設けられた著作権法30条の4第2号は、著作物を、著作物に表現された思想または感情の享受を目的としない情報解析（多数の著作物その他の大量の情報から、当該情報を構成する言語、音、影像その他の要素に係る情報を抽出し、比較、分類その他の解析を行うこと）に供する場合には、必要と認められる限度で、かつ、著作権者の利益を不当に害さないことを条件に、その著作物の利用を認めている。

この適用がある例として、例えば、著作物が含まれている可能性がある大量のカルテについて、ある特定の病名の近くに現れる病名としてどのようなものがあるかを解析するために、サーバー上でカルテをコピーしたり、解析しやすいようにカルテを編集したりする場合が考えられる。このような例では、著作物に表現された思想または感情の享受を目的としていないことから、著作権法30条の4第2号により、権利者の同意を得ずにカルテのデータを活用することが可能となる。

3　その他の留意点

なお、著作物に該当しないデータやデータベースであっても、他者が費用や労力をかけて収集、整理されたデータベースについては、例外的に民法の不法行為規制による保護を受ける場合がある。裁判例では、車種コード、定員、最大積載量等のデータをまとめたデータベースにつき、第三者が作成者に無断でそのデッドコピーを販売した事例で、当該データベースがデータベースの著作物に該当することは否定したものの、不法行為の成立を認めた事例がある（東京地判平13・5・25判タ1081号267頁）。

Q14　医療情報管理システムに関するサービス提供　59

Q14　医療情報管理システムに関するサービス提供

Q　当社では、医療機関等に対して、患者の情報を効率的に管理する情報システム（電子カルテ、医事会計システム等）に関するサービス提供を検討しています。通常のシステムサービスやクラウドサービスと比較した場合に、どのような留意点があるでしょうか。

A　医療情報システムには、3省2ガイドラインが適用されることから、同ガイドラインを遵守する形でシステムの構築・サービスの提供を行う必要があります。また、ベンダーが、医療機関との契約に基づき、患者の個人情報を含むデータをクラウド上で保管・管理するような場合、医療機関においては、自ら個人情報取扱事業者の義務として安全管理措置を講じる必要があります。

解　説

1　個人情報保護法およびe‐文書法

Q5 で説明したとおり、医療機関等における医療情報を管理するシステムの安全管理（セキュリティ）等については、個人情報保護法およびe‐文書法が適用される。そのため、サービス提供先の医療機関がこれらの法律に定める義務を遵守できるようにシステムを構築する必要がある。

2　個人データの委託とクラウド例外

　ベンダーが、医療機関との契約に基づき、医療機関から患者の個人情報を含むデータの取扱いを委託される場合、個人情報保護法上は、受託者であるベンダーは第三者に該当しないものとして扱われる（同法27条5項1号）。この場合、医療機関としては、ベンダーにおいて取扱いを委託した個人データの安全管理が図られるよう、ベンダーに対する必要かつ適切な監督を行わなければならない（同法25条）。

　他方で、契約条項によってベンダーがサーバに保存された個人データを取り扱わない旨が定められており、適切にアクセス制御を行っている場合

60　第1章　ヘルスケア情報の収集・利活用

等には、医療機関は、そのサーバ上で個人データを保管・管理する場合で
も、個人データを第三者に提供したことにはならず、また、「個人データ
の取扱いの委託」にもあたらない（個人情報保護法ガイドライン Q&A Q 7-
53。いわゆる「クラウド例外」）。ただし、このような場合も、医療機関は、
自ら果たすべき安全管理措置の一環として、適切な安全管理措置を講じる
必要がある（同 Q&A Q 7-54）。

3　3省2ガイドライン

　医療情報システムを用いた医療情報の安全管理（セキュリティ）につい
ては、上記のとおり、個人情報保護法および e - 文書法が適用されるとこ
ろ、具体的な運用基準については、以下のガイドラインにおいて示されて
いる（**Q5** 参照）。
　① 　厚生労働省「医療情報システムの安全管理に関するガイドライン
　　　〔第5.2版〕」（令和4年3月）
　② 　経済産業省・総務省「医療情報を取り扱う情報システム・サービス
　　　の提供事業者における安全管理ガイドライン」（令和2年8月）
　上記のうち、①は医療機関等向けのガイドラインであり、医療機関等に
対して医療情報システムに関するサービス提供をすることを考えているベ
ンダーとしては、医療機関等がこのガイドラインを遵守できるようにシス
テム構築やサービス提供を行う必要がある。また、①では、医療機関等
が、データセンター等の外部事業者に委託して医療情報を保存する場合、
当該情報やその目的に応じて、厚生労働省等の所管行政機関の調査等に供
するため、円滑に当該医療情報の提出等をできることが要求されており、
そのために、外部保存の受託事業者の選定にあたっては、国内法の適用が
あることや、これを阻害する国外法の適用がないこと等を確認して適切に
判断した上で選定することが求められている（同ガイドライン9-1）。
　②は、医療機関等との契約等に基づいて医療情報システムやサービスを
提供する事業者向けのガイドラインであり、ベンダーに直接適用されるガ
イドラインであることから、特に留意が必要である。また、②では、医療
法上、都道府県知事等から医療機関等に対し、必要に応じて構造設備や診
療録、帳簿書類その他の物件等の提出等を命じることができること等か
ら、医療機関等は調査機関等の検査に対し、適切に対応できるようにしな
ければならず、かかる法令上の医療機関等に対する義務や行政手続の履行

確保のため、医療情報および当該情報に係る医療情報システム等が国内法の執行の及ぶ範囲にあることを確実とすることが求められている（同ガイドライン 6-1）。

第2章

ヘルスケア分野における
AI の活用

64　第 2 章　ヘルスケア分野における AI の活用

Q 15　AI 自動診断システム開発における法的規制

Q　CT 画像や MRI 画像の画像診断について、人工知能（AI）技術を用いて病変候補を検出したり、疾病リスクを判断することができるソフトウェアを開発しようとしています。そのソフトウェアを開発する上で、また、開発のためのデータを取得する過程で留意すべき点はありますか。

- ▶

A　医師法については、医師が最終判断を行うものであるので、17 条との関係では問題ないと考えられています。もっとも、AI を用いた自動診断システムは「医療機器」にあたることもあり、製造・販売に先立ち、製造販売承認や許認可等の取得が必要となります。さらに、患者等に関するデータを取得する際には、個人情報保護法の規制を遵守する必要があります。

═══ 解　説 ═══

1　医行為該当性

　医業は医師しか行うことができないとされているところ（医師法 17 条）、AI による自動診断システムによる「診断」と医師法 17 条との関係が問題となる。

　現在の技術水準の下では、AI が行う行為は情報提供等の支援ツールとしての役割にとどまると考えられている。すなわち、患者の疾病について最終的に診断を行うのは医師本人であり、その過程で AI を用いたということは、他の媒体を参照したことと相違ないと考えられている。したがって、仮に医師でない者が AI 診断の情報を利用して診断、治療等をした場合には医師法違反の問題が生じることとなるが、医師が AI による自動診断システムを利用して診療を行う場合には、診断、治療等を行う主体は医師であり、また、医師がその最終的な判断の責任を負うのであるから医師法上の問題は生じないこととなる[1]。

---

1) 厚生労働省「AI を用いた診断、治療等の支援を行うプログラムの利用と医師法第 17 条の規定との関係について」（平成 30 年 12 月 19 日）

2 医療機器該当性

次に、AIによる自動診断システムが医療機器プログラムに該当するか否かが問題となる。

この点、厚生労働省「プログラムの医療機器への該当性に関するガイドライン」（令和3年3月31日）によれば、プログラムの医療機器該当性について、「製造販売業者等による当該製品の表示、説明資料、広告等に基づき、当該プログラムの使用目的及びリスクの程度が医療機器の定義に該当するかにより判断される」（傍点は筆者によるもの）とし、「使用目的が変われば同じ機能を有するプログラムでも医療機器該当性の判断が変わる可能性があるため、事業者においてプログラムの使用目的は十分に検討される必要がある」と指摘している。そのうえで、プログラムの医療機器該当性について以下のフローチャートを規定しており、基本的には当該フローチャートに則って該当性を判断すべきである。

フローチャートにも記載されているとおり、プログラムの医療機器該当性判断の出発点はプログラムの使用目的が「疾病の診断、治療若しくは予防に使用」（薬機法2条4項）に該当するかである[2]。また、「疾病の診断、治療若しくは予防に使用」されるものでも「医療機器プログラムについては、機能の障害等が生じた場合でも人の生命及び健康に影響を与えるおそれがほとんどないもの（一般医療機器（クラスI）に相当するもの）は、医療機器の範囲から除外されているため」、不具合発生時の健康被害のリスクについても合わせて検討する必要がある。

例えば、上記ガイドラインにおいては「数学的アルゴリズムを使用して皮膚病変部の画像を解析し、病変部のリスク評価結果をユーザーに提供するプログラム」について医療機器に該当するとしている。このようなプログラムは入力情報をもとに、疾病候補、疾病リスクを表示するものであり、薬機法2条4項の「疾病の診断、治療若しくは予防に使用されること……が目的とされている機械器具」に該当すると考えられるため、医療機器に該当することになる。

他方で、個人の健康記録プログラムは医療機器には該当しない。このようなプログラムはデータの加工・処理を行わない単なる記録用のプログラ

---

2) 堀尾貴将『実務解説　薬機法』（商事法務、2021年）18頁も参照。

66 第2章 ヘルスケア分野におけるAIの活用

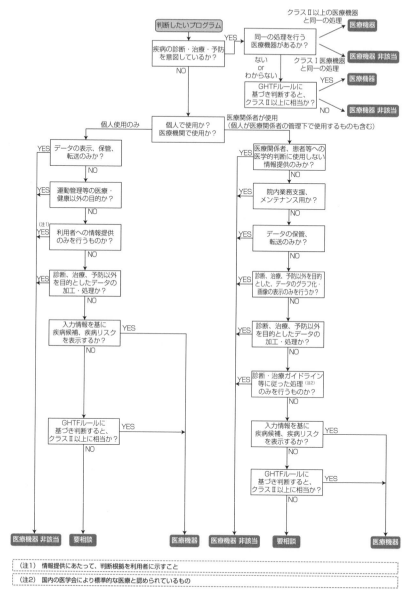

(注1) 情報提供にあたって、判断根拠を利用者に示すこと
(注2) 国内の医学会により標準的な医療と認められているもの

(参考:厚生労働省「プログラムの医療機器への該当性に関するガイドライン」(令和3年3月31日)別紙を元に作成)

ムであるから、「疾病の診断、治療若しくは予防に使用される」とは考えられないからである。

では、「汎用コンピュータ等を使用して視力検査及び色覚検査を行うためのプログラム」はどのように判断されるか。当該プログラムは視力検査及び色覚検査を目的としていることから、疾病の診断または予防に使用され得る。他方で、このような視力検査用のプログラムは障害が生じた場合でも人の生命および健康に影響を与えるおそれがほとんどなく、一般医療機器と同等の処理を行うものと考えられる。そのため、「機能の障害等が生じた場合でも人の生命及び健康に影響を与えるおそれがほとんどないもの」と考えられ、医療機器には該当しないことになる。

本設問では、「人工知能（AI）技術を用いて病変候補を検出したり、疾病リスクを判断することができるソフトウェアを開発」することを計画しているとのことであるが、「病変候補を検出したり、疾病リスクを判断」することは、通常は「疾病の診断、治療若しくは予防に使用」する目的と考えられる。

したがって、健康被害のリスクが非常に低い等の事情がなければ医療機器に該当する可能性が十分にあるものと考えておく必要がある。

医療機器プログラムに該当する場合には、その分類に応じて、製造販売業者は、製造販売業の許可、登録、製造販売承認申請等を行う必要が生じるが、その詳細についても Q 86 を参照されたい。

3　個人情報保護法

自動診断システムの開発には膨大な患者等に関するデータを取得する必要がある。そのようなデータ取得の際には、個人情報保護法の観点から一定の規制が設けられている。

個人データを取得する方法としては、第三者提供を受けるという方法と、委託の方法により提供を受けるという方法がある。

まず、第三者提供を受けるという方法で行う場合には、一定の例外を除き、患者の同意の取得が原則として必要となる。（具体的な同意の取得方法については Q 7 を参照）一方、患者の同意を取得せずにデータの第三者提供を行うために、データに匿名加工処理を施すことによって非個人情報化するという手段もある。匿名加工に関する制度などの詳細については Q 12 を参照されたい。

68 第2章 ヘルスケア分野におけるAIの活用

　また、データの提供を受ける方法としては、第三者提供とは別に、委託の方法により個人データの提供を受けるという方法がある。かかる方法をとった場合には、個人情報を委託先（開発業者）に提供するにあたり、委託元（医療機関）で患者の同意の取得や、匿名加工処理といった手続を取ることが不要となる（個人情報保護法27条5項1号）。一方で、委託によって個人情報が提供された場合、委託先における個人情報の利用範囲は委託元の利用目的の範囲内に制限されることとなる。例えば、情報を提供する委託元が、個人情報の利用目的として、「患者の治療目的」としか通知・公表していなかった場合には、委託先は自動診断システムの開発目的でかかる個人データの処理を委託することはできないこととなる。また、委託先は、委託元ごとに分別して個人データを管理する必要があり、その境界を越えて個人データを照合することはできなくなる。つまり、複数の委託元に由来する個人データを委託先が管理すること自体は禁じられていないが、異なる委託元に由来する個人データを突合したり、本人ごとに突合して得られたデータから作成した学習用データを機械学習に利用することは原則としてできないこととなる。

　このように、患者のデータを取得するにあたっては、各方法に応じてメリット、デメリットがあることから、その時々の状況に応じてもっとも適切な方法を選択する必要があろう。

Q16　AI 開発の過程における当事者間での知的財産権の帰属　69

Q16 AI 開発の過程における当事者間での知的財産権の帰属

Q　AI 自動診断システムに画像と診断結果の正解を機械学習させるに際して、医師からカルテのデータの提供を受け、カルテに基づき正解データを付加する作業も医師に行ってもらうなどの協力を得ました。そのような場合に、AI 自動診断システムや、各種データにつき、開発会社と医師の間での権利関係の帰属はどのように考えればよいでしょうか。

A　AI 技術の開発においては、学習済みモデルのほか、開発の過程で様々な成果物等（中間生成物を含む）が生じ、その中には知的財産権の対象になるものもあれば、そうでないものもあります。したがって、権利帰属や利用条件について、成果物の生成への寄与度、これに要する労力、必要な専門知識の重要性なども考慮しつつ、契約であらかじめ定めておくことが重要です。

解　説

1　AI 技術を利用したソフトウェアの開発プロセス

AI 技術を利用したソフトウェア（典型的には学習済みモデル）の実用化プロセスは、「学習段階」（学習済みモデルの生成段階）と「利用段階」（生成された学習済みモデルの利用段階）の 2 つの段階に分けることができる。

このうち、学習段階は、医師が提供するカルテのような「生データ」から、最終成果物としての「学習済みモデル」を生成することを目的とする段階である。学習段階は、さらに、「学習用データセット」の生成段階と、「学習済みモデル」の生成段階に細分化することができる。

第 1 の「学習用データセット」の生成段階は、「生データ」から、学習を行うのに適した「学習用データセット」を生成する段階である。医師がカルテに基づきアノテーションを付した正解データを用意するという段階は、これに該当する。

第 2 の「学習済みモデル」の生成段階は、「学習用データセット」に対して学習を行うための「学習用プログラム」を適用することで、学習用データセットの中から一定の規則（統計的性質）を抽出し、その統計的性

70 第2章 ヘルスケア分野におけるAIの活用

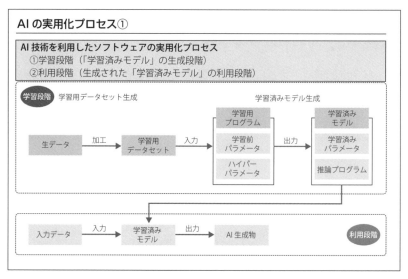

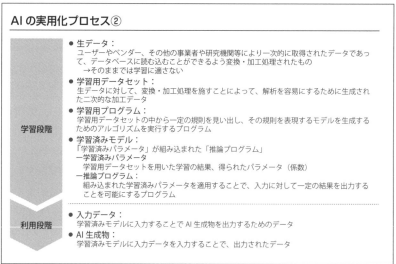

(参考:経済産業省「AI・データの利用に関する契約ガイドライン」を元に作成)

質を反映する「学習済みパラメータ」を含むモデルを得て、これをプログラムに実装することで、ソフトウェアとしての「推論プログラム」を生成する段階である。ここでは、便宜上、「学習済みパラメータ」が組み込ま

れた「推論プログラム」を一体として「学習済みモデル」と総称する。一般に、学習済みパラメータは、学習の目的にあわせて調整されているものの、単体では単なる係数（数値等の情報）にすぎず、これを推論プログラムに組み込むことで初めて学習済みモデルとして機能する。

2　各種成果物の帰属と、利用条件を契約で定めることの重要性

　以上のとおり、AI技術の開発においては、開発対象となる学習済みモデルはもとより、開発の過程で学習用データセット、学習済みパラメータなどの様々な成果物等（中間生成物を含む）が生じる。本設問の例では、学習済みモデルについてみれば、医師としては、価値ある生データ（カルテ）や学習用データセット（カルテに正解データを付加したもの）を提供したのだから、一定の権利を主張することがあり得る一方で、開発会社としては、プログラム等に関する権利は開発主体である自社に帰属してしかるべきであり、学習済みモデルを横展開して他社にも提供するなど事業自由度を確保したいというニーズがある。その他の中間生成物等についても、権利帰属や利用条件が問題となることが多く、その法的関係をあらかじめ整理しておく必要がある。

　まず前提として、これらの成果物等の中には、知的財産権（特許権や著作権等）の対象になるものもあれば、対象にならないものもあることを正しく理解すべきである。

　例えば、「プログラム」（学習用プログラム、推論プログラム等）であれば、著作権法によるプログラムの著作物として著作権法上の保護を受けることが多い（著作権法10条1項9号）。また、アルゴリズム部分は、特許権によって保護される場合もあり得る。ベンダーが開発したプログラムについて著作権法または特許法による保護が及ぶ場合、これらの権利は、一次的には開発会社に帰属するのが通常である。これとは異なる利用条件を設定するのであれば、契約で明示的に定める必要がある。

　これに対し、「データ」（生データ、学習用データセット等）であれば、著作物や営業秘密による保護を受ける場面は限定的であり、知的財産権の対象とならないデータの利用について、法令上の明確な定めがあるわけではなく、契約による定めがない限り、データに現実にアクセスできる者が自由に利用できるのが原則となる。したがって、これとは異なる利用条件を設定するのであれば、やはり契約で明示的に定める必要がある。

その他にも、AI 技術の開発に際しては様々な「ノウハウ」が活用されるが、やはり知的財産権による保護は限定的であり、知的財産権の対象とならないノウハウの利用についても、契約による定めがない限り、ノウハウに現実にアクセスできる者が自由に利用できるのが原則である。ノウハウについても、いずれに権利が帰属するかの認識が相違することが珍しくなく、契約で明示的に定めることが望ましい。

以上のように、成果物等が知的財産権の対象となる場合もあればそうでない場合もあるが、いずれにしても当事者間で利用条件を細かく定めることが必要となる。知的財産権の対象となる場合であっても、原始的な権利帰属にかかわらず、帰属先や利用条件は当事者間の合意によって定めることは可能であるし、各当事者が利用条件につき強い関心を有している以上、オールオアナッシングで権利帰属のみ定めることは実務上ワークし難い。また、知的財産権の対象とならない場合には、なおさら契約により利用条件を定める必要性が高い。

したがって、権利帰属や利用条件について、その対象となるデータやプログラムの生成・作成への寄与度、これに要する労力、必要な専門知識の重要性、利用により当事者が受けるリスクなども考慮しつつ、契約であらかじめ定めておくことが重要となる。

契約における主な法的論点や留意事項については、平成 30 年 6 月に経済産業省から公表された「AI・データの利用に関する契約ガイドライン」（令和元年 12 月改訂）が詳細に記載しているので、参考になる。

Q 17 機械学習機能を有する AI 自動診断システム

Q AI 自動診断システムに機械学習機能を持たせることにより、ソフトウェアを医療機関などに販売・出荷した後も、画像と診断結果の正解を学習させることにより、検出・判断の性能が向上していくようなプログラムを組み込む予定です。どのような規制があるでしょうか。

-->

A 令和元年の薬機法改正により新たに変更計画確認制度が導入されました。当該制度においては、改良が見込まれる医療機器について、あらかじめ変更計画について審査当局の確認を経たうえで、変更計画で予定された通りの変更が実現されていることを検証できるデータ等が収集されることをもって、迅速に承認事項の一部変更が認められます。

解 説

AI 自動診断システムの多くは、医療機器プログラムにあたることから、事前に厚生労働省から承認を受ける必要がある（詳細については **Q 86** を参照）。そのようなケースにおいては、当該システムが機械学習により、承認後も継続的に性能変化するような性質のものである場合、事後学習により性能が変化した際は、その都度一部変更承認手続を経る必要があるかという点が問題となる。

この問題に関して、令和元年改正前の薬機法においては、人工呼吸器やCT 装置といったように、承認した時点以降において品質が変化しないものが医療機器として想定されており、機械学習機能付き AI のような可変的なものは想定されておらず、初回承認以降の性能変化に対しては、その変更による製品の影響の度合いに応じ、臨床試験が必要な一部変更承認、非臨床試験で評価可能な一部変更承認及び軽微変更届で対応していた[1]。

しかし、軽微変更で対応が認められるのは、製品の品質、有効性及び安全性に与える影響が明らかに軽微な製品規格の変更等に限られており、そ

---

1) 参議院厚生労働委員会調査室「薬機法等の一部を改正する法律案の概要と論点」（令和元年 5月 8 日）

れ以外の場合には一部変更承認を申請しなければならないため、医療機器メーカーにとって、製品の改善・改良を重ねるに際しての手続的な負担が大きいという問題があった。

そこで、令和元年の薬機法改正においては、変更計画確認制度（薬機法23条の2の10の2）が導入された。

[変更計画確認制度（IDATEN）]

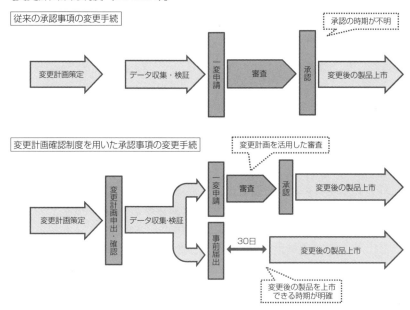

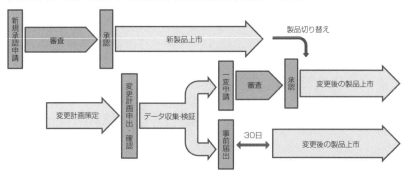

（出典：堀尾貴将『実務解説　薬機法』（商事法務、2021年））

この制度は、承認取得者が厚生労働大臣に対して事前に変更計画を申し出て確認を受けた場合には（同法23条の2の10の2第1項）、当該変更計画に従った変更を行う日から30日前までに厚生労働大臣に当該変更を行う旨を届け出ることで一部変更承認（同法23条の2の5第15項）を不要とする制度である（同法23条の2の10の2第6項、同法施行規則114条の45の13）。

また、厚生労働大臣に対して事前に申し出た変更計画とは一部異なる変更を行う場合には、従前どおり一部変更承認を取得する必要があるが、変更計画を活用した審査によって従前より早期に一部変更承認が認められることが予想される[2]。

変更計画の申出に際して添付すべき資料等の詳細については、既に複数の通知が発出されており、実際の申請の際には留意する必要がある[3]。

---

2) 堀尾貴将『実務解説　薬機法』（商事法務、2021年）116頁
3) 厚生労働省「医療機器の変更計画の確認申請の取扱いについて」（令和2年8月31日）、「医療機器の変更計画の確認申請に関する質疑応答集（Q&A）について」（令和2年10月30日）、「医療機器の変更計画の確認申請に関する質疑応答集（Q&A）（その2）について」（令和3年10月20日）

76 第2章 ヘルスケア分野における AI の活用

Q18 AI 自動診断システムの誤診により生じた 事故の法的責任

Q AI 自動診断システムを利用した結果、誤診により患者に損害が生じてしまった場合にはメーカーは患者に対してどのような責任を負うでしょうか。

A 製造物責任、不法行為責任として、患者に生じた損害を賠償する義務を負うことはありますが、現在の AI システムは支援ツールとしての役割に限られるのが原則であり、最終的な判断の主体は医師であるため、欠陥や過失、因果関係といった要件を充足するか否かについては、個々の事案ごとに慎重に検討する必要があります。

解 説

製造物責任とは、「製造物」に「欠陥」がある場合に、そのことによって生じた損害の責任を製造者や輸入者等が負うことを定めたものである。

製造物責任法は、動産をその対象としていることから、ソフトウェアそのものは「製造物」にあたらず製造物責任の対象とはならない[1]。しかし、動産に対してソフトウェアを搭載した形でそれを提供する場合には、動産とソフトウェアの一体を「製造物」として取り扱うこととなり、製造物責任の問題が生じる[2]。

AI 自動診断システムの役割はあくまでも、情報提供をすることにとどまるのであって、最終的な意思決定は医師がすることを前提として製造・提供されている。したがって、AI の判断が誤ったとしても、それを利用する医師の方で適宜知見を補いながら治療行為がなされることを予定しているのである。したがって、AI が判断を誤り、患者に損害を生じさせた

---

1) 消費者庁「製造物責任（PL）法の逐条解説」第2条（定義）2頁
2) CD-ROM に記憶させた医療用の情報システムについて「製造物」にあたるかが問題となった事例として東京地判令2・6・4判時 2486 号 74 頁がある。被告は、情報システムは無体物であり、本件プログラムは購入した医療機関が保有するサーバー等にインストールすることで利用されるものであってプログラムを組み込んだ製品でもないから「製造物」に該当しないと主張した。しかし、同判決では「欠陥」の存在を否定し「製造物」該当性については判断しなかった。

からとしても、それが直ちに AI 自動診断システムの「欠陥」[1] と評価されるとは限らない。

　また、AI の判断が誤っていたとしても、それが直ちに民法上の不法行為の「過失」ないし「権利侵害行為」とされるとは限らず、因果関係の判断も含めて慎重に行う必要がある。

　もっとも、今後さらに技術が進展し、AI に期待される役割も大きくなるにつれ、「通常有すべき」とされる安全性の範囲が拡大することで製造物責任が肯定されやすくなっていくことはあり得るところであり、注意が必要である。

78　第2章　ヘルスケア分野におけるAIの活用

Q 19　「学習済みモデル」の知的財産権の保護

Q　AI自動診断システムのような学習済みモデルの製品の知的財産権はどのように保護されるのでしょうか。また、学習済みモデルをライセンスして収益を得る場合には、知的財産権を保護するためにどのような工夫をすればよいでしょうか。

- →

A　学習済みモデルのうち、推論プログラムについては著作権等で保護されることも多いですが、学習済みパラメータについての知的財産権の保護は限定的です。不正競争防止法による営業秘密や限定提供データの保護、契約による保護などを適切に組み合わせるとともに、必要な範囲を超えて技術を開示することのないよう工夫することが重要です。

■■■　解　説　■■■

　Q16では、AI開発の過程で生じる様々なデータ、プログラム、ノウハウ等につき、中間生成物も含めて、開発に関与した当事者間で権利帰属の問題をどのように解決すればよいのかについて説明した。本設問では、AI技術の開発において生成される最終的な成果物といえる「学習済みモデル」につき、類似する技術を用いる第三者が登場した場合、第三者に対し権利行使するためにどのような方策を採り得るのかについて検討する。「学習済みモデル」という用語は多義的であり、確立した定義があるわけではないが、ここでは経済産業省の「AI・データの利用に関する契約ガイドライン」（平成30年6月、令和元年12月改訂）の用例に沿って、「学習済みパラメータ」が組み込まれた「推論プログラム」を一体として「学習済みモデル」と総称する。

　学習済みモデルのうち、「プログラム」（推論プログラム）の部分についてはプログラムの著作物（著作権法10条1項9号）として保護されることが多い。また、その開発に関連して発明がなされている場合には、当該発明について他のコンピュータソフトウェア関連発明と同様に、「方法の発明」（「物を生産する方法の発明」を含む）または「物の発明」として特許による保護を受けることができる。もちろん、特許を受けるためには、特許

法上の新規性、進歩性（特許法 29 条 1 項・2 項）等の要件を備えている発明である必要がある。具体的な特許出願に際しては、特許庁が AI 関連技術に関する特許審査事例を公表しているので参考になる。

それでは、学習済みモデルのうち、「データ」（学習済みパラメータ）の部分についてはどうか。学習済みパラメータは、AI のプログラムが入力に対して良好な出力が出せるように最適化された係数の集合であり、そのようなパラメータ自体もプログラムとは独立した管理および取引の対象となり得るため、その固有の法的保護が問題となる。

著作物としての保護について考えると、学習済みパラメータはあくまで係数にすぎず、「思想又は感情を創作的に表現したもの」（著作権法 2 条 1 項）にも該当しないため、著作物として保護されないという考え方が一般的である。

もっとも、営業秘密の 3 要件（①秘密管理性：当該情報が秘密として管理されていること、②有用性：事業活動に有用な技術上または営業上の情報であること、③非公知性：公然と知られていないこと、不正競争防止法 2 条 6 項）を満たしていれば、営業秘密として不正競争防止法により保護されることはある。特に①秘密管理性の要件を満たすことは必ずしも容易ではないが、AI 自動診断サービスを用いたサービスを提供する場合であっても、学習済みモデルを開発者側で管理し、利用者がインターネット等を通じて AI によるサービスを受けるような場合には、営業秘密の要件を充足することができる可能性はある。

また、学習済みモデルを一定の範囲で外部に提供する場合であっても、不正競争防止法の平成 30 年改正により、「限定提供データ」としての保護が及ぶことはあり得る。限定提供データとは、ID・パスワードによる管理を施して一定の条件下で相手方を特定して提供されるようなデータであり、法的要件としては、ⓐ限定提供性：業として特定の者に提供する情報であること、ⓑ相当蓄積性：電磁的方法により相当量蓄積されていること、ⓒ電磁的管理性：電磁的方法により管理されていること、などの要件を満たす必要がある。したがって、他の事業者による利用を許諾するような場合に、営業秘密の要件を充足することが困難であったとしても、電磁的方法により管理して提供すれば、限定提供データとしての保護が受けられる可能性がある。

学習済みモデルを第三者にライセンスする場合には、相手方に対して契

約上の義務を課し、不履行時には契約違反の責任を追及できるようにすべく、第三者提供の禁止や目的外利用の禁止、安全管理措置の遵守等の規定を入れておくことが重要となる。そのことは、前記のような不正競争防止法による保護を受けるという観点からも重要である。

Q 20 AIを用いたケアプランの作成

Q AIを用いて介護の現場でのケアプラン作成を支援しようと考えていますが、どのような点に留意する必要があるでしょうか。

--->

A 介護保険法上の運営基準やケアマネージャーの義務との関係で抵触することはないか、個人情報保護法に抵触しないか、AIが提案したケアプランに重大な問題があった場合の責任の所在などが法的に問題となり得ます[1]。

=== **解　説** ===

1 「ケアプラン」に関する制度の概要

まず「ケアプラン」とは、一般に以下の3つを指す。

	名　称	内　容	主な作成者
1	居宅サービス計画	居宅要介護者が指定居宅サービス等を適切に利用等できるよう、居宅要介護者の依頼を受け、利用する指定居宅サービス等の種類・内容等を定めた計画	居宅介護支援事業者に所属する介護支援専門員（ケアマネージャー）
2	介護予防サービス計画	居宅要支援者が指定介護予防サービス等を適切に利用等できるよう、居宅要支援者の依頼を受け、利用する指定介護予防サービス等の種類・内容等を定めた計画	地域包括支援センターの職員（ケアマネージャーや保健師など）
3	施設サービス計画[2]	各施設に入居している要介護者に当該施設が提供するサービス内容等を定めた計画	各施設に所属する介護支援専門員（ケアマネージャー）

----

1) なお、前提として、当該AIは、ケアマネージャー等が法令等上も実施可能な業務の範囲でサポート・支援するものを想定している。

82 第2章 ヘルスケア分野におけるAIの活用

　要介護者や要支援者は、ケアプランを作成し、その上で、当該ケアプランに基づいて各種介護サービス・介護予防サービスを受ける（保険給付を受ける）ことになる。

　そのため、介護保険の保険給付を受けて介護サービス・介護予防サービスを利用する場合には、ケアプランを作成することが必要となる。

　ケアプランの作成は、要介護者らが自ら行うことも可能であるが、通常は前記の表の「主な作成者」欄に記載する者に依頼して作成してもらうことになる。

　このうち、ケアプランの作成自体について独立して介護保険法の適用がある（保険給付の対象となる）のは、表の1および2である（3は、施設サービスに関する介護保険の中に包含されており、独立の保険給付はなされていない）。

2　介護保険法との関係で留意すべき事項

　AIを用いて介護の現場でのケアプラン作成支援を受けようとするのは、居宅介護支援事業者、地域包括支援センター、各施設が想定される[3]。

　このうち、居宅介護支援事業者および地域包括支援センターは、自らが実施した居宅介護支援や介護予防支援に対して、介護保険に基づく保険が支給されるためには、「指定」（介護保険法46条1項、58条1項）を受ける必要があり、また、市町村の条例が定める運営基準を遵守していなければならない（同法81条2項、115条の24第2項）。

　この運営基準は、それぞれ次の厚生労働省の定める基準に従って、または、参酌して定められることとなっている。

2）介護保険法8条26項は、「介護老人福祉施設、介護老人保健施設又は介護医療院に入所している要介護者について、これらの施設が提供するサービスの内容、これを担当する者その他厚生労働省令で定める事項を定めた計画」を「施設サービス計画」と定義しているが、本表でいう「施設サービス計画」は、これに限らず、他の施設に入居している要介護者に対するサービス内容を定めたものも含む概念として用いている。

3）平成29年3月にセントケア・ホールディング株式会社が作成した「自立支援を促進するケアプラン策定における人工知能導入の可能性と課題に関する調査研究報告書」によれば、このようなケアマネージャーの業務支援のほかにも、自治体における地域ケア会議等のケース検討会議における支援ツールとしても利用されることが想定されるとされている。

居宅介護支援	「指定居宅介護支援等の事業の人員及び運営に関する基準」
介護予防支援	「指定介護予防支援等の事業の人員及び運営並びに指定介護予防支援等に係る介護予防のための効果的な支援の方法に関する基準」

　また、各施設において実施する介護サービス・介護予防サービスについても、介護保険ごとに「指定」を受け、かつ市町村の定める運営基準の遵守が求められている（厚生労働省の定める基準に従い、または参酌して定められる）。

　さらに、ケアマネージャー自体の義務も介護保険法69条の34以下に規定されている。

　AIを用いたケアプランの作成支援を受けるに際しては、各作成支援サービスの内容や、ケアマネージャー等の利用者側の利用方法等の個別の事情に応じて、これらの基準や規定との関係で問題がないかは念のため留意しておく必要がある。

3　個人情報保護法との関係で留意すべき事項

　AIを用いたケアプラン作成支援を受けるに際しては、①ケアマネージャー等の利用者は、要介護者・要支援者の個人情報（要配慮個人情報に該当する内容も多いと思われる）をAIに入力することとなり、また、②当該入力された個人情報は、AIの学習用のデータとして（場合によっては匿名加工情報または統計データ等として）も利用されることとなる。

　また、AIサービスを提供している者は、AIに入力する個人情報を学習用のデータとして利用したり、これを匿名加工情報や統計データ等に加工して利用すること等が通常予定されていると考えられる。

　よって、これらの状況に応じて個人情報保護法上必要となる手続を確認し、履践することが重要となる。具体的には、これらの利用が、それぞれ個人情報の利用目的に含まれているか否かや、個人情報の第三者提供（または委託の方法による提供）の際に必要となる手続を履践しているか否か等が重要となろう。

　個人情報保護法上の規制等の概要は、 Q15 を参照されたい。

84　第2章　ヘルスケア分野における AI の活用

4　AI が提案したケアプランに重大な問題があった場合の責任

現時点で想定されているのは、AI を用いて介護の現場でのケアプラン作成を支援することにとどまる。すなわち、ケアマネージャーや地域包括支援センターの職員などは、AI が提案したケアプランを、あくまで1つの参考とはするが、最終的には、当該提案も踏まえ、ケアマネージャー等が自らの責任で要介護者・要支援者に対してケアプランを提案することが想定されている。

(1)　要介護者・要支援者との関係

AI サービスを提供している者は、要介護者・要支援者と直接の契約関係にないことから、AI サービスを提供している者が要介護者・要支援者に対して何らかの責任を負うとすれば不法行為責任（場合によっては製造物責任も含む）ということになろう。もっとも、AI サービスを提供している者は、ケアマネージャー等に対して、ケアプランを作成に際して参考となるケアプランを提案したのみであるから、そのような場合に、要介護者・要支援者に対して不法行為責任を負う場面は限定的と思われる。

他方で、AI サービスの利用者であるケアマネージャー等については、AI が提案したケアプランに重大な問題があったからといって、要介護者・要支援者との関係で免責等がされるものではないと思われる。

(2)　AI サービスを提供している者と利用者との関係

AI が問題のあるケアプランを提案したことにより、ケアマネージャー等の利用者に損害が生じた場合には、債務不履行責任・不法行為責任の問題にはなり得るが、1つの参考となるケアプランを提案したにとどまるケース（最終的なケアプランの提案はケアマネージャー等が要介護者・要支援者に対して責任を負うケース）で、具体的にどのような場合に責任を問われるかは、個別の状況を踏まえて検討する必要があろう。

Q21 AIを用いたケアプランと介護保険等 85

Q 21 AIを用いたケアプランと介護保険等

Q ケアプラン作成支援のAIシステムを利用する場合、介護報酬の加算を受けることはできますか。

A ケアプランの作成を支援する人工知能（AI）を利用してケアプランを作成した場合も介護保険の適用対象となりますが、AIを用いたことにより報酬が加算されることはありません。厚生労働省もAIの活用ニーズを指摘しており、今後の動向が注視されます。

なお、ケアプランの作成を支援するAIを導入した場合、当該AIがIT導入補助金の対象となるITツールに登録されていれば、IT導入補助金の交付を受けることができる可能性があります。

解 説

1 ケアプランと介護保険給付

ケアプランとは、市町村から要介護認定又は要支援認定を受けた介護保険の被保険者が、介護保険の給付を受けるために作成する、利用予定のサービスの計画を具体的に記した居宅サービス計画、介護予防サービス計画および施設サービス計画のことである（ **Q20** 参照）。この作成にかかる費用は、居宅介護サービス計画費または介護予防サービス計画費として介護保険の給付の対象となり（介護保険法46条1項、58条1項）、利用者負担もない。ただし、ケアプランの作成に関しては、一定の利用者負担を求めるかについて、今後議論される可能性がある[1]。なお、保険支給額の支給限度基準額を超えた部分については利用者の自己負担となるのは、他の介護サービスと同様である。

ケアプランの作成を支援する人工知能（AI）を利用してケアプランを作成した場合も介護保険の適用対象となるが、AIを用いたことにより報酬

----

1) 財務省財政制度分科会配布資料（令和3年4月15日）

が加算されることはなく、また、費用が保険支給額の支給限度基準額を超えた場合、超過分は被保険者の自己負担となる。

なお、厚生労働省は、平成28年よりAIを利用したケアプラン作成に関する実態調査を行っている[2]。最近の報告書においては、AIでは、近年重視されてきた内容はデータ数が少なく、過去データからのラベル化が難しい状況にあるため、AIが提示する内容は標準的な内容に留め、ケアマネジャーがその利用者・家族の個別の状況について記述を追加する形が望ましいという指摘もあり、今後、最適なケアプラン作成にあたって過去データのAI分析の活用に向けた動向が注視される。

また、保険者が、作成されたケアプランが適切かを検証するケアプラン点検のためにAIを利用することに関する調査も行われており[3]、今後ケアプランに関連するAIの利用の幅が広がることが期待される。

2 ケアプラン作成支援のAIシステムの導入に関する補助金

経済産業省関連のサービス等生産性向上IT導入支援事業として、中小企業・小規模事業者等が自社の課題やニーズに合ったITツールを導入する経費の一部を補助するIT導入補助金の制度が存在する。

当該補助金は、登録されたITツールの導入等の補助金の交付を受けられる制度であり、ケアプラン作成支援のAIシステムがITツールとして登録されていれば、補助金の交付を受けられる可能性がある。

---

2) 直近の報告書として、株式会社国際社会経済研究所「ホワイトボックス型AIを活用したケアプランの社会実装に係る調査研究報告書」（令和3年3月）
3) 株式会社エヌ・ティ・ティ・データ経営研究所「AIを活用した効果的・効率的なケアプラン点検の方策に関する研究報告書」（令和3年3月）

第3章

医療ロボット・介護ロボット

88　第3章　医療ロボット・介護ロボット

Q22　医療ロボットと介護ロボットの差異

Q　医療ロボットと介護ロボットはどのように区別されますか。医療ロボットにあたるか、または介護ロボットにあたるかによって、法律的な扱いにどのような違いがありますか。

-->

A　薬機法上の「医療機器」とされる場合には、薬機法上の規制を遵守することが必要となります。また、介護保険法上の「福祉用具」とされる場合には、介護保険の対象となることがあります。

═══ 解　説 ═══

1　医療機器該当性

　薬機法上「医療機器」に該当するとされるロボットについては、その製造・販売に製造・販売承認を取得する必要が生じるほか（薬機法23条の2の5第1項）、厚生労働大臣の許可を受ける必要がある（同法23条の2第1項）。

　まず、「医療機器」の定義や、該当した場合の規制内容等については Q15 Q33 に詳述するが、「医療機器」は、「疾病の診断、治療若しくは予防」に使用されることまたは人の「身体の構造若しくは機能に影響を及ぼす」ことをその目的として有することが要件となっている。したがって、例えば、同様の性能を有する機器であっても、その目的を医療用ではなく介護・福祉用に限定するのであれば、「医療機器」の承認を受けることなく介護施設等で使用できることはある。例えば、大分類としては脚に装着して歩行をアシストするロボットと一括りにされる場合でも、単に脚力が弱くなった人の下肢の運動をアシストすることで下肢機能の向上を目的とする機器は医療機器として取り扱われていないものの、歩行機能補助だけでなく、歩行機能の改善治療まで目指すために開発された機器では医療機器として取り扱われている例もある。

2 福祉用具

　次に両者の違いが問題となるのは介護保険の対象となるか否かについてである。介護ロボットのうち、「福祉用具」（介護保険法8条12項）にあたる場合には、その貸与・購入が保険給付の対象となり、一部の自己負担のみでかかるロボットを利用できることになる。

　「福祉用具」とは、介護保険法において、「心身の機能が低下し日常生活を営むのに支障がある要介護者等の日常生活上の便宜を図るための用具及び要介護者等の機能訓練のための用具であって、要介護者等の日常生活の自立を助けるためのもの」と定義されている。具体的にどのような製品が「福祉用具」に該当するかについての詳細については **Q 23** を参照されたい。これに対し、医療ロボットが「医療機器」にあたる場合に適用される医療保険制度の内容については、**Q 91** を参照されたい。

90　第 3 章　医療ロボット・介護ロボット

Q23　福祉用具該当性

Q　利用者が介護保険制度を活用可能な福祉用具に該当するような、自動走行
機能を搭載した電動車いすを開発したいのですが、どのような仕様にする必
要がありますか。

-->

A　具体的な製品が福祉用具に該当するかは、保険者である市町村ごとに判断
され、種目や仕様については告示および通達等に定められています。車いす
は福祉用具の対象種目に含まれているので、自動走行機能を搭載した電動車
いすも、個別の仕様を満たせば、福祉用具として介護保険の給付の対象とな
ります。

解　説

1　介護保険制度と福祉用具

　「福祉用具」とは、心身の機能が低下し日常生活を営むのに支障がある
要介護者等の日常生活上の便宜を図るための用具および要介護者等の機能
訓練のための用具であって、要介護者等の日常生活の自立を助けるための
ものである（介護保険法 8 条 12 項）。

2　福祉用具該当性

　要介護者等がある製品の利用にあたって介護保険の給付を受けるために
は、当該製品が介護保険法に定める「福祉用具」に該当することが必要で
ある。特定の製品が、福祉用具に該当するかは、保険者である市町村に
よって個別に判断される（介護保険法 41 条、44 条）が、福祉用具の対象種
目と種目ごとの仕様は告示[1]によって定められるところ、車いすは、福祉
用具貸与の対象種目に含まれている。具体的な製品の福祉用具該当性は、
最終的には市町村に判断が委ねられるが、開発された車いすが、「自走用

---

1) 厚生省「厚生労働大臣が定める福祉用具貸与及び介護予防福祉用具貸与に係る福祉用具の種目」
　（平成 11 年 3 月 31 日）

福祉用具の対象項目	
【福祉用具貸与】〈原則〉 ・車いす(付属品含む)・特殊寝台(付属品含む) ・床ずれ防止用具　・体位変換器 ・手すり　　　　　・スロープ ・歩行器　　　　　・歩行補助つえ ・認知症老人徘徊感知機器 ・移動用リフト（つり具の部分を除く） ・自動排泄処理装置	【特定福祉用具販売】〈例外〉 ・腰掛便座 ・自動排泄処理装置の交換可能部 ・入浴補助用具(入浴用いす、浴槽用手す 　り、浴槽内いす、入浴台、浴室内すの 　こ、浴槽内すのこ、入浴用介助ベルト) ・簡易浴槽 ・移動用リフトのつり具の部分

(参考：第60回社会保障審議会介護保険部会参考資料2「福祉用具・住宅改修」を元に作成)

標準型車いす、普通型電動車いす又は介助用標準型車いす」のいずれかに該当すれば、福祉用具としての車いすの仕様も満たすことになる。また、車いす付属品として、電動補助装置も福祉用具に含まれる。

　加えて、通達等でより詳細な定義が定められている場合があるので、開発した製品が福祉用具に該当するかについてはこれらも確認する必要がある。車いすであれば、通達[2]において、「自走用標準型車いす」、「普通型電動車いす」および「介助用標準型車いす」のそれぞれについて、日本工業規格（JIS）に基づく定義が規定されている。

　また、実務上、福祉用具に該当すると考えられる個別の製品について、福祉用具情報システム（TAIS）[3]で情報提供されており、介護用の製品を開発した場合には、TAISコード等の認証を取得することも有効である。実際に、自動走行機能を搭載した電動車いす製品が、TAISコードを取得し、介護保険の給付が適用された事例もある。

3　福祉用具の提供サービス

　要介護者等が介護保険法上の福祉用具に該当する製品を利用しようとする場合、当該福祉用具を購入しまたは貸与を受ける場面において介護保険の給付を受け得ることになる。ただし、利用者の身体状況や要介護度は変

2）厚生省老人保健福祉局企画課「介護保険の給付対象となる福祉用具及び住宅改修の取扱いについて」（平成12年1月31日）、厚生労働省老健局高齢者支援課「『介護保険の給付対象となる福祉用具及び住宅改修の取扱いについて』の一部改正について」（平成28年4月14日）
3）公益財団法人テクノエイド協会が提供する福祉用具に関する情報発信システム

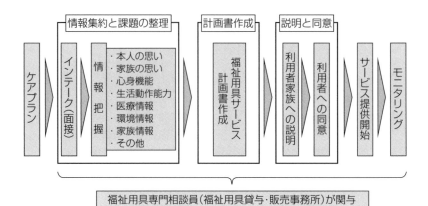

(出典：厚生労働省第60回社会保障審議会介護保険部会参考資料2「福祉用具・住宅改修」)

化し、福祉用具の性能も向上するところ、適時・適切な福祉用具が利用できるように、貸与が原則とされている。例外として、入浴や排せつの用に供するもの等の貸与になじまない用品は、「特定福祉用具」とされ、購入費が保険給付の対象となる（介護保険法8条12項・13項）。

　福祉用具の貸与および販売の流れについては、厚生労働省の公表している社会保障審議会介護保険部会の資料のフローが参考になる（上記図表参照）。すなわち、要介護者等が、介護保険の給付を受けて、福祉用具の貸与・販売サービスを利用する場合、個々人の状況等に応じて適切な福祉用具が選択され、福祉用具サービス計画書が作成される。その上で、当該福祉用具を利用する要介護者等と福祉用具貸与・販売事業者の間で契約に基づき各サービスが提供される。要介護度または要支援度に応じて定められる支給限度基準額の範囲内であれば（すなわち、貸与については他の居宅サービスと合わせて支給限度基準額以内、購入の場合は特定福祉用具の購入費支給限度基準額以内であれば）、所得・収入に応じて1割から3割の自己負担で、各貸与・販売サービスを利用することができる（同法41条、44条）。

　2018年10月からは福祉用具の貸与価格に上限が設けられており[4]、福

---

[4] 厚生労働省「福祉用具の全国平均貸与価格及び貸与価格の上限の公表について」（平成30年7月13日）

祉用具貸与事業者が商品の貸与価格の上限を超えて貸与を行った場合には、福祉用具貸与費は全額利用者の負担となる。

94　第3章　医療ロボット・介護ロボット

Q24　手術支援ロボットの開発における法的規制

Q　手術支援ロボットのような、医療分野で用いることのできるロボットの開発を進めています。どのような点に留意すべきでしょうか。

-->

A　手術支援ロボットは、多くの場合、医療機器に該当することから、それぞれの分類に応じた規制を遵守する必要があります。

解　説

　薬機法に定める「医療機器」に該当するか否かが問題となる。**Q87**において詳述するとおり、同法に定める「医療機器」は、人体に与えるリスクに応じて「高度管理医療機器」「管理医療機器」「一般医療機器」（薬機法2条5項・6項・7項）の3種類に分類しており、規制の内容・程度が異なってくる。

　手術支援ロボットであれば、その多くは「医療機器」に該当し、その規制下に置かれることとなるが、医療ロボットといえどもその種類・用法により人体に与えるリスクは様々であり、その規制の程度は異なってくる。

　例えば、「da Vinci」は、実際の手術操作を行うロボットであり、当然人体に与えるリスクも大きいことから、「高度管理医療機器」に分類され、製造するには長期間の審査と厚生労働大臣による承認が必要とされている。一方で、メーカーとしては、より簡易なロボットとして、厚生労働大臣への届出で足りる一般医療機器を早期に投入する戦略を採るようなケースもあるし、さらには単に術者の腕を保持するためのロボットのように、手術支援ロボットではあるものの「医療機器」にはあたらないとの位置づけがなされている機器も存在する。

Q25 医療ロボットの誤作動により生じた事故の法的責任

Q 遠隔操作により操縦される手術支援ロボットが誤作動を起こし医療事故が発生してしまいました。製造業者は患者に対してどのような責任を負うのでしょうか。

- ▶

A 患者に対しては製造物責任や不法行為責任として、損害賠償責任を負うことがあり得ます。

解　説

1　製造物責任

(1)　「欠陥」とは

製造物責任とは、製造物に「欠陥」がある場合に、そのことによって生じた損害の責任を製造者等が負うことを定めたものである。

「欠陥」とは、「当該製造物が通常有すべき安全性を欠いていること」をいうが、その中身は「設計上の欠陥」、「製造上の欠陥」および「指示・警告上の欠陥」の3つの分類が存在する。すなわち、設計に問題があったものは「設計上の欠陥」、製造過程に問題があったものは「製造上の欠陥」と分類されているが、これらの他、設計・製造に問題がなくとも使用者に対する必要な指示・警告に問題があったものは「指示・警告上の欠陥」と分類される。

(2)　設計上の欠陥・製造上の欠陥

前述のごとく、「欠陥」とは、「当該製造物が通常有すべき安全性を欠いていること」をいうが設計上の欠陥や製造上の欠陥の有無の判断には当該製造物が通常どのように使用されるかが考慮されることとなる。例えば、手術ロボットが本来の用途で用いられれば安全であったのにもかかわらず、医師がそのロボットを本来とは異なる用法で使用したために医療事故が発生したという場合、本来の用途で用いたのであればその手術ロボットは安全であったのであるから、そのロボットに欠陥があったということは

できず、製造業者は製造物責任を負わないこととなる。

これに関連して、ロボットに関する事案ではないものの、麻酔用器具である気管切開チューブを接続した呼吸回路による用手人工呼吸を行おうとしたところ、回路が閉塞して患児が換気不全に陥り死亡したという事案がある。この事案では、チューブは（人工呼吸用器具ではなく）麻酔用器具として用いれば安全に使用できるものであり、設計上の欠陥を有しているものとはいえないと判示した裁判例がある（東京地判平 15・3・20 判タ 1133 号 97 頁）。

また、人工呼吸器について、その AC ケーブルが断線し電力の供給が停止したためにその使用者が死亡した事例で、AC ケーブルが断線したことを示すアラーム等に対して適切な対応がなされていないことを認定し、使用者が通常の使用方法に従って使用していたにもかかわらず電源が消失し、作動を停止したとはいえないとして「欠陥」の存在を否定した裁判例がある（東京地判平 30・2・27 判タ 1466 号 204 頁）。

一方で、カテーテルを用いて塞栓手術をした際にそのカテーテルが脳血管内で加圧により破裂したという事案では、カテーテルは「通常予想される使用形態を越えて過剰な加圧でもしない限り、破損しないような強度を備えている」必要があるが、それを備えていなかったとして、製造業者の製造物責任を肯定した裁判例もある（東京地判平 15・9・19 判タ 1159 号 262 頁）。

このように欠陥の判断においては、本来的な用途との関係で製造物が安全性を欠くものであったか、ひいては医師がどのように医療器具を使用したことにより医療事故が発生したかが重要な考慮要素となっており、これは医療ロボットの製造物責任の判断においても同様であると考えられる。

(3) 指示・警告上の欠陥

使用方法次第で当該製造物が通常有すべき安全性を欠くような場合には、製造者はその危険の内容および被害発生を防止するための注意事項を指示・警告しなければならず、これを欠いている場合は「指示・警告上の欠陥」として製造物責任法上の「欠陥」に含まれると解されている[1]。

前記の気管切開チューブの事件においても、医療現場ではチューブは本来の用途の麻酔用器具としてだけではなく人工呼吸用器具としても用いられており、製造業者もそれを認識していたのであるから、そのような使用

方法では閉塞が起こる可能性がある旨を警告すべきであったのに、製造業者はそれを怠ったとして、設計上の欠陥は否定されたものの、指示・警告上の欠陥があると認定された。

たしかに、医療ロボットは医師が使用するものであり、高度の専門的知識を有する医師にとって必要な範囲で指示・警告をすれば足りる[2]。しかし前記事例のように、使用方法によっては身体安全に危害が生じ、そのように医師が使用することが予見できる場合には、「欠陥」とされ得ることから、危険性については十分に指示・警告する必要があるといえる。

また、遠隔操作付医療ロボットのような例では、機器の操作について高度に専門性を必要とするものであるから、その操作方法についての教育・研修等の必要性を告知していたか、また、教育・研修等において必要な警告等を行っていたかということが問題となる。このように、製造業者は医師や医療機関に対して、情報提供を十分行った上で、危険な用法で使用しないように指示・警告をすることが求められているといえよう[3]。

2 不法行為責任

製造物責任を負わない場合でも、不法行為責任を負うことが考えられる。製造物責任の場合には、製造業者等の過失は要件とされていないのに対し、不法行為責任を追及する場合には加害者の故意または過失が要件となる。もっとも、医療事故において考えられる過失の内容としては、①システムに不備があるのにもかかわらずロボットを出荷したこと、または②ロボットの使用方法に関する指導や警告をすべきであったのにそれを怠ったこと、などが考えられるが、これらは欠陥の存否の判断と重複する部分も少なくない。

---

1) 広島地判平16・7・6判タ1175号301頁は指示警告上の欠陥に関する一般論として、「一般に、ある製造物に設計、製造上の欠陥があるとはいえない場合であっても、製造物の使用方法によっては当該製造物の特性から通常有すべき安全性を欠き、人の生命、身体又は財産を侵害する可能性があり、かつ、製造者がそのような危険性を予見することが可能である場合には、製造者はその危険の内容及び被害発生を防止するための注意事項を指示・警告する義務を」負う、と判示している。

2) 骨移植の後に装着する上肢用プレートシステムが折損していた事案（神戸地判平15・11・27裁判所ウェブサイト）につき指示・警告上の責任を否定した。

3) 米村滋人「医療・介護ロボットと法」角田美穂子＝工藤俊亮編著『ロボットと生きる社会——法はAIとどう付き合う？』（弘文堂、2018年）423頁

98　第3章　医療ロボット・介護ロボット

Q 26 介護支援ロボットの開発・実証実験における法的規制

Q　介護支援ロボットを導入したいと考えているのですが、どのような点に留意する必要があるでしょうか。また、実証実験を行う上で注意すべきことはありますか。

--▶

A　介護支援ロボットの開発にあたり、許認可等の法的な規制はありません。しかし、開発の際には国際安全規格や JIS 等を、実証実験の際は倫理指針等を遵守することが望ましいといえます。

══ 解　説 ══

1　製造販売関連規制

　医療ロボットの開発には薬機法の規制の遵守が必要であるのとは異なり、介護ロボットを製造販売をするにあたって、特段の許認可は必要とされていない（医療ロボットと介護ロボットの差異の詳細については Q 22 を参照）。また、介護ロボットの安全性等に関する法的規制も現行法上存在しない。

　もっとも、生活支援ロボットについての国際安全規格として、ISO 13482 が 2014 年に発行された。そして、これを受けて、生活支援ロボットの安全性を確保するための要求事項を定めるため、JSA は、日本産業規格（JIS B 8445、B 8446-1、B 8446-2 および B 8446-3）を制定した。また、日本医療研究開発機構は、介護ロボットに係る安全性の基準として、ロボット介護機器開発のための安全ハンドブックを公表している。これらについて、法的な拘束力はないものの、製造業者が開発に関するリスクを適切に把握するうえで有用なものであり、安全性に関する指針としての機能を果たしていくことが期待される。

2　実証実験関連規制

　また、実証実験の実施に際しても、現行法上、特段の法的規制はなされていない。しかし、厚生労働省は、「倫理性と科学性の双方の観点を十分

に踏まえた実証実験とするために」、「臨床研究に関する倫理指針」に基づいた倫理審査を受けることは「有効である」としている。倫理審査の一般的な流れは下の図のとおりであり、倫理審査委員会の判定は、試験計画の受理から通常4～5週間を要する。日本医療研究開発機構は、倫理審査申請ガイドラインを公表しており、倫理審査申請の際にはこちらも参照することが望ましいといえよう。

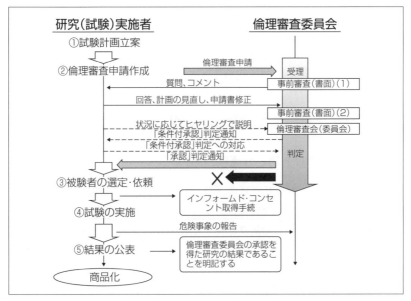

(出典：厚生労働省「福祉用具・介護ロボット開発の手引き」)

100　第3章　医療ロボット・介護ロボット

Q 27　介護支援ロボット等の導入と介護保険

Q　介護支援ロボットや最新のリフト機能付きの介護用ベッド等の介護機器
（以下総称して「介護支援ロボット等」といいます）を開発したいと考えて
いるのですが、介護保険給付の適用を受けることはできるのでしょうか。

A　介護保険制度の下では、福祉用具の貸与・販売サービスを除き、原則とし
て、介護支援ロボット等を導入する費用に着目した給付はありません。ま
た、介護保険法上の福祉用具に該当する介護支援ロボット等の貸与・販売を
受ける場合、その費用について介護保険の給付が受けられます。

解　説

1　介護支援ロボット等と介護保険給付

　福祉用具の貸与・販売サービス（**Q23**）を除き、介護保険制度（**Q90**）
の下では、原則として、介護支援ロボット等を利用しているか否かにかか
わらず、各介護サービスの提供に関し支給される金額が定められることと
されている。もっとも、平成30年4月の介護報酬の改定により、介護老
人福祉施設、地域密着型介護老人福祉施設[1]および短期入所生活介護[2]で
は、見守り機能を有する介護支援ロボット等の導入に関し、「0.9人配置
要件」を満たす場合には夜勤職員の配置加算を受けることが可能になっ
た[3]。さらに、令和3年度の介護報酬改定では、テクノロジーの活用によ
り介護サービスの質の向上および業務効率化を推進していく観点から、上

---

[1] 特別養護老人ホームであって、当該特別養護老人ホームに入所する要介護者に対し、地域密
着型施設サービス計画に基づいて、入浴、排せつ、食事等の介護その他の日常生活上の世
話、機能訓練、健康管理および療養上の世話を行うことを目的とする施設をいう（介護保険
法8条22項）。

[2] 居宅要介護者について、特別養護老人ホーム等の施設に短期間入所させ、当該施設において
入浴、排せつ、食事等の介護その他の日常生活上の世話および機能訓練を行うことをいう
（介護保険法8条9項）。

[3] 厚生労働省「平成30年度介護報酬改訂の主な事項について」（平成30年）、同「令和3年度
介護報酬改定の主な事項について」（令和3年）

記の「0.9人配置要件」が緩和されるとともに、見守り機器の導入割合を入所者数の100％とすることや、情報通信技術（ICT）を使用して安全体制を確保すること等を要件とする「0.6人配置要件」が新設され、これらの要件を満たせば夜勤職員の配置加算を受けることが可能になった[4]。

	0.9人配置要件	0.6人配置要件
最低基準に加え配置する夜勤職員	0.9人	ユニット型：0.6人 従来型：人員基準緩和を適用する場合0.8人、適用しない場合0.6人[5]
見守り機器の導入割合	入所者数の10％[6]	入所者数の100％
その他要件	見守り機器を安全・有効に活用するための委員会の設置	夜勤職員全員がインカム等のICTを使用していること、安全体制を確保していること

　令和3年度の介護報酬改定では、上記のほかに介護支援ロボット等を導入する場合に人員基準が緩和された。従来型の多床室からなる介護老人福祉施設では、介護支援ロボット等を導入し一定の要件を満たす場合、夜間の人員配置基準が緩和された。また、特別養護老人ホームの日常生活継続支援加算および介護付きホームの入居継続支援加算についても、介護支援ロボット等を活用し、人員体制の見直しや評価等を継続して行う場合に、当該加算に必要な介護福祉士の配置要件が緩和されている。
　厚生労働省および経済産業省は、ロボット技術の重点分野を6分野（移乗介助、移動支援、排泄支援、見守り・コミュニケーション、入浴支援、および介護業務支援）定めており[7]、介護支援ロボット等の開発・実用化の支援

---

4) 少数の居室とこれらの居室の居住者が共同生活を営むための場所が一体となったユニットごとに生活が行われるユニット型の介護老人福祉施設と、従来型の多床室からなる介護老人福祉施設では要件が異なる。また、後述の介護支援ロボット等を導入し一定の要件を満たし夜間の人員配置基準が緩和されているか否かによっても要件が異なる。
5) 平成30年の導入時は15％であったが、令和3年度の改定で10％に緩和された。
6) ①施設内の全床に見守り機器を導入、②夜勤職員全員がインカム等のICTを使用、③安全体制の確保に関する要件を満たしていること。
7) 厚生労働省・経済産業省「ロボット技術の介護利用における重点分野」（平成24年11月）

102 第3章 医療ロボット・介護ロボット

として、補助金・助成金等による資金援助を行うほか、ロボット介護機器開発ガイドブック等のガイドラインが作成されている。また、介護支援ロボット等の導入・活用の支援として、補助金・助成金等および融資等の資金支援や、税制優遇措置等があり、介護支援ロボット等の開発・実用化や導入・活用が促進されている。

2 福祉用具としての提供

介護支援ロボット等が福祉用具に該当すれば、その種目に応じて、その貸与または購入に際し、介護保険に基づく給付を受けることができる（介護保険における福祉用具の貸与および購入の取扱いについての詳細は **Q 23** を参照されたい）。

例えば、介護用ベッドは、特殊寝台として貸与の対象種目に該当するので、告示[8] に定められる仕様を満たせば、福祉用具に該当し介護保険の給付を受けることができる。他方で、介護支援ロボットは、その種類も多岐にわたるため、福祉用具に該当するか否かは、個々の機能や利用場面を踏まえて判断されることになる。移動用リフト（装着型移乗支援装置等）、入浴支援用リフト付装置、歩行器（電動アシスト付屋外移動支援装置等）、自動排泄処理装置といった種目に該当する介護ロボットの中には、TAIS コード（詳細は **Q 23** を参照）を取得しているものもあり、これらは、最終的には市町村の判断によるものの、福祉用具として介護保険給付を受けることができる場合がある。

3 福祉用具の対象種目への追加

介護支援ロボット等を開発した場合、当該製品が福祉用具の対象種目のいずれにも該当しない場合が考えられる。その場合、将来的に福祉用具の対象種目について追加されるかが問題となるが、これは、厚生労働省の介護保険福祉用具・住宅改修評価検討会において、福祉用具の範囲についての以下の要素を考慮しつつ判断されることになる。

---

8) 厚生省「福祉用具貸与及び介護予防福祉用具貸与に係る福祉用具の種目」（平成11年3月31日）、厚生省老人保健福祉局企画課「介護保険の給付対象となる福祉用具及び住宅改修の取扱いについて」（平成12年1月31日）および厚生労働省老健局高齢者支援課「『介護保険の給付対象となる福祉用具及び住宅改修の取扱いについて』の一部改正について」（平成28年4月14日）

1	要介護者等の自立促進または介助者の負担軽減を図るもの
2	要介護者等でない者も使用する一般の生活用品でなく、介護のために新たな価値付けを有するもの
3	治療用等医療の観点から使用するものではなく、日常生活の場面で使用するもの
4	在宅で使用するもの
5	起居や移動等の基本的動作の支援を目的とするものであり、身体の一部の欠損または低下した特定の機能を補完することを主たる目的とするものではないもの
6	ある程度の経済的負担感があり、給付対象とすることにより利用促進が図られるもの
7	取り付けに住宅改修工事を伴わず、賃貸住宅の居住者でも一般的に利用に支障のないもの

（参考：医療保険福祉審議会老人保健福祉部会事務局「福祉用具の範囲の考え方について」（平成10年8月24日）1頁を元に作成）

104　第3章　医療ロボット・介護ロボット

Q 28　介護ロボット導入のメリット・導入支援

Q　介護ロボットを導入することによって、介護サービス提供事業者にどのようなメリットがありますか。また、導入に際して補助金等の導入支援制度はありますか。

- ▶

A　見守り介護ロボットを導入することにより、人員配置基準および夜勤職員配置加算が緩和され、効率的な事業の運営が可能になり得ます。また、介護ロボットを導入することにより、税制において優遇措置を受けることができる場合があります。導入支援に関しては、各地方自治体からの補助金や独立行政法人等からの金融支援などがあります。

■■■ 解　説 ■■■

1　人員配置基準及び夜勤職員配置加算条件の緩和

　厚生労働省「厚生労働大臣が定める夜勤を行う職員の勤務条件に関する基準」（平成12年2月10日施行）は、介護老人福祉施設等について、その利用者数に応じて人員配置基準を定めているが（同1号ロ(1)(一)a～e等）、「夜勤時間帯を通じて、利用者の動向を検知できる見守り機器」（以下「見守り機器」という）を全床に設置している場合には、当該基準に基づき算出される数に「10分の8」を乗じた数に基準を緩和することとしている（同f等）。

　また、同告示は、夜勤職員配置加算の条件として夜勤を担う介護・看護職員の人数が最低基準よりも1人以上多い人員を配置することを規定しているが、見守り機器を一定割合導入した場合には当該条件を緩和することとしている。

　具体的には、入居者の動向を検知できる見守り機器を入居者数の10%以上設置していること等の要件を満たせば、最低基準に加えて配置する人員は0.9名分でよいとしている（同1号ハ(1)(二)a等）。また、見守り機器を全床に導入している場合には、最低基準に加えて配置する人員は0.6人（上記の人員基準緩和を適用する場合は0.8人）でよいとされている（同b

等)。

このように、見守り介護ロボットが「夜勤時間帯を通じて、利用者の動向を検知できる見守り機器」としての機能を有する場合には、上記基準および条件の緩和を受けることができる。

2 税制措置

介護サービス提供事業者は、「介護ロボットの導入による業務負担の軽減」に取り組むことを含む経営力向上計画を策定し、厚生労働大臣の認定を受け、また、先端設備等導入計画を策定し、その認定を受けることにより、以下の税制優遇措置を受けることができる(中小企業庁「経営力向上計画」、同「先端設備等導入計画」)。

① 生産性向上特別措置法の認定を受けた先端設備等導入計画に基づいて、一定の設備を取得や製作等した場合には、固定資産税が3年間にわたりゼロから2分の1となる、といったものがある。他にも中小企業経営強化税制や、商業・サービス業・農林水産業活性化税制により、経営力向上計画に基づき介護ロボットを導入することにより税の優遇措置を受けることができる場合がある。

② 中小企業等経営強化法の認定を受けた経営力向上計画に基づき、一定の設備を新規取得等して事業の用に供した場合に、即時償却または取得価格の10%の税額控除(資本金3,000万円超1億円以下の法人は7%)を受けられる場合がある。

③ これらに加えて、一定の設備を新規取得等して事業の用に供した場合に、取得価格の30%の特別償却または7%の税額控除が選択適用される場合がある。

3 補助金・金融支援等

他にも、地方公共団体や独立行政法人等は、介護ロボットの導入に対して、補助金や金融支援といった導入支援を行っている。

この点、令和元年においては、介護ロボットの導入について1機器あたり導入経費の2分の1が補助される仕組みであったが、令和2年度より一定の要件を満たす事業所について導入経費の4分の3を下限に補助が拡充されている(上限100万円)[1]。補助金の具体的な金額、条件等は各都道府県、事業年度によっても異なることから、介護施設のある都道府県に問い

106　第3章　医療ロボット・介護ロボット

合わせることが必要である。

　また、金融支援に関しては独立行政法人福祉医療機構や日本政策金融金庫といった機関が、無担保や低利など、優遇された条件での貸付けを行っている。例えば、独立行政法人福祉医療機構は介護施設等における介護ロボットの導入に対し、最大3,000万円の無担保貸付けを行っている。もっとも、これらの具体的な条件に関しても、事業年度ごとに異なってくることから、実際に介護ロボットを導入するにあたってこれらについて問い合わせる必要がある。

1）厚生労働省「地域医療介護総合確保基金を活用した介護ロボットの導入支援」（https://www.mhlw.go.jp/content/ 12300000 / 000666690 .pdf）

Q29 最新の介護用機械に支給される補助金

Q 最新の介護用ベッドや車いすなどを開発したとしても介護保険が適用されないとなると、利用者の皆様による導入が難しくなってしまうのですが、何か補助のような制度はないのでしょうか。

A 市町村が実施している、障害者総合支援法に基づく、①補装具費支給制度、②日常生活用具給付制度を利用することができる可能性があります。

解 説

1 障害者総合支援法[1] の概要

障害者総合支援法は、障害者・障害児が基本的人権を享有する個人としての尊厳にふさわしい日常生活または社会生活を営むことができるよう、必要な障害福祉サービスに係る給付、地域生活支援事業その他の支援を総合的に行い、もって障害者・障害児の福祉の増進を図るとともに、障害の有無にかかわらず国民が相互に人格と個性を尊重し安心して暮らすことのできる地域社会の実現に資することを目的とする法律である。

同法は、当該目的のため、各種の自立支援給付（費用の支給）や、地域生活支援事業について規定している。

2 補装具費支給制度

障害者総合支援法76条は、市町村は、障害者・障害児が補装具の購入・借受け・修理を必要とすると認めるときは、当該障害者・障害児の保護者に対して、その申請を受けて、購入・借受け・修理に要した費用について補装具費を支給する旨を規定している。補装具費は、一定の基準により算定された額から、利用者負担額を控除した額とされている（障害者総合支援法76条2項）。

障害者・障害児の保護者は、当該支給を受けるためには、市町村に支給

---

1) 障害者の日常生活及び社会生活を総合的に支援するための法律

の申請を行った上で、更生相談所による支給の意見・判定を受け、かつ、市町村の支給の決定を受ける必要がある。

また、介護保険による福祉用具と共通する補装具を希望する場合には、介護保険による福祉用具の貸与が優先（同法7条）するため、原則として補装具費支給制度による補装具費の支給はしない[2]ものとされている（補装具費支給事務取扱指針第2・1(9)）。

なお、補装具（ここでは車いすを想定する）の対象者は、①車いす（手動リフト式普通型、リクライニング式、レバー駆動型、ティルト式）、②電動車いす（全般、リクライニング式、電動リフト式普通型、ティルト式）ごとに定められている（補装具費支給事務取扱指針別表1、電動車椅子に係る補装具費支給事務取扱要領）。

また、車いすの基本構造によって名称が決められており、これによって支給される補装具費が変わる（厚生労働省「補装具の種目、購入等に要する費用の額の算定等に関する基準」（平成18年9月29日））。

よって、最新の車いすを開発する場合には、どの名称の車いすに該当するのかをあらかじめ確認しておくことも重要となる。

3　日常生活用具給付制度

障害者総合支援法77条は、市町村は、地域生活支援事業を行う旨を規定しており、地域生活支援事業の1つとして、「日常生活上の便宜を図るための用具であって厚生労働大臣が定めるものの給付又は貸与その他の厚生労働省令で定める便宜を供与する事業」を定めている（障害者総合支援法77条1項6号）。

ここでいう「日常生活上の便宜を図るための用具であって厚生労働大臣が定めるもの」については、厚生労働省が告示で定めている（厚生労働省「障害者の日常生活及び社会生活を総合的に支援するための法律第77条第1項第6号の規定に基づき厚生労働大臣が定める日常生活上の便宜を図るための用具」（平成18年9月29日））。具体的には、次の要件を満たすものとされている。

---

2) ただし、オーダーメイド等により個別に作成する必要があると判断される者である場合には、更生相談所の判定等に基づき、補装具費を支給して差し支えないとされている。

- 障害者等が安全かつ容易に使用できるもので、実用性が認められる
  もの
- 障害者等の日常生活上の困難を改善し、自立を支援し、かつ、社会
  参加を促進すると認められるもの
- 用具の製作、改良または開発にあたって障害に関する専門的な知識
  や技術を要するもので、日常生活品として一般に普及していないもの

　また、当該用具の用途および形状も同告示において定められており、このうち「介護・訓練支援用具」として「特殊寝台、特殊マットその他の障害者等の身体介護を支援する用具並びに障害児が訓練に用いるいす等のうち、障害者等及び介助者が容易に使用できるものであって、実用性のあるもの」が規定されている。

　障害者・障害児が日常生活用具を必要とする場合、障害者・障害児の保護者が当該制度に基づく給付を受けるためには、市町村に支給の申請を行った上で、市町村の決定を受けることになる（制度は各市町村に確認する必要がある）。

　なお、「特殊寝台」の具体的な内容や、給付を受ける者の要件については、各市町村が定めていることから、最新の介護ベッドを開発する場合には、これらの要件に該当するのかをあらかじめ確認しておくことも重要となる。

第4章

ヘルスケア情報に関する
アプリ・ウェブサイト

112　第4章　ヘルスケア情報に関するアプリ・ウェブサイト

Q 30　医薬品等の広告規制の概要

Q　医薬品等の広告に関する規制の概要について、教えてください。

--->

A　医薬品等に関する広告は、景品表示法等の一般的な広告規制を受けるほか、薬機法において、虚偽誇大広告や未承認医薬品広告等については罰則付きで禁止されています。例えば医薬品として承認されていない健康食品等の商品について医薬品的な効能効果を謳うことは、景品表示法に違反することになるだけでなく、未承認医薬品広告として薬機法にも違反することになります。

═══ 解　説 ═══

1　医薬品等広告規制

　医薬品、医薬部外品、化粧品、医療機器および再生医療等製品（以下「医薬品等」という）に関する広告については、景品表示法等による一般的な広告規制に加え、国民の保健衛生上極めて影響が大きいため、薬機法によって規制されている（薬機法66条〜68条）。薬機法上の規制は「何人も」遵守しなければならないものとされており、とりわけ虚偽または誇大な広告を禁止した同法66条と、承認前の医薬品や医療機器等の広告を禁止した同法68条については、違反例も多いため、特に留意が必要である。

2　医薬品等広告規制の対象範囲

　薬機法において医薬品等広告規制の対象となる「広告」該当性は、
　①　誘引性（顧客の購入意欲を昂進させる意図が明確であること）
　②　特定性（特定医薬品等の商品名が明らかにされていること）
　③　認知性（一般人が認知できる状態であること）
の3つ全ての要件を満たすか否かで判断される（厚生省「薬事法における医薬品等の広告の該当性について」（平成10年9月29日））。
　これらの要件充足性の判断は実質的になされるため、留意が必要である。

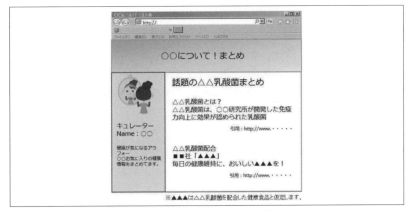

(出典：東京都福祉保健局「インターネット、新聞などの記事風広告について」)

　例えば、消費者が使用した化粧品の感想を記載しているだけのように見えるブログであっても、メーカーから報酬支払いがあるアフィリエイト広告（成果報酬型広告）は①誘引性ありと判断され得るし、特定の成分の効果を紹介した一般論のサイトには商品名が記載されていなくても、上記図表のような意図的に当該成分を含有する製品の広告を1つのサイトにまとめたようなキュレーションサイトは、②特定性を満たした1つの記事風広告であるとして評価され得る。

　また、インターネット上で会員専用のログインを求めた上で医薬品等の販売や個人輸入代行を行っている場合でも、③認知性が失われるものではない（厚生労働省「インターネットによる医薬品等の広告の該当性に関する質疑応答集（Q&A）について」別添Q3（平成26年5月22日））。

3　虚偽誇大広告の禁止

　医薬品等に関して虚偽または誇大な広告等をすることは、薬機法66条で禁止されている。

　この「虚偽又は誇大」の意義を解釈する上で重要な行政通知が、「医薬品適正広告基準」（厚生労働省「医薬品等適正広告基準の改正について」（平成29年9月29日）別紙）である。同基準においては、例えば、承認等を受けた医薬品については、承認された効能効果以外の効能効果については、実際に当該効能効果を有する場合であっても、広告することは許されないこと（同基準第4の3⑴）や、化粧品の効能についての表現は行政通知に

114　第4章　ヘルスケア情報に関するアプリ・ウェブサイト

よって限定列挙された範囲を超えては広告できないこと（同基準第4の3(2)）等の解釈指針が示されている。また同基準には、薬機法66条1項の解釈について示した事項（同基準第4の1～3）のほか、薬機法では規制されてはいないものの、医薬品等の広告の適性を図るために遵守すべき事項（同基準第4の4～14）も示されており、行政指導の根拠とされているため、留意が必要である。

　なお、医薬品等について承認されていない効能効果を標榜したり、医薬品として承認されていない製品についてあたかも効能効果を有するかのように表示したりすることは、薬機法のみならず、景品表示法で禁止されている優良誤認表示にあたることになる。さらに、景品表示法31条に基づき、各業界ごとの公正取引協議会において、表示に関する公正競争規約を設けている場合もある（化粧品の表示に関する公正競争規約等）。公正競争規約は、直接的には、その公正競争規約に参加する事業者に適用されるものであるが、公正競争規約の内容が業界の正常な商慣習として確立している場合には公正競争規約の定めが景品表示法の解釈において参酌されることになるため、留意が必要である。

4　未承認医薬品広告の禁止

　医薬品としては未だ承認されていないのに、効能ある医薬品としての広告をすることは、未承認医薬品広告として薬機法68条で禁止される。

　この規制は、医薬品として販売するための承認手続途中の商品については承認手続が完了するまで広告してはならない、というだけではない。同条違反として摘発される事例の多くが、サプリメントその他健康食品として販売しながら、医薬品として承認された商品でなければ謳えないような効能効果を宣伝していたという事例である。すなわち、表示された効能効果から判断して、本来は「医薬品」として必要な規制を受けるべきものであるにもかかわらず、食品等の別の商品名目で販売されている場合、当該商品の広告は、未承認医薬品広告として禁止されることとなるのである（なお、健康食品との関係では、健康増進法にも留意が必要である。**Q34** 参照）。

　本来は医薬品として必要な規制を受けるべき商品であるか否かの判断基準については、厚生労働省「無承認無許可医薬品の指導取締りについて」（昭和46年6月1日）に示されており、

① 専ら医薬品として使用される成分本質（原材料）が配合または含有されている場合は、原則として医薬品の範囲とし、
② ①に該当しない場合でも、
　(i) 医薬品的な効能効果を標ぼうするもの
　(ii) アンプル形状など専ら医薬品的形状であるもの
　(iii) 用法用量が医薬品的であるもの
のいずれかに該当する場合は、原則として医薬品とみなす、とされている。

5 広告規制に違反した場合

　薬機法上の広告規制に違反した場合には懲役・罰金等の刑事罰に処せられ得る（薬機法85条、86条、90条）ほか、未承認医薬品広告の禁止に違反した場合には広告行為に対する中止命令が出され得る（同法72条の5）。

　さらに加えて、令和3年8月1日に施行された改正薬機法により、虚偽誇大広告の禁止（同法66条1項）に違反した者に対する課徴金制度が新たに導入された（同法75条の5の2以下）。

　この新たな課徴金制度は、従前は違反があっても行政処分が機能しにくかった業許可を持たない事業者等に対しても、抑止効果を機能させられるよう、景品表示法等において導入されている課徴金制度を参考として導入されたものであり、これにより、虚偽誇大広告がなされた取引については、当該取引を行った者が業許可を持っていない場合でも課徴金の納付が命じられることとなる。課徴金額は、原則として、課徴金対象期間（図表参照）に取引をした対象行為に係る対象商品の売上額の4.5％とされ、厚生労働大臣等は対象行為に対しては課徴金納付命令をしなければならないものとされている（同法75条の5の2第1項）。

　ただし、違反事業者に対して業務改善命令（同法72条の4第1項）、措置命令（同法72条の5第1項）の処分がなされる場合で保健衛生上の危害の発生・拡大への影響が軽微であると認められる場合や、許可の取消（同法75条1項）、業務停止命令（同法75条の2第1項）がなされる場合は、厚生労働大臣等は課徴金の納付を命じないことができるものとされている（同法75条の5の2第3項）ほか、違反事業者が、課徴金対象行為に該当する事実を事案発覚前に自主的に報告したときは、算定される課徴金額を50％減額するものとされている（同法75条の5の4）。

また、薬機法とは別途、景品表示法においても、事業者が商品等の品質等について行った表示の裏付けとなる合理的な根拠を示す資料が提出できない場合には、不当な優良誤認表示とみなされて措置命令の対象となるほか（景品表示法7条）、課徴金が課されることがあり（同法8条）、薬機法上の虚偽誇大広告に該当すると評価される場合は、景品表示法の優良誤認表示にも該当すると評価される可能性が高い。そのため、同一事案に対して、景表法の課徴金納付命令がある場合は、薬機法に基づく課徴金額の減額がなされる旨の調整規定が設けられている（薬機法75条の5の3）。

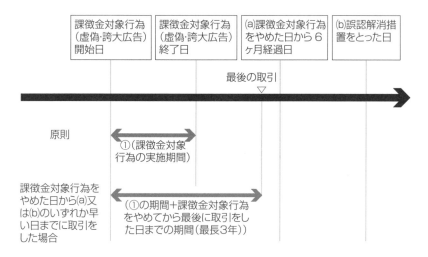

（参考：厚生労働省医薬・生活衛生局監視指導・麻薬対策課「課徴金制度の導入について」を元に作成）

Q 31 医療機関等の広告規制の概要

Q 医療機関等の広告に関する規制の概要について、教えてください。

A 医療機関等に関する広告その他の医療を受ける者を誘引するための手段としての表示については、景品表示法等の一般的な広告規制を受けるほか、医療法および関連法令に規制が設けられており、原則として、限定列挙された広告可能事項のみしか広告をすることができません。ただし、患者が自ら求めて入手する情報については、適切な情報提供が円滑に行われる必要性があることから、一定の条件の下に、広告可能事項以外の事項も広告することが認められています。

解　説

1　医療広告規制

　医業・歯科医業または病院・診療所などの医療機関等に関する医療広告は、医療が、①人の生命・身体に関わるサービスであり、不当な広告により受け手側が誘引されて不適当なサービスを受けた場合の被害が他の分野に比べ著しいことや、②医療が極めて専門性の高いサービスであるため、広告の受け手がその文言から提供される実際のサービスの質について事前に判断することが非常に困難であること等の観点から、景品表示法等による一般的な広告規制に加え、医療法、同法施行令および同法施行規則において規制が設けられている。また、かかる医療広告規制の行政解釈を示す指針として、厚生労働省により「医業若しくは歯科医業又は病院若しくは診療所に関する広告等に関する指針（医療広告ガイドライン）」（平成30年5月8日）も策定されている。

　医療法および関連法令に定められた医療広告規制は「何人」に対しても及ぶものであるため、サービス提供主体である医療機関のみならず、医療機関等に関する広告を行う場合には、これらの医療広告規制の内容を理解し、適切な表現になっているかを検討する必要がある。

118 第 4 章 ヘルスケア情報に関するアプリ・ウェブサイト

2 医療広告規制の対象範囲

医療広告規制の対象となる「広告」とは、「広告その他の医療を受ける者を誘引する手段としての表示」（医療法 6 条の 5 第 1 項）である。

ここでいう「広告」該当性については、

①　誘引性（患者の受診等を誘引する意図があること）

②　特定性（医師等の氏名・診療所等の名称が特定可能であること）

の 2 つの要件ともを満たすかどうかで実質的に判断される。

なお、かつては、①②の他に認知性（一般人が認知できる状態にあること）要件も満たしていなければ「広告」には該当しないとされ、情報取得を希望した者のみに送付されるパンフレットや E メール等は「広告」に該当しないと解釈されていたが、平成 30 年改正後医療法下においては、情報取得を希望した者のみに送付されるこれらの媒体も広告規制の対象範囲に含まれ得ることとなった。

また、医療機関等のウェブサイトについても、従来は、当該病院等の情報取得を希望する者が、URL を入力したり検索サイトで検索したりした上で閲覧するものであることを理由に、原則として医療広告としてはみなされていなかったが、平成 30 年の改正以降は医療機関のウェブサイト等についても、他の広告媒体と同様に規制されることとなった。

3 広告可能事項

医療法上の「広告」に該当すると、医療法および厚生労働省の告示「医療法第 6 条の 5 第 3 項及び第 6 条の 7 第 3 項の規定に基づく医業、歯科医業若しくは助産師の業務又は病院、診療所若しくは助産所に関して広告することができる事項」（平成 19 年 3 月 30 日）で広告可能と認められた、診療科名、所在地、診療時間などの、限られた事項（広告可能事項）しか表示することができない。

ただし、平成 30 年の医療法改正前にはそもそも医療広告規制の対象外とされていた、患者が自ら求めて入手する情報については、適切な情報提供が円滑に行われる必要性が認められることから、次の①～④の要件をいずれも満たした場合には、広告可能事項以外の事項であっても広告できるものとされた（広告可能事項の限定解除。医療法 6 条の 5 第 3 項、医療法施行規則 1 条の 9 の 2）。

①　医療に関する適切な選択に資する情報であって患者等が自ら求めて入手する情報を表示するウェブサイトその他これに準じる広告であること

②　表示される情報の内容について、患者等が容易に照会ができるよう、問い合わせ先を記載することその他の方法により明示すること

③　自由診療に関する情報を提供する場合、自由診療に係る通常必要とされる治療等の内容、費用等に関する事項について情報を提供すること

④　自由診療に関する情報を提供する場合、自由診療に係る治療等に係る主なリスク、副作用等に関する事項について情報を提供すること

　もちろん、広告可能事項の限定解除がされた場合であっても、広告が禁止される内容や方法にわたってはならないことは当然であり、留意が必要である。

4　広告禁止事項

　医療広告においては、前述のとおり広告可能事項の限定解除の場合を除き、広告可能事項以外は、広告することができない。

　また、そもそも内容が虚偽にわたる広告は、罰則付きで禁じられている（医療法87条1号）。例えば、「絶対安全な手術です！」、「どんなに難しい手術でも必ず成功します」等の表現は、絶対安全な手術等は医学上あり得ないことから、虚偽広告として取り扱われるものである。

　くわえて、

①　比較優良広告

②　誇大広告

③　公序良俗に反する内容の広告

④　患者等の主観または伝聞に基づく、治療等の内容や効果に関する体験談の広告

⑤　治療等の内容または効果について、患者等を誤認させるおそれがある治療等の前または後の写真等（いわゆるビフォーアフター）の広告

についても、広告が禁止されている（同法6条の5第2項、同法施行規則1条の9）。

　なお、⑤ビフォーアフターの写真に関しては、単にビフォーアフターの写真を掲載するだけでは、消費者を誤認させるおそれがあるという趣旨で

あり、治療内容や費用、治療のリスク、副作用等について詳細な説明を付したものまでを禁止対象とするものではない。その他、禁止される表現の具体例については、前述の医療広告ガイドラインにも掲載されているため、実際の広告表現を検討する上では、これらの具体例に照らして検討する必要がある。

5 監視状況および事例解説書の公表

　厚生労働省においては、以上の医療広告規制を踏まえた医療広告の適正化を目的として、「医業等に係るウェブサイトの調査・監視体制強化事業」として、委託業者によるネットパトロールを実施している。かかるネットパトロールにおいて医療広告ガイドライン等に抵触することが認められた場合には、委託業者から当該医療機関に医療広告規制の周知と適切な対応の実施を依頼し、それでも十分な対応が確認できなかった場合には、委託業者から都道府県等に情報提供がなされるという運用がとられている。

　また、以上のネットパトロールにおいて蓄積された実際の事例等については、事例解説や改善例等をまとめた「医療広告規制におけるウェブサイトの事例解説書」（令和3年7月）が作成、公表されている。

Q 32 「医行為」の範囲

Q 医師でなければ業として行うことが許されない「医行為」の範囲はどのように画されるのでしょうか。

A 「医行為」とは、一般に「医療及び保健指導に属する行為のうち、医師が行うのでなければ保健衛生上危害を生ずるおそれのある行為」と解されています。特定の行為がこれに該当するか否かは、医師法による禁止の趣旨にも照らして個別に判断する必要があるといえます。

解 説

1 非医師による医業の禁止

医師法は、「医師でなければ、医業をなしてはならない。」と定め（医師法17条）、医師でない者が「医業」を行った場合、刑事罰[1]の対象となる。

ここで「医業」とは、一般に、「医行為を業として行うこと」と解される。

「医行為」の定義については、近時、医師免許を有しない者によるタトゥー施術行為の医師法17条違反が問われた事件において、最高裁判所による解釈が示された。すなわち、入墨裁判最高裁決定（最決令2・9・16刑集74巻6号581頁）は、「医行為とは、医療及び保健指導に属する行為のうち、医師が行うのでなければ保健衛生上危害を生ずるおそれのある行為をいうと解するのが相当である」と判示し、「医行為」該当性の要件として、①医療及び保健指導に属する行為であること[2]、および②保健衛生上の危険性を有する行為であることが求められることが明らかにされた。

---

1) 3年以下の懲役もしくは100万円以下の罰金、またはこれらの併科（医師法31条1項1号）。なお、違反者が医師またはこれに類似した名称を用いたものであるときは、3年以下の懲役もしくは200万円以下の罰金に処し、またはこれを併科するものとされている（同法31条2項）。

122　第4章　ヘルスケア情報に関するアプリ・ウェブサイト

　具体的には、診療（すなわち、診察、診断[3] および治療）が中心となると思われるが、かかる診療以外にも、血液採取、美容整形、予防接種等も含むとされる[4]。なお、診察のみを行うこと、治療のみを行うことも「医行為」にあたると解されている[5]。

　なお、「業として行う」とは、「反復継続する意思をもって行う」ことをいうとされている[6]。

2　「医行為」該当性の判断基準

　入墨事件最高裁決定は、「医行為」該当性の判断について、「ある行為が医行為に当たるか否かについては、当該行為の方法や作用のみならず、その目的、行為者と相手方との関係、当該行為が行われる際の具体的な状況、実情や社会における受け止め方等をも考慮した上で、社会通念に照らして判断するのが相当である」と判示した。

　医師法が非医師による医業を禁止するのは、一般に、無資格者が医業を行うことが、国民の生命・健康にとって危険であることによるものと解されており[7]、特定の行為が「医療及び保健指導に属する行為のうち、医師が行うのでなければ保健衛生上危害を生ずるおそれのある行為」に該当するか否かについては、かかる禁止の趣旨にも照らして個別に判断する必要

---

2)　同最高裁決定が出される以前においては、行政解釈（厚生労働省医政局長「医師法第17条、歯科医師法第17条及び保健師助産師看護師法第31条の解釈について」（平成17年7月26日））において、「医師の医学的判断及び技術をもってするのでなければ人体に危害を及ぼし、又は危害を及ぼすおそれのある行為」を「医行為」とする解釈が示されており、①医療および保健指導に属する行為であることの要件は問題とされていなかった。また、従来の「医行為」の解釈に関する各見解を整理・分析するものとして、平野龍一ほか編『注解特別刑法5-Ⅰ巻　医事・薬事編(1)〔第2版〕』（青林書院、1992年）39頁以下（小松進）、野田寛『現代法律学全集58　医事法上巻』（青林書院、1984）59頁以下等も参照。

3)　オンライン診療指針では、「診断」とは「一般的に、『診察、検査等により得られた患者の様々な情報を、確立された医学的法則に当てはめ、患者の病状などについて判断する行為』であり、疾患の名称、原因、現在の病状、今後の病状の予測、治療方針等について、主体的に判断を行い、これを伝達する行為は診断とされ、医行為となる。」と説明されている。

4)　平野ほか編・前掲注2）40頁

5)　大判昭8・7・31刑集12巻1543頁、大判昭13・5・19新聞4284号16頁

6)　大判大5・2・5刑録22輯109頁。厚生労働省医政局長・前掲注2）行政解釈においても、これと同様の解釈が示されている。

7)　平野ほか編・前掲注2）36頁、野田・前掲注2）57頁、大判大2・12・18刑録19輯1457号等参照。

があるといえる。なお、ここでいう「保健衛生上危害を生ずるおそれ」は、抽象的危険で足り、被診療者の生命・健康が現実に危険に晒されたことは必要ではないと解されている[8]。

「医行為」該当性に関する主な行政通達・裁判例として、次のものを挙げることができ、特定の行為が「医行為」に該当するか否かを判断するに際して参考になる。

① 主な行政通達

千葉県衛生部長あて厚生省医務局医務課長回答「診療所開設許可に関する疑義について」（昭和23年8月12日）	採取された被検査物について、(i)血液型の検査、(ii)血液検査、(iii)糞便検査（寄生虫のみ）、(iv)淋菌検査、(v)梅毒反応試験を実施し、その結果を判定するのみならば医行為に該当しないが、採血し、または上記検査の結果に基づいてその病名を判断するのは医行為に属する
石川県知事あて厚生省医務局長回答「処方せん発行の疑義に関する件」（昭和24年2月）	処方箋を発行することは治療行為の一種であり医行為に属する
富山県知事あて厚生省医務局長回答「検眼行為について」（昭和29年11月4日）	検眼について非医師の行い得る範囲は、眼鏡の需要者が自己の眼に適当な眼鏡を選択する場合の補助等人体に害を及ぼすおそれが殆どない程度に止めるべきである
各都道府県知事あて厚生労働省医政局長通知「医師法第17条、歯科医師法第17条及び保健師助産師看護師法第31条の解釈について」（平成17年7月26日）	(i)水銀体温計・電子体温計により腋下で体温を計測すること、および耳式電子体温計により外耳道で体温を測定すること、(ii)自動血圧測定器により血圧を測定すること等は、原則として医行為ではないと考えられる

---

8) 大判昭元・12・25・大刑集5巻597頁

124　第 4 章　ヘルスケア情報に関するアプリ・ウェブサイト

② 主な裁判例

大判大 6・2・10 刑録 23 輯 49 頁	患者の病名またはその容態を聞き病状を判断して、これに適応する薬品を継続の意思をもって調合供与することは医業にあたる
大判大 7・2・27 刑録 24 輯 128 頁	他人の疾患を診断した上、薬品の投与を指示することは、その薬品が売薬であるか否かを問わず医業にあたる
最決昭 48・9・27 刑集 27 巻 8 号 1403 頁	断食療法を施行するため入寮の目的、入寮当時の症状、病歴等を尋ねる行為は、その者の疾病の治療・予防を目的とした診察方法の一種である問診にあたる
最決平 9・9・30 刑集 51 巻 8 号 671 頁	コンタクトレンズの処方のために行われる検眼およびテスト用コンタクトレンズの着脱の各行為は、いずれも医行為にあたる
最決令 2・9・16 刑集 74 巻 6 号 581 頁	タトゥー施術行為は、社会通念に照らして、医療および保健指導に属する行為であるとは認め難く、医行為にはあたらない

　また、その他にも、オンライン診療指針が「医行為」の範囲について言及するほか、経済産業省の「グレーゾーン解消制度」の回答や厚生労働省および経済産業省の「健康寿命延伸産業分野における新事業活動のガイドライン」（平成 26 年 3 月 31 日）において、個別の事例に対する行政解釈が示されており、参考になる（詳細については、**Q 36** を参照）。

Q33 「医療機器」の範囲

Q 薬機法に定める「医療機器」とは何でしょうか。該当性についてどのように判断すればよいのでしょうか。

A 「医療機器」とは、人もしくは動物の疾病の診断、治療もしくは予防に使用されること、または、人もしくは動物の身体の構造もしくは機能に影響を及ぼすことが目的とされている、機械器具やプログラムなどをいいます。「医療機器」への該当性判断に際しては、どのような用途・目的を標ぼうするかが、重要となります。

━━ 解 説 ━━

1 「医療機器」とは何か

薬機法の「医療機器」に該当すると、その開発、製造、流通、保管、マーケティング、販売などの各ステージで薬機法が適用されることになり、ビジネスの進め方が大きく変わる。薬機法において、「医療機器」は、以下のように定義される（薬機法2条4項）。

① 人もしくは動物の疾病の診断、治療もしくは予防に使用されること、または、人もしくは動物の身体の構造もしくは機能に影響を及ぼすことが目的とされている、

② 機械器具等（再生医療等製品を除く）であって、

③ 政令で定めるもの

ここで、「機械器具等」とは、「機械器具、歯科材料、医療用品、衛生用品並びにプログラム」をいうものとされていて（同法2条1項2号）、プログラムも「医療機器」に含まれることになる。

また、「政令で定めるもの」につき、薬機法施行令の別表第一が、医療用X線装置、体温計、医療用刀など、「医療機器」に該当する機械器具やプログラムを個別具体的に列挙している。

2 標ぼうする用途・目的により、医療機器該当性が左右される

医療機器に該当するには、「人若しくは動物の疾病の診断、治療若しくは予防に使用されること、又は、人若しくは動物の身体の構造若しくは機能に影響を及ぼすこと」が目的とされることが必要である。言い換えると、全く同じ物やプログラムでも、使用目的次第では、医療機器に該当したりしなかったりすることになる。例えば、同じナイフでも、ステーキを切る目的・用途のものであると標ぼうすれば医療機器に該当しないが、手術に用いることを目的・用途とするものと標ぼうすれば医療用刀（＝メス）として、医療機器に該当することになる。また、同じX線装置でも、例えば工場での完成品の検査に用いることを目的とするものであれば医療機器に該当しないが、人に対して医療目的で使用されるものは医療機器に該当することになる。このようにどのような用途・目的を標ぼうするかで、医療機器該当性が大きく左右されることになる。例えば、「マイナスイオンを発生させ免疫力を向上させる」と標ぼうする機械を販売したところ、「免疫力の向上」が身体の構造もしくは機能に影響を及ぼす用途・目的に該当するものとされ、機械が医療機器に該当するとされ、未承認医療機器の販売として行政処分を受けた事例がある。

3 医療機器プログラムとは何か

プログラムも、要件を充足すれば医療機器に該当する。

「医療機器プログラム」とは、①疾病の診断、治療、予防に寄与するなど、医療機器としての目的性を有しており、かつ、意図したとおりに機能しない場合に患者（または使用者）の生命および健康に影響を与えるおそれがあるプログラム（ソフトウェア機能）であって、②(i)インストール等することによってデスクトップパソコン等の汎用コンピュータまたはスマートフォン等の携帯電話端末に医療機器としての機能を与えるものまたは(ii)有体物である医療機器と組み合わせて使用するものを指す。薬機法施行令別表第一においても、疾病診断用プログラム、疾病治療用プログラムおよび疾病予防用プログラム（プログラムを記録した記録媒体も同様）が医療機器として定められる一方、機能の障害等が生じた場合でも人の生命および健康に影響を与えるおそれがほとんどないものは、医療機器から除外されている。

なお、上記の「医療機器プログラム」とは、プログラム単体として流通する製品を指すのに対し、「プログラム医療機器」とは、医療機器プログラムに加えて、プログラムを記録した記録媒体も含む概念である。

具体的にプログラムの医療機器該当性を判断する基準として、厚生労働省より「プログラムの医療機器該当性に関するガイドライン」（令和3年3月31日）が発出されている。当該ガイドラインにおいては、プログラム医療機器該当性は、「製造販売業者等による当該製品の表示、説明資料、広告等に基づき、当該プログラムの使用目的及びリスクの程度が医療機器の定義に該当するかにより判断される。」と指摘されている。

また、当該ガイドラインでは、医療機器に該当するプログラムと該当しないプログラムとを具体的に列挙しているほか（同別添1）、該当性の判断を行う際のフローチャートも掲載しており（同別紙、Q15 参照）、該当性の判断に際して参考になる。

プログラムの医療機器該当性の判断手法の詳細は Q45 も参照されたい。

128 第4章 ヘルスケア情報に関するアプリ・ウェブサイト

Q34 医療・ヘルスケア関連の知識・情報サイト —留意すべき法令

Q 医療・ヘルスケア関連の知識・情報をまとめたウェブサイトを立ち上げることを考えています。どのような規制に留意する必要があるでしょうか。

A 第三者が権利を有する文章や画像をウェブサイト記事に許可なく挿入することについては著作権法が問題となるほか、医療・医薬品に関する内容や健康の保持増進に関する内容等を含む記事を公開する場合は、薬機法、医療法、健康増進法との関係が特に問題となります。

■■■ 解 説 ■■■

1 社会問題化した事例

　平成28年末、大手IT企業が「医療キュレーションサイト」として運営していたウェブサイトに、医学的根拠が不明な記事や著作権法上不適切な記事が掲載されていたとして、社会問題化する事案が生じた。同事案においてサイト運営会社は、代表取締役らによる謝罪会見の実施、複数の関連ウェブサイトの永久閉鎖、原因究明のための第三者委員会の設置等の対応を余儀なくされている。

　同第三者委員会報告書でも、キュレーション事業において、①第三者がインターネット上に投稿した記事中の文章と一致または類似する文章や第三者が権利を有すると疑われる画像が各サイトの記事に挿入されていた点について、著作権法およびプロバイダ責任制限法との関係で、②医療、医薬品等に関する内容や健康の保持増進に関する内容等を含む記事を公開していた点について薬機法、医療法、健康増進法との関係で、それぞれ問題が指摘されている。

2 著作権法、プロバイダ責任制限法

　著作物の著作者は、当該著作物に関し、複製する権利（著作権法21条）、翻案（原著作物を翻訳し、編曲し、もしくは変形し、または脚色し、映画化することを含む）する権利（同法27条）および公衆送信を行う権利（同

法23条1項）などを専有すると共に、一身専属的な権利である著作者人格権として、同一性保持権（同法20条1項）、氏名表示権（同法19条1項）などを有する。他のウェブサイトに記載されている記事（著作物）をコピーペーストして自社のウェブサイトに掲載することは、著作権法で認められる引用（同法32条）などの例外にあたらない限り当該記事の著作者が有する上記権利の侵害となる可能性があり、不法行為責任等の民事上の責任および著作権等侵害罪（同法119条1項）等の刑事上の責任が発生する可能性がある。

　また、ウェブサイトの運営会社は、プロバイダ責任制限法に基づき免責されないかも問題となるが、運営会社が自ら作成した記事や、外部者に委託して作成した記事を掲載しているような場合には、運営会社自体が当該記事の「発信者」（プロバイダ責任制限法2条4号）に該当するため、同法による免責を受けることはできないと考えられる（同法3条1項柱書ただし書）。

3　薬機法、医療法、健康増進法

　医療、医療・医薬品に関する内容や健康の保持増進に関する内容等を含む記事を公開する場合には、薬機法、医療法、健康増進法等の広告・表示規制との関係が問題となる。

　このうち、薬機法の広告規制については **Q30** を、医療法の広告規制については **Q31** を参照されたい。

　健康増進法は、その表示規制として、何人も、食品として販売に供する物に関して広告その他の表示をするときは、健康の保持増進の効果その他内閣府令19条各号に掲げる事項（健康保持増進効果等）について、著しく事実に相違する表示をし、または著しく人を誤認させるような表示を行うことを禁じている（健康増進法65条1項）。「広告その他の表示」とは、顧客を誘引するための手段として、食品等の内容に関する事項または取引条件を表示することを意味し、ウェブサイト上の記述も健康増進法上の「広告」に該当し得る。また「健康の保持増進の効果」とは、健康状態の改善または健康状態の維持の効果であり、「おなかの調子を整えます」「コレステロールの吸収を抑える」等の「特定の保健の用途に適する旨の効果」等を指す（消費者庁「健康食品に関する景品表示法及び健康増進法上の留意事項について」（平成28年6月30日））。

130　第 4 章　ヘルスケア情報に関するアプリ・ウェブサイト

　健康増進法 65 条 1 項に違反した広告その他の表示を行い、国民の健康の保持増進および国民に対する正確な情報の伝達に重大な影響を与えるおそれがあると認められる場合、都道府県知事等から当該表示に関し必要な措置をとるべき旨の勧告が行われ（健康増進法 66 条 1 項）、勧告に正当な理由なく従わない場合には、措置命令の対象となり（同法 66 条 2 項）、措置命令に違反した場合には 6 ヵ月以下の懲役または 100 万円以下の罰金が科されることとなる（同法 71 条）。

　また、乳児用、幼児用、妊産婦用、病者用その他内閣府令で定める特別の用途に適する旨の表示（特別用途表示）については、消費者庁長官の許可を受けなければ行うことができない（同法 43 条 1 項、69 条 3 項）。したがって、例えば「たんぱく質の摂取制限を必要とする腎疾患等の方に適した食品です」といった表示は、仮に真実であっても、消費者庁長官の許可を得ていなければ違法となる。

　許可を受けずに特別用途表示を行った場合、50 万円以下の罰金に処せられることとなる（同法 72 条 2 号）。

Q35 医療・ヘルスケア関連の知識・情報サイト ——代表的なリスクと対策

Q 医療・ヘルスケア関連の知識・情報をまとめたウェブサイトを立ち上げることを考えているのですが、掲載した医療・ヘルスケア関連の知識・情報が間違っていた場合に、どうなってしまうのか気になっています。仮に掲載内容が間違っていた場合、法的にはどのようなリスクがありますか。

- ▶

A 疾病に対する治療方法、医療機器の使用方法、医薬品の効能効果等に関して誤った情報を発信し、それを信じたことによってユーザーに健康被害が発生した場合には、健康被害を被ったユーザーから、不法行為に基づく損害賠償を請求される可能性があります。また、近年法執行体制を強化している薬機法や医療法に違反したことを理由に、行政処分や刑事罰を受ける可能性があります。

═══ **解 説** ═══

1 掲載した医療・ヘルスケア関連の知識・情報が間違っていた場合の責任

(1) 損害賠償のリスク

医療・ヘルスケア関連の知識・情報へのニーズは高く、これらをまとめたウェブサイトも多く存在する。他方で、疾病に対する治療方法、医療機器の使用方法、医薬品の効能効果等に関して誤った情報を発信してしまった場合、それを信じたユーザーに健康被害が発生する可能性もありえ、特に、ウェブサイトの運営会社が、故意または過失によって誤った情報を発信した場合には、それを信じたことによって健康被害を被ったユーザーから、不法行為に基づく損害賠償を請求される可能性も否めない（民法709条）。なお、プロバイダ責任制限法との関係は、**Q34** を参照されたい。

(2) 行政処分・刑事罰のリスク

また、医療・ヘルスケア関連の誤った知識・情報の発信は、薬機法や医療法等に違反する場合がある。特に、医薬品や医療機器等の効能、効果ま

たは性能に関して虚偽の広告を行うことは薬機法で禁じられており（薬機法66条1項）、医業または医療機関等に関する虚偽広告も禁じられている（医療法6条の5第1項）。

　この点、薬機法については、令和元年改正により、虚偽誇大広告の禁止に違反する行為を対象として、課徴金納付命令（同法75条の5の2）が導入され、規制の強化が図られた。これは課徴金対象期間に取引をした違反行為に係る当該医薬品等の対価の額の合計売上額の4.5％に相当する額の課徴金の納付を命じるものである。また、医療広告についても、平成29年の医療法改正によって、ウェブサイトも医療法上「広告」に該当すると整理されて以降、厚生労働省が「医療機関ネットパトロール」事業を行っており、そこで蓄積された実際の事例等を元に令和3年7月付「医療広告規制におけるウェブサイトの事例解説書」を公表するなど、違法な医療広告に対する監視体制を強めている。このように薬機法や医療法の執行体制は、近年強化傾向にあり、今後の動向も含め留意が必要である。

⑶　レピュテーションリスク

　さらに、誤った情報を掲載してしまったウェブサイトが炎上することにより、ウェブサイトの運営会社に生じるレピュテーションリスクも看過できない影響を生じる。

　例えば、平成28年末に、大手IT企業が運営していたウェブサイトに、医学的根拠が不明な記事等が複数掲載されて社会問題化した事案（ Q34 参照）では、サイト運営会社は代表取締役らによる謝罪会見を実施し、原因究明のための第三者委員会を設置する等の対応を余儀なくされ、また、運営企業の株価も下落する等の事態に至った。

2　対　策

　以上のような様々なリスクを避けるためには、医療・ヘルスケア関連の誤った知識・情報を提供しない体制を構築する必要があり、具体的には、記事の配信前に、医師等の専門家による監修を受けるなど、誤った情報発信を防ぐための合理的な対策をとることが必要である。

　また、行政処分等のリスクを避けるためには、特定の商品や役務の広告とはならないように配慮すること（広告に該当し得る場合には広告禁止事項に該当していないことを確認すること）も必要であり、具体的には、関連法

令に精通した弁護士等専門家のレビューを受けることも有用である。

　なお、前記1(3)記載の事件では、運営会社がSEO施策（検索エンジンを用いた検索の際、検索結果の上位に表示されるための施策）を追求するあまり、記事内容の法令適合性や合理性の検討が疎かになっていた旨が指摘されており、医療関連記事を掲載するウェブサイトは、同様の事態に陥らないよう留意が必要である。

134 第4章 ヘルスケア情報に関するアプリ・ウェブサイト

Q 36 医療相談サイトの法的規制の概要

Q 利用者からの医療・ヘルスケアに関する相談や質問に回答するアプリ・ウェブサイトを立ち上げることを考えています。よくあるサービスだと思いますが、何か法的な規制はありますか。

- ▶

A ご質問のようなサービスを提供しようとする場合、当該サービスについて、医師でない者が反復継続する意思をもって行うことが禁止される「医行為」（医師法17条）にあたらない範囲内でこれを実施する必要があります。個別のサービスが「医行為」に該当するか否かのサービスは、その実態に即して個別に判断されることになると考えられます。

═══ 解 説 ═══

1 医療・ヘルスケア情報の提供サービスに関する法的規制

 Q 32 のとおり、「医療及び保健指導に属する行為のうち、医師が行うのでなければ保健衛生上危害を生ずるおそれのある行為」に該当する場合、「医行為」として、医師でない者が反復継続する意思をもって行うことは禁止される（医師法17条）。したがって、アプリ・ウェブサイト上において利用者からの医療・ヘルスケアに関する相談や質問を受け付け、医師ではない当該事業者または委託先の従業員等がこれに回答するというサービス（以下「医療情報等提供サービス」という）を提供しようとする場合、当該サービス（具体的には、個々の相談や質問に対する回答内容）について、上記の「医行為」にあたらない範囲内とする必要がある。

 この点に関連して、オンライン診療指針では、情報通信機器を活用した健康増進、医療に関する行為を「遠隔医療」と定義し、かつ、これをさらに①「オンライン診療」、②「オンライン受診勧奨」および③「遠隔健康医療相談（医師／医師以外）」の3種類に分類した上で、「医行為」の範囲について言及する[1]。

 すなわち、同指針は、①「オンライン診療」とは「医師―患者間において、情報通信機器を通して、患者の診察及び診断を行い診断結果の伝達や

処方等の診療行為を、リアルタイムにより行う行為」、②「オンライン受診勧奨」とは「医師―患者間において、情報通信機器を通して患者の診察を行い、医療機関への受診勧奨をリアルタイムにより行う行為」[2]、③-1「遠隔健康医療相談（医師）」とは「医師―相談者間において、情報通信機器を活用して得られた情報のやりとりを行い、患者個人の心身の状態に応じた必要な医学的助言を行う行為。相談者の個別的な状態を踏まえた診断など具体的判断は伴わないもの」と、③-2「遠隔健康医療相談（医師以外）」とは、「医師又は医師以外の者―相談者間において、情報通信機器を活用して得られた情報のやりとりを行うが、一般的な医学的な情報の提供や、一般的な受診勧奨に留まり、相談者の個別的な状態を踏まえた疾患のり患可能性の提示・診断等の医学的判断を伴わない行為」とそれぞれ定義する。そして、前二者（上記①および②）は、診療行為（診察・診断・治療）の全部または一部という、医学的判断を伴うために医師が行うのでなければ保健衛生上危害を生ずるおそれのある行為を「医行為」と説明しているのに対し、「遠隔健康医療相談（医師以外）」（上記③-2）は、一般的な情報提供であり、相談者の個別的な状態を踏まえた疾患のり患可能性の提示・診断等の医学的判断を伴わない以上は、医師でない者が行うことも可能であると説明している。

このように、同指針においても、遠隔医療について、診断等の医学的判断を含むか否か（医師が行うのでなければ保健衛生上危害を生ずるおそれがあるか否か）により、医師でない者によることが禁止される「医行為」の範囲を画することが明らかにされている。

2 個別のサービスに係る「医行為」該当性判断

提供する個別サービス（個々の相談や質問に対する回答内容）について、

---

1) なお、オンライン診療指針の令和4年1月の一部改定において、「オンライン受診勧奨」（上記②）に付随する概念として「診療前相談」が追加された。同指針は、「診療前相談」とは、かかりつけの医師以外の医師が初診からのオンライン診療を行おうとする場合（医師が患者の医学的情報を十分に把握できる場合を除く）に、「医師―患者間で映像を用いたリアルタイムのやりとりを行い、医師が患者の症状及び医学的情報を確認する行為」と定義した上で、「診断、処方その他の診療行為は含まない行為」と説明する。

2) なお、「社会通念上明らかに医療機関を受診するほどではない症状の者に対して経過観察や非受診の指示を行うような場合や、患者の個別的な状態に応じた医学的な判断を伴わない一般的な受診勧奨については遠隔健康医療相談として実施することができる」とされている。

136　第4章　ヘルスケア情報に関するアプリ・ウェブサイト

「医行為」に該当するか否かの判断は、その実質に即して個別に判断されることになると考えられる。したがって、アプリ・ウェブサイトの利用規約において、当該サービスが「医行為」に該当しないことを明記したとしても、直ちに当該サービスが「医行為」に該当すると判断される可能性を排除することはできない。

　もっとも、具体的な行為に係る「医行為」該当性の判断に関して、厚生労働省その他の行政機関が一定の解釈を示している場合があり、個別のサービスに係る「医行為」該当性について判断する際の参考とすることができる。

(1)　オンライン診療指針

　例えば、前記オンライン診療指針では、3種類に分類された「遠隔医療」（「医行為」である診断等の医学的判断を含む①「オンライン診療」および②「オンライン受診勧奨」、ならびに一般的な情報提供であり医師でない者が行うことも可能である③「遠隔健康医療相談」）について、以下のとおり、それぞれ具体例が示されている。

診療等の医学的判断を含む	オンライン診療	・　高血圧患者の血圧コントロールの確認 ・　利用の患者を骨折疑いと診断し、ギプス固定などの処理の説明等を実施
	オンライン受診勧奨	・　医師が患者に対し詳しく問診を行い、医師が患者個人の心身の状態に応じた医学的な判断を行った上で、適切な診療科への受診勧奨を実施（発疹に対し問診を行い、「あなたはこの発疹の形状や色ですと蕁麻疹が疑われるので、皮膚科を受診してください」と勧奨する等）
一般的な情報提供	遠隔健康医療相談	・　子ども医療電話相談事業（＃8000事業）：応答マニュアルに沿って小児科医師・看護師等が電話により相談対応 ・　相談者個別の状態に応じた医師の判断を伴わない、医療に関する一般的な情報提供や受診勧奨（「発疹がある場合は皮膚科を受診してください」と勧奨する等） ・　労働安全衛生法に基づき産業医が行う業務（面接指導、保健指導、健康相談等） ・　教員が学校医に複数生徒が嘔吐した場合の一般的対処方法を相談

Q36　医療相談サイトの法的規制の概要　137

**(2)　経済産業省が公表している産業競争力強化法7条に基づく「グ
　　レーゾーン解消制度」への申請案件**

　経済産業省が公表している産業競争力強化法7条に基づく「グレーゾー
ン解消制度」への申請案件において、以下のとおり、申請者が想定する具
体的なサービスに係る「医行為」該当性について照会・回答がされている
事例が存在する[3]。

平成26年2月25日付回答	血液の簡易検査とその結果に基づく健康関連情報の提供について、利用者による自己採血、および、事業者による血液検査の結果の通知は、「医業」に該当せず、事業者が、検査結果の事実の通知に加えてより詳しい検診を受けるよう勧めることも「医業」に該当しない
平成26年2月25日付回答	医師の指導・助言を踏まえ運動指導を行うことは、ストレッチやマシントレーニングの方法を教える等の医学的判断および技術を伴わない範囲内の運動指導であれば「医行為」に該当しない
平成26年7月30日付回答	医師の指示・助言に基づき、健康・生活支援サービスメニュー（運動メニューや食事メニュー等）の作成、関連サービスの紹介、その利用状況の管理等を行うことは、利用者の個別の医療情報等を踏まえた医学的判断を伴うものではない範囲で行う場合は「医行為」に該当しない
平成31年2月26日付回答	①適切な治療を受けることができる医療機関を患者に案内するために患者の居住地周辺の医療機関を案内すること、②疾患または医薬品に関する学術書、医学関連学会より公表されている診療ガイドライン、当該医薬品を製造・販売している製薬会社が作成した添付文書、インタビューフォーム、くすりのしおり、適正使用ガイド、ホームページ等で公開されているFAQおよび患者指導資料に基づき、当該医薬品の適応症となっている疾患についての情報（症状、診断基準、治療方法、薬物療法の内容等）や当該医薬品に関する情報（副作用、使用上の注意等）を患者等

---

3) その他、厚生労働省および経済産業省の「健康寿命延伸産業分野における新事業活動のガイドライン」（平成26年3月31日）においても、個別の事例を前提とした行政解釈や具体的に適法となる例、違法となる例等が示されており、参考になる。

	に提供することは、「医行為」に該当しない（なお、患者の個別的な状態に応じた医学的判断は行わないよう留意が必要）
令和3年4月30日付回答	微量な指先血で複数の生化学項目を測定可能な機器を既存の検体測定室に設置し、自己採血による血液検査を提供した上で、測定結果、アンケート情報および購買情報（ドラッグストア等）を取得し、OTC医薬品、消費財、保険商品、健康相談サービスを希望者に紹介することは、①臨床系学会で採択されている一般的見解を紹介することが、医学的な判断を伴わない範囲で一般的な医学的な情報を提供するものに留まる場合には医行為には該当せず、また、②一般的な基準値を単に受検者に伝えることについては医行為には該当しないため、受検者が自ら当該情報と検査結果の記載とを比較し、自分の状態を把握するのに用いるのみであって、事業者が検査結果と数値基準の比較により受検者の健康状態を評価した上で受検者に助言する等の行為を行わない限りにおいては、医師法上の問題は生じない

Q 37 医療相談サービスと オンライン診療サービスとの相違点

Q 利用者からの医療・ヘルスケアに関する相談に乗ったり質問に答えるアプリ・ウェブサイトを立ち上げることを考えているのですが、最近よく聞くオンライン診療サービスと同じような規制が及ぶのでしょうか。

A 一般に言われている医療情報等提供サービスとオンライン診療サービスとは、当該サービスが医師により行われる必要のある「医行為」に該当するものであるか否かについて相違があり、遵守すべき法令上の規制も異なっています。

解　説

Q36 のとおり、医療情報等提供サービスを実施しようとする場合、当該サービスが「医行為」に該当しないようにする必要がある（医師法17条）。

これに対して、オンライン診療サービスは、オンライン機器・システム等を活用して、医師が主体となって診療行為を行うものであるから、当該サービスが「医行為」に該当することを前提とするものである[1]。

その上で、医師法は、医師は、自ら診察しないで治療を行い、診断書または処方箋を交付してはならないと対面診療の原則について定めており（同法20条）、オンライン診療サービスを提供する際には、当該規制に抵触しない形態でこれを行う必要がある（オンライン診療サービスに関する規制の詳細については、**Q49** 参照）。

このように、医療情報等提供サービスとオンライン診療サービスは、当該サービスが医師により行われる必要のある「医行為」に該当するものであるか否かについて相違があり、遵守すべき法令上の規制も異なっている。

---

1) オンライン診療指針においても、「オンライン診療」とは、「医師―患者間において、情報通信機器を通して、患者の診察及び診断を行い診断結果の伝達や処方等の診療行為を、リアルタイムにより行う行為」と定義されている。

140 第4章 ヘルスケア情報に関するアプリ・ウェブサイト

	「医行為」に該当	「医行為」に該当せず
医師が主体	対面診療の原則（医師法20条）への抵触が問題となり得る	医師法違反の問題なし
非医師が主体	医師法17条違反	

Q38 医療相談サイトの運営形態と民事責任

Q 利用者からの医療・ヘルスケアに関する相談に乗ったり質問に答えるアプリ・ウェブサイトを立ち上げることを考えています。当該アプリ・ウェブサイトの運営形態として、当社スタッフや委託先等が直接回答する場合と、掲示板のようにして、登録した回答者が回答する場合とで、万が一、医学的に誤った内容の回答が掲載されてしまい、それを読んだ利用者に健康被害等の損害が生じた場合の民事責任のあり方に違いはあるのでしょうか。

- ▶

A 当該アプリ・ウェブサイトの運営形態として、①事業者が主体となって回答を作成・掲載する場合と、②登録された一般の回答者が主体となって回答を作成・掲載し、当該事業者はあくまでアプリ・ウェブサイトの運営主体に留まる場合とでは、医学的に誤った内容の回答が掲載されて利用者に健康被害等の損害が生じた場合の民事責任のあり方が異なり得ることになります。

═══ 解 説 ═══

　事業者が医療情報等提供サービスを実施する場合、当該アプリ・ウェブサイトの運営形態として、①利用者からの相談や質問に対して、当該事業者の従業員により、または外部の事業者に委託する形で、当該事業者が主体となって回答を作成・掲載する場合と、②いわゆる掲示板のように、利用者からの相談や質問に対して、登録された一般の回答者が主体となって回答を作成・掲載し、当該事業者はあくまで当該アプリ・ウェブサイトの運営主体に留まる場合が考えられる。

　そして、これらのいずれの運営形態によっているかにより、以下のとおり、当該アプリ・ウェブサイトに掲載された回答内容が医学的に根拠を欠き、または誤りを含んでおり、それを読んだ利用者に健康被害等の損害が生じた場合の民事責任のあり方についても異なり得ることになる。

　なお、運営形態の如何にかかわらず、このようなアプリ・ウェブサイトを運営する事業者としては、上記のような問題のある回答の掲載を未然に防止するための社内体制の構築に努めるべきであることはいうまでもない（かかる社内体制の構築に関する詳細については、**Q 39** 参照）。

1 当該事業者が主体となって回答を作成・掲載する場合

　利用者からの相談や質問に対して、当該事業者の従業員により、または外部の事業者に委託する形で、当該事業者が主体となって回答を作成・掲載する場合には、当該事業者は、回答を作成・掲載した従業員を不法行為者とする使用者として（民法715条）、または回答を作成・掲載した直接の不法行為者として（同法709条）、健康被害等の損害を受けた利用者に対して損害賠償責任を負う可能性がある（また、利用者との契約の形態・内容次第では、債務不履行に基づく損害賠償責任（同法415条）を負う可能性も否定できない）。

2 登録された一般の回答者が主体となって回答を作成・掲載し、当該事業者はあくまでアプリ・ウェブサイトの運営主体に留まる場合

　他方で、当該事業者はアプリ・ウェブサイトの運営主体であるに留まり、登録された一般の回答者が主体となって回答を作成・掲載する場合には、原則的に、健康被害等の損害を受けた利用者に対して不法行為者として損害賠償責任を負うのは当該回答者であり、当該事業者までもが直ちに民事責任を負うものではない場合が多いと思われる（ただし、利用者との契約の形態・内容次第では、債務不履行に基づく損害賠償責任（民法415条）を負う可能性が完全に否定できるものではなく、この点を利用契約等においてどのように担保するのかについては、慎重な検討を要する点に留意が必要である）。

　すなわち、かかる場合に事業者に不法行為責任（同法709条）が成立するためには、「故意又は過失」として、当該事業者において、その運営するアプリ・ウェブサイト上に当該回答が掲載されていることに起因して利用者に健康被害等が生じることの認識または認識可能性があり、当該回答の削除等の措置を講じることによりこれを回避することができたにもかかわらず、当該措置の実施を怠ったといえなければならない。しかし、アプリ・ウェブサイトの運営主体に留まる事業者には、一般に、自らの運営するアプリ・ウェブサイトに流通する情報の内容を網羅的に監視する義務まではないと解されている[1]。したがって、少なくとも、当該事業者において当該回答が自らの運営するアプリ・ウェブサイト上に掲載されていることを現実に認識していない限り、当該回答が掲載されていたことに起因し

て生じた利用者の健康被害等について、当該利用者に対して民事責任を負う可能性は高くないであろう（実際にこのような事業者が民事責任を負うのは、利用者の健康被害等を惹起する可能性のある内容の回答が掲載されていることを現に認識していたにもかかわらず、当該事業者がこれを漫然と放置していたような悪質な場合に限られるであろう）。

---

1) 総務省「特定電気通信役務提供者の損害賠償責任制限及び発信者情報の開示に関する法律──解説」（平成30年6月更新）においても、同法3条1項について、特定電気通信役務提供者が、他人の権利を侵害した情報の流通を認識していなかった場合には、その理由を問わず責任が生じないとするものであり、結果として、関係役務提供者には、特定電気通信により流通する情報の内容を網羅的に監視する義務がないことを明確化するものであると解説されている。なお、同項は、「情報の流通」自体によって他人の権利等の侵害が生じた場合（典型的には、著作権や名誉・プライバシー等の侵害が挙げられる）の規定であり、本設問のように、権利等の侵害に至るまでに情報受領者による一定の行為の介在が想定される場面において適用があるものではない点に留意が必要である。

144　第4章　ヘルスケア情報に関するアプリ・ウェブサイト

Q39　医療相談サービスを実施する場合の社内体制

Q　利用者からの医療・ヘルスケアに関する相談に乗ったり質問に答えるアプリ・ウェブサイトを立ち上げる際の法的な規制は理解しました（**Q36**参照）。実際に法的リスクを回避するためには、どのような社内体制を構築するのがよいでしょうか。

A　個々の相談や質問に対する回答について、回答前に、①それが「医行為」に該当しないこと、および②医学等に基づき根拠があり、かつ正確な内容であることを事前にチェックするための社内体制を構築することが望ましいといえます。また、これらの点に問題がなかったかどうかを事後的にモニタリングする社内体制も構築することが望ましいといえます。

═══ 解　説 ═══

1 「医行為」該当性に関するチェック体制

　Q36のとおり、医療情報等提供サービスを実施しようとする場合、当該サービスが「医行為」に該当しないようにする必要があるところ（医師法17条）、提供するサービス（具体的には、個々の相談や質問に対する回答内容）が「医療及び保健指導に属する行為のうち、医師が行うのでなければ保健衛生上危害を生ずるおそれのある行為」に該当するか否かの判断は、当該サービスの実質に即して個別に判断されることになると考えられる。

　そのため、医療情報等提供サービスを実施しようとする場合、個々の相談や質問に対する回答が「医行為」に該当することのないよう、回答前に、その内容が「医行為」に該当しないかをチェックするための社内体制を構築することが望ましいといえる。

　具体的にどのような社内体制が適切かは、提供するサービスの内容や各事業者のリソース等にもよるところではあるが、例えば、相談や質問の類型毎に、どのような内容までは回答してもよいか、どのような内容の回答は「医行為」に該当する可能性があり避けるべきか、をなるべく具体的に

列挙したマニュアルのようなものは作成して常時回答者が閲覧できるように
しておき、回答者には常にそれに準拠した回答を行うことを義務付ける
べきであろう。また、回答者に対して、単に当該マニュアルに準拠した回
答を行うことを義務付けるだけでなく、回答の作成方法に関する教育・研
修を定期的に実施し、当該マニュアルに準拠した回答を徹底するよう意識
付けを図ることも考えられる。

　さらに、各回答者がマニュアルに準拠して回答内容を検討していたとし
ても、実際に当該回答内容がマニュアルに準拠していなかった場合には問
題となり得ることから、各回答者が回答案を作成した後には、別の者によ
るダブルチェックを必須とするなど、精度を高める体制を構築することも
重要であろう。

　上記に加えて、当該マニュアルの内容は、常に見直されるべきであるか
ら、定期的に社内で見直しを実施したり、現に具体的な相談や質問への回
答を検討するに際し、当該マニュアルに従っても回答に迷うような事例が
生じた場合には、当該事例を踏まえたアップデートを行う等が必要となろ
う。また、既になされた回答についても、一定期間ごとにモニタリングを
行い、万が一問題となり得るものがあれば回答自体の見直しを行ったり、
原因を究明して再発防止策を検討する等も必要であろう[1]。

2　回答内容の正確性確保に関するチェック体制

　また、個々の相談や質問およびこれに対する回答が「医行為」に該当し
ない範囲内で医療情報等提供サービスを実施するとしても、回答内容が医
学的に根拠を欠く、または誤りを含むものであり、利用者が当該情報を閲
覧してこれに従った結果、何らかの健康被害が生じてしまったような場合
には、当該サービスの提供事業者は、当該利用者に対して民事上の損害賠
償責任その他の法的責任を負う可能性がある。

　そのため、医療情報等提供サービスを実施しようとする場合、個々の相
談や質問に対する回答が、医学その他の関連する学問に基づき根拠があ

---

1) オンライン診療指針においても、遠隔健康医療相談（その定義は **Q 36** 参照）については同
　指針の対象外としつつも、「診断等の相談者の個別的な状態に応じた医学的判断を含む行為
　が業として行われないようマニュアルを整備し、遵守状況について適切なモニタリングが行
　われることが望ましい」と指摘されている。

146 第4章 ヘルスケア情報に関するアプリ・ウェブサイト

り、かつ正確な内容であることを確保するために、回答前に、その内容が医学その他の関連する学問に基づき根拠があり、かつ正確な内容となっているかをチェックするための社内体制を構築することが望ましいといえる。

　一例として、回答案を作成するに際しては、その回答内容の根拠となる医学その他の関連する学問の信頼できる文献等を併せて社内に回覧し、社内でダブルチェックを受けることを必須としたり、回答内容について医師等の専門家に監修を受けることとする等の社内体制を構築することが考えられよう。

Q40 運動指導、健康・生活支援サービス情報の提供、栄養指導

Q 利用者からの相談や質問に対して、当社のスタッフが①運動指導、②健康・生活支援サービスの情報提供、③栄養指導を行うアプリ・ウェブサイトを立ち上げることを考えています。それぞれ、法的な問題は生じないでしょうか。

A いずれも、類型的に「医行為」に該当すると判断される可能性は低いと考えられますが、貴社スタッフによる個々の指導・情報提供の内容が「医療及び保健指導に属する行為のうち、医師が行うのでなければ保健衛生上危害を生ずるおそれのある行為」に該当しないよう注意する必要があります。

解　説

Q36 のとおり、医療情報等提供サービスを実施しようとする場合、当該サービスが「医行為」に該当しないようにする必要があるところ（医師法17条）、提供するサービス（具体的には、個々の相談や質問に対する回答内容）が「医療及び保健指導に属する行為のうち、医師が行うのでなければ保健衛生上危害を生ずるおそれのある行為」に該当するか否かの判断は、当該サービスの実質に即して個別に判断されることになると考えられる。なお、保健師助産師看護師法31条1項は、看護師でない者は、同法5条に規定する業（「傷病者若しくはじよく婦に対する療養上の世話又は診療の補助を行うこと」）をしてはならない、と規定しているため、かかる「診療の補助」に該当しない範囲でサービス提供を行う必要がある点にも留意が必要である。

1 運動指導

利用者からの相談や質問に対して運動指導を行う場合、類型的に、それが「医行為」に該当すると判断される可能性は低いと考えられる。この点、経済産業省の「グレーゾーン解消制度」の回答（平成26年2月25日付回答）、ならびに、厚生労働省および経済産業省の「健康寿命延伸産業分野における新事業活動のガイドライン」（平成26年3月31日）でも、医

師の指導・助言に従い、ストッレチやマシントレーニングの方法を教えること等や、ストレッチやトレーニング中に手足を支えることの医学的判断および技術を伴わない範囲内の指導にとどまる限りは、「医行為」には該当しないとされており、参考になる。

2 健康・生活支援サービスの情報提供

利用者からの相談や質問に対して、健康・生活支援サービスの情報提供を行う場合も、類型的に「医行為」に該当すると判断される可能性は低いと考えられる。この点、「グレーゾーン解消制度」の回答では、利用者の個別の医療情報等を踏まえた医学的判断を伴うものではない範囲で、生活情報に基づく運動メニュー、診断結果に基づく食事メニュー等の作成、関連サービスの紹介やその利用状況の管理等を行うことは、「医行為」には該当しないとされており、参考になる（平成26年7月30日付回答）。

3 栄養指導

利用者からの相談や質問に対して栄養指導を行う場合は、類型的に、「医療及び保健指導に属する行為のうち、医師が行うのでなければ保健衛生上危害を生ずるおそれのある行為」に該当すると判断される可能性は低いと考えられることから、基本的に「医行為」には該当しないと考えてよいであろう（ただし、前述の「健康寿命延伸産業分野における新事業活動のガイドライン」によれば、医師からの指導・助言の範囲を超えて、医学的判断および技術を伴う方法で栄養指導サービスを提供する場合等は違法となるとされているため、留意が必要である）。

もっとも、具体的な栄養指導自体が「医行為」に該当するものではないとしても、栄養士法上、管理栄養士が傷病者に対する療養のために必要な栄養指導を行う際には、主治医の指導を受けなければならないとされている点は留意が必要である（栄養士法5条の5）。

Q 41 特定保健指導

Q 特定保健指導で利用可能なアプリの開発を検討しているのですが、どのような点に留意する必要がありますか。

A 特定保健指導において通信機能付きの医療機器やアプリを利用する場合、初回面接の実施計画書の提出や実施結果の報告を行うことは必要ありませんが、従来の委託事業者に求められる水準に加え、厚生労働省の「特定保健指導における情報通信技術を活用した面接による指導の実施の手引き」に定める基準を満たす必要があります。

解　説

　特定保健指導（高齢者の医療の確保に関する法律 18 条）とは、生活習慣病の予防のために、40 歳から 74 歳までの対象者に対しメタボリックシンドロームに着目して行う特定健診の結果、生活習慣病の発症リスクが高く、生活習慣の改善による生活習慣病の予防効果が多く期待できると判断された対象者に対して、保険者[1]が実施する（同法 24 条）ものであり、保健師や管理栄養士等の専門スタッフが生活習慣の改善を支援する制度である[2]。

　近年、特定保健指導の専門スタッフとの面談や指導の際に、通信機能付きの医療機器やアプリ（以下「アプリ等」という）を活用する事例が増えてきている[3]。

　特定保健指導において、アプリ等を利用する場合には、厚生労働省「特定保健指導における情報通信技術を活用した面接による指導の実施の手引

---

1) 「保険者」とは、医療保険各法の規定により医療に関する給付を行う全国健康保険協会、健康保険組合、都道府県および市町村（特別区を含む）、国民健康保険組合、共済組合または日本私立学校振興・共済事業団をいう（高齢者の医療の確保に関する法律 7 条 2 項）。
2) 厚生労働省「特定健診・特定保健指導について」
3) 株式会社 FiNC Technologies プレスリリース「2 年連続で東京都府中市の生活習慣改善プログラム事業に採択」（2018 年 6 月 8 日）、日本経済新聞「体重や活動量をアプリで記録・確認──生活習慣の改善に」（2019 年 4 月 17 日）

150 第4章 ヘルスケア情報に関するアプリ・ウェブサイト

き」（最終改正令和3年2月1日）の内容を遵守する必要がある。同手引き
は、遠隔面接の実施環境や、機器の性能や通信環境についての基準を定め
るとともに、個人情報の管理について、厚生労働省「医療情報システムの
安全管理に関するガイドライン〔第5.2版〕」（令和4年3月）に準拠する
ことを求めているが、当該ガイドラインの準拠に関する審査があるわけで
はない。

　以前は初回面接実施計画書および実施結果の報告が必要とされていた
が、特定保健指導の初回面接に関して情報通信技術の導入がより図られる
よう、現在では、初回面接実施計画書および実施結果の報告も不要とされ
ている[4]。

　なお、アプリ等を利用する場合も、アプリ等を利用しない場合と同様
に、特定保健指導の委託事業者は、人員や保険指導の内容、情報の管理等
について一定の基準を満たす必要がある[5]。

---

4) 厚生労働省「情報通信技術を活用した特定保健指導の初回面接の実施について」（平成30年
2月9日）、前述の厚生労働省「特定保健指導における情報通信技術を活用した面接による指
導の実施手引き」

5) 厚生労働省「特定健康診査及び特定保健指導の実施に関する基準第16条第1項の規定に基
づき厚生労働大臣が定める者」（平成25年3月29日）、厚生労働省「特定健康診査及び特定
保健指導の実施に関する基準第17条の規定に基づき厚生労働大臣が定める特定健康診査及
び特定保健指導の実施に係る施設、運営、記録の保存等に関する基準」（平成25年3月29
日）

Q 42 利用者から提供されたデータに基づく情報提供

Q 利用者から、健康診断や検診結果に関するデータの提供等を受け、これに基づき、当社スタッフによる一定の情報提供サービスを行うアプリ・ウェブサイトを立ち上げることを考えています。どのような法的問題が考えられるでしょうか。なお、提供する情報等としては、次のような内容を考えています。

① 利用者に自己採血してもらった上で検査結果（客観的な数値データ）と健康関連情報の提供を行う

② 具体的な疾病リスクおよびその予防策に関する情報提供を行う

- ▶

A ①利用者に自己採血してもらった上で検査結果（客観的な数値データ）と健康関連情報の提供を行うことは、「医行為」に該当する可能性は低いと考えられます。

これに対して、②具体的な疾病リスクおよびその予防策に関する情報提供を行うことは、提供する情報によっては「医行為」に該当するおそれがあるため慎重な検討が必要であり、医学に関する一般的な情報提供の域を超えて「医行為」に該当する場合は医師ではない者がこれを行うことは許されません。

═══ **解　説** ═══

Q 36 のとおり、医療情報等提供サービスを実施しようとする場合、当該サービスが「医行為」に該当しないようにする必要があるところ（医師法17条）、提供するサービス（具体的には、個々の相談や質問に対する回答内容）が「医療及び保健指導に属する行為のうち、医師が行うのでなければ保健衛生上危害を生ずるおそれのある行為」に該当するか否かの判断は、当該サービスの実質に即して個別に判断されることになると考えられる。

1 利用者が自己採血した血液に関する検査結果（客観的な数値データ）と健康関連情報の提供[1]

利用者に自己採血してもらった上で検査結果（客観的な数値データ）と

152　第4章　ヘルスケア情報に関するアプリ・ウェブサイト

健康関連情報の提供を行う場合について、経済産業省の「グレーゾーン解消制度」の回答では、利用者が自己採血をすることは「医業」に該当するものではなく、また、事業者が検査結果の事実を通知することに加え、より詳しい検診を受けるよう勧めること等も「医業」に該当しないとされており参考になる（平成26年2月25日付回答）。また、微量な指先血で複数の生化学項目を測定可能な機器を既存の検体測定室に設置し、自己採血による血液検査を提供した上で、測定結果、アンケート情報及び購買情報（ドラッグストア等）を取得し、OTC医薬品、消費財、保険商品、健康相談サービスを希望者に紹介することについて、①臨床系学会で採択されている一般的見解を紹介することが、医学的な判断を伴わない範囲で一般的な医学的な情報を提供するものに留まる場合には「医行為」には該当せず、また、②一般的な基準値を単に受検者に伝えることについては医行為には該当しないため、受検者が自ら当該情報と検査結果の記載とを比較し、自分の状態を把握するのに用いるのみであって、事業者が検査結果と数値基準の比較により受検者の健康状態を評価した上で受検者に助言する等の行為を行わない限りにおいては、医師法上の問題は生じないともされており参考になる（令和3年4月30日付回答）[2]。

　なお、ⓐかかる検査を行う施設については、場合によっては衛生検査所の登録（臨床検査技師等に関する法律20条の3第1項）が必要になり得る点（ただし、人体から採取された検体（受検者が自ら採取したものに限る）について生化学的検査を行う施設であって、診療の用に供する検体検査を行わないものは登録不要である（厚生省「臨床検査技師等に関する法律第二十条の三第一項の規定に基づき厚生労働大臣が定める施設」（昭和56年3月2日）））、ⓑ自

---

1) このようなサービスに類似するものとして、近時、民間企業により提供されている、唾液を検体とした新型コロナウイルス感染症のPCR検査サービスと「医行為」との関係については、 Q92 を参照。

2) 厚生労働省および経済産業省の「健康寿命延伸産業分野における新事業活動のガイドライン」（平成26年3月31日）も、①検査結果の通知に加えて提供できるサービスについて、検査項目の一般的な基準値を通知することに留めなければならず、基準値内であることをもって健康な状態であることを断定してはならないとしていることや、②検査結果を用いて医学的判断を行い、食事や運動等の生活上の注意、健康増進に資する地域の関連施設やサービスの紹介、利用者からの医薬品に関する照会に応じたOTC医薬品の紹介、健康食品やサプリメントの紹介、より詳しい健診を受けるように勧めること等を違法としており、同様の見解を示している。

己採血用の器具の販売・授与が行われる場合には、薬機法の遵守も必要になり得る点は、留意が必要である。

2　具体的な疾病リスクおよびその予防策に関する情報提供

　利用者から提供を受けた健康診断や診断結果に関するデータに基づき、利用者に対して当該データに基づく具体的な疾病リスクおよびその予防策に関する情報提供を行う行為は、そこで行われる判断と提供される情報の内容によっては、それが利用者から提供を受けた健康診断等の結果に依拠したものであったとしても、利用者の個別的な状態に応じて具体的に疾患の罹患の可能性を判断する行為と評価されるおそれがある。そのように評価された場合、かかる行為は、医学に関する一般的な情報提供の域を超えた診療行為そのものとして「医行為」に該当し、医師ではない者がこれを行うことは許されないと考えられる。

　なお、本設問とは異なるが、仮に、利用者から提供される健康診断や健診結果を一定のプログラムを用いて分析し、かかる分析結果（具体的な疾病リスクや予防策等）に関する情報提供を行うサービスとするような場合には、「医行為」該当性に加えて、医療機器プログラムに該当しないか否かも別途慎重な検討を要する点に留意が必要である（詳細については、**Q 33** を参照）。

154 第4章 ヘルスケア情報に関するアプリ・ウェブサイト

Q43 利用者の症状等をオンラインで確認した上での情報提供

Q 利用者の症状等をオンラインで確認した上で、当社スタッフにより一定の情報提供サービス等を行うアプリ・ウェブサイトを立ち上げることを考えています。どのような法的問題が考えられるでしょうか。なお、提供する情報としては、次のような内容を考えています。
　　① 病名診断を行う
　　② 医師による受診の必要性と、具体的な受診すべき診療科や利用者の居住地周辺に所在する受診可能な医療機関の情報提供を行う
　　③ 医薬品の処方・指定を行うとともに、当該医薬品に関する情報提供を行う

A いずれも、医師の医学的判断および技術を伴って行われるべきものであり、医師が行うのでなければ保健衛生上危害を生ずるおそれがあるのが通常であろうことからすれば、基本的に「医行為」に該当し、医師ではない者がこれを行うことは許されないと考えられます。

═══ 解 説 ═══

Q36 のとおり、医療情報等提供サービスを提供しようとする場合、当該サービスが「医行為」に該当しないようにする必要があるところ（医師法17条）、提供するサービス（具体的には、個々の相談や質問に対する回答内容）が「医療及び保健指導に属する行為のうち、医師が行うのでなければ保健衛生上危害を生ずるおそれのある行為」に該当するか否かの判断は、当該サービスの実質に即して個別に判断されることになると考えられる。

1 病名診断等

オンライン診療指針においても、「遠隔医療のうち、医師─患者間において、情報通信機器を通して、患者の診察及び診断を行い診断結果の伝達や処方等の診療行為を、リアルタイムにより行う行為」は「オンライン診療」として診断等の医学的判断を含むものとされている（詳細については Q36 を参照）。

したがって、病名を診断したり、一般的な医学情報の提供の範囲を超えて疾病の罹患可能性に関する情報提供を行う行為は基本的に「医行為」に該当し、医師ではない者がこれを行うことは許されないと考えられる。

2　医師による受診の必要性と、具体的な受診すべき診療科や利用者の居住地周辺に所在する受診可能な医療機関の情報提供

利用者の症状等をオンラインで確認した上で、医師による受診の必要性と、具体的な受診すべき診療科、利用者の居住地周辺に所在する受診可能な医療機関の情報提供を行う行為は、利用者の個別的な状態に応じて具体的な疾患のり患の有無または可能性およびその具体的な内容を判断した上で、当該疾患に対応する診療科を選択し、その選択結果およびこれに関連する情報提供を行うものであるから、まさに診療行為である（前記指針においても、かかる行為は「オンライン受診勧奨」として診断等の医学的判断を含むものとされている[1]。詳細については、 Q 36 を参照）。したがって、かかる行為は基本的に「医行為」に該当し、医師ではない者がこれを行うことは許されないと考えられる。

なお、経済産業省の「グレーゾーン解消制度」の回答（以下グレーゾーン解消制度回答」という）では、適切な治療を受けることができる医療機関を患者に案内するために患者の居住地周辺の医療機関を案内することは、「医行為」に該当しないとされている（ただし、患者の個別的な状態に応じた医学的判断を行わないよう留意すべきであるとの留保が付されている。平成31年2月26日付回答）。このように、利用者の症状等の確認を前提とせずに、一般論として医療機関の情報を提供すること自体は、「医行為」には該当せず、医師法17条に違反するものではないと考えられる[2]。

---

1) なお、同指針においても、「社会通念上明らかに医療機関を受診するほどではない症状の者に対して経過観察や非受診の指示を行うような場合や、患者の個別的な状態に応じた医学的な判断を伴わない一般的な受診勧奨については（引用者注：医師でない者も行うことが可能である）遠隔健康医療相談として実施することができる。」とされている。

2) グレーゾーン解消制度回答では、医師法20条の無診察治療の禁止に関する文脈において、「医師が検査データをもとに受診勧奨を実施することは、治療又は診断行為に該当」しないと述べているものも存在する（平成26年10月30日付回答）が、具体的にどのような受診勧奨行為を想定しているのかは必ずしも明らかではない。

156　第4章　ヘルスケア情報に関するアプリ・ウェブサイト

3　医薬品の処方・指定を行うとともに、当該医薬品に関する情報やその服用方法に関する情報提供

　利用者の症状等をオンラインで確認した上で、医薬品の処方・指定を行う行為は、診断に基づく医薬品の処方・指定にほかならず、判例上も明確に「医行為」に該当すると判断されていることから[3]、医師ではない者がこれを行うことは許されないと考えられる。

　なお、グレーゾーン解消制度回答では、疾患または医薬品に関する学術書、医学関連学会より公表されている診療ガイドライン、医薬品を製造・販売している製薬会社が作成した添付文書、インタビューフォーム、くすりのしおり、適正使用ガイド、ホームページ等で公開されている FAQ および患者指導資料に基づき、特定の医薬品の適応症となっている疾患についての情報（症状、診断基準、治療方法、薬物療法の内容等）や当該医薬品に関する情報（副作用、使用上の注意等）を患者等に提供することは、「医行為」に該当しないとされている（ただし、患者の個別的な状態に応じた医学的判断を行わないよう留意すべきであるとの留保が付されている（平成31年2月26日付回答））。このように、利用者の症状等の確認を前提とせずに、一般論として医薬品に関する情報提供を行うこと自体は、「医行為」には該当せず、医師法17条に違反するものではないと考えられる。

4　医療機器該当性

　本設問とは異なるが、仮に、利用者から提供される利用者の症状等の情報を一定のプログラムを用いて分析し、かかる分析結果として、本設問①〜③のような情報提供を行うサービスとするような場合には、「医行為」該当性に加えて、医療機器プログラムに該当しないか否かも別途慎重な検討を要する点に留意が必要である（詳細については、Q 33 を参照）。

3）大判大6・2・10刑録23輯49頁、大判大7・2・27刑録24輯128頁

Q44 セカンドオピニオン提供サービス・医師紹介サービス

Q 他の病院等での診療結果を確認した上で、当社スタッフがセカンドオピニオンを提供するアプリ・ウェブサイトを立ち上げることを考えていますが、法的な問題は生じないでしょうか。セカンドオピニオンを提供してくれる医師を紹介するアプリ・ウェブサイトはどうでしょうか。

- ▶

A 利用者に対してセカンドオピニオンを提供することは、基本的に「医行為」に該当し、医師でない者がこれを行うことは許されないと考えられます。また、利用者に対してセカンドオピニオンの提供医師を紹介することは、保険医療機関が、事業者等に対して、患者を紹介する対価として金品を提供すること等により、患者が自己の保険医療機関において診療を受けるよう誘引することを禁止する療担規則2条の4の2第2項等に抵触しないよう留意が必要です。

解　説

1　セカンドオピニオンの提供サービス

Q36 のとおり、医師でない者が「医行為」、すなわち「医療及び保健指導に属する行為のうち、医師が行うのでなければ保健衛生上危害を生ずるおそれのある行為」を行うことは禁止される（医師法17条）。具体的な提供サービスの内容にもよるが、セカンドオピニオンとは、一般的には、治療の進行状況、次の段階の治療選択等について、現在診療を受けている担当医とは別の医療機関の医師が「第2の意見」を提供することを意味することからすれば[1]、医療に属する行為であって医師が行うのでなければ保健衛生上危害を生ずるおそれがあることは明らかであるから、当然に「医行為」に該当し、非医師がこれを行うことは許されないと考えられる[2]。

なお、本設問とは異なるが、仮に、利用者から提供される他の病院等で

---

1) セカンドオピニオンの定義について、東京都福祉保健局「セカンドオピニオンとは」参照。

158 第4章 ヘルスケア情報に関するアプリ・ウェブサイト

の診療結果を一定のプログラムを用いて分析し、かかる分析結果としての
セカンドオピニオンを提供するサービスとするような場合には、「医行為」
該当性に加えて、医療機器プログラムに該当しないか否かも別途慎重な検
討を要する点に留意が必要である（詳細については、 Q33 を参照）。

2　セカンドオピニオンの提供医師の紹介サービス

　療担規則2条の4の2第2項は、保険医療機関が、事業者またはその従
業員に対して、患者を紹介する対価として金品を提供することその他の健
康保険事業の健全な運営を損なうおそれのある経済上の利益を提供するこ
とにより、患者が自己の保険医療機関において診療を受けるように誘引す
ることを禁止する。そのため、セカンドオピニオンの提供医師の紹介サー
ビスについても、当該サービスが保険医療機関から料金の支払いを受ける
ビジネスモデルの場合、当該料金の支払いが上記の禁止に違反しない範囲
内でこれを実施する必要がある。

(1)　「患者を紹介する」

　患者紹介とは、保険医療機関等と患者を引き合わせることであり、保険
医療機関等に患者の情報を伝え、患者への接触の機会を与えること、患者
に保険医療機関等の情報を伝え、患者の申出に応じて保険医療機関等と患
者を引き合わせること等も含まれると解されている[3]。

(2)　「対価として」の金品の提供等

　同条項は、保険医療機関が、事業者またはその従業員に対して、患者を
紹介する「対価として」金品を提供すること等を禁止する。ここで、問題
とされる金品等の提供が患者を紹介する「対価」であるか否かは、行政解
釈において次のような指摘がなされており、要するに実質的に判断される

---

2) 厚生労働省の「オンライン診療の適切な実施に関する指針の見直しに関する検討会」では、
　セカンドオピニオンとして実際に提供されている具体的なサービス内容には様々なものがあ
　るとの指摘がされた上で、指針における位置付けについて議論がされているが、いずれにし
　てもセカンドオピニオンの提供が「医行為」であることは所与の前提として議論がなされて
　おり、上記と同様の解釈を示すものといえる（同検討会第3回議事録、第7回議事録）。
3) 厚生労働省保険局医療課「疑義解釈資料の送付について（その8）」別添5（平成26年7月
　10日）

こととなるため、留意が必要である。

厚生労働省保険局医療課長、厚生労働省保険局歯科医療管理官「保険医療機関及び保険医療養担当規則等の一部改正に伴う実施上の留意事項について」（平成 26 年 3 月 5 日）
「金品の提供は、保険医療機関と事業者の間で契約書に基づき明示的に行われる場合のほか、医療機関の土地賃借料に金額が上乗せされて提供される場合等、様々な方法により行われる場合がある」
厚生労働省保険局医療課「疑義解釈資料の送付について（その 8）」別添 5（平成 26 年 7 月 10 日）
「訪問診療の広報業務、施設との連絡・調整業務、訪問診療の際の車の運転業務等の委託料に上乗せされている場合、診察室等の賃借料に上乗せされている場合も考えられ、契約書上の名目に関わらず、実質的に、患者紹介の対価として、経済上の利益が提供されていると判断される場合には、……（引用者注：対価としての金品の提供等に）該当するものとして取り扱う」 「患者紹介の対価が上乗せされていると疑われる場合は、当該地域における通常の委託料・賃借料よりも高くはないこと、社会通念上合理的な計算根拠があること等が示される必要がある」 「診療報酬の一定割合と設定されている場合は、実質的に、患者紹介の対価として支払われているものと考えられる」 「患者数に応じて設定されている場合は、業務委託・賃借の費用と患者数が関係しており、社会通念上合理的な計算根拠があること等が示される必要がある」

⑶ 「自己の保険医療機関において診療を受けるように誘引する行為」

　また、同条項により禁止されるのは、あくまで患者を「自己の保険医療機関において診療を受けるように誘引する」行為である。

　したがって、例えば、セカンドオピニオンの提供医師の紹介ページにおいて、アプリ・ウェブサイトの運営者が各医師の評価を記載したり、順位・序列を付すなどして、明示または黙示に利用者に特定の医師の受診を誘導するような内容のものについては、当該特定の医師との関係で患者を「自己の保険医療機関において診療を受けるように誘引する」ものにあたるとして、同条項違反の問題を生じる可能性が高いといえよう。これに対して、登録されたセカンドオピニオンの提供医師が一覧形式で掲載される

160　第4章　ヘルスケア情報に関するアプリ・ウェブサイト

等、利用者が自由に医師を選択できる内容となっていれば、登録されているいずれの医師との関係でも、患者を「自己の保険医療機関において診療を受けるように誘引する」ものではないとして、同条項に抵触するものではないとの整理も可能であるものと考えられる（ただし、その場合であっても、医師の掲載順に関する恣意性の排除等、利用者の選択の自由が確保されるために必要な措置が尽くされている必要があろう）。

　なお、当該サービスについては、同条項に違反するものではないとしても、別途、医療広告規制に抵触するものではないかが問題となり得る点に留意が必要である（医療広告規制の詳細については、 Q 31 参照）。

Q45 バイタルデータを計測するアプリの「医療機器」該当性について

Q 当社では、ウェアラブル端末のセンサーと当該端末にインストールされたアプリを用いて、ユーザーの血中酸素飽和度を測定し、当該測定データを、有酸素運動時のコンディションチェックや、日常的な健康管理用として、ユーザーに提供することを検討しています。このようなアプリは、薬機法の「医療機器」に該当するものとして、許可・製造販売承認を取得し、薬機法に従って開発、製造や販売等を行う必要があるのでしょうか。

A アプリの使用目的が運動におけるトレーニングの効果・効率の向上や運動強度の管理等に限られ、疾病の診断や病態の把握等を目的としていない場合には、当該アプリは「医療機器」には該当しません。

解 説

　ウェアラブル端末などの機械にインストールされるアプリを使用してユーザーのデータを計測・収集し、収集したデータを活用してユーザーにフィットネスや健康に関するフィードバックを行う製品・サービスは、近時、大きな注目を集めている。

　本設問のアプリは、ウェアラブル端末にインストールされ、当該端末に備え付けられたセンサーと連動して、ユーザーの血中酸素飽和度を測定するものである。このような汎用コンピュータ等の内部または外部センサーと連動して機能を発揮するプログラムの医療機器該当性は、センサーを含めた一体の製品として、医療機器の定義にあてはまるかを検討することとなる。

1 医療機器該当性の判断方法

　プログラムの医療機器該当性は、製造販売業者等による当該製品の表示、説明資料、広告等に基づき、当該プログラムの使用目的およびリスクの程度が医療機器の定義に該当するかにより判断される（**Q33** 参照）。

　具体的な判断手法としては、厚生労働省の「プログラムの医療機器該当性に関するガイドライン」（令和3年3月31日。以下「ガイドライン」とい

162　第4章　ヘルスケア情報に関するアプリ・ウェブサイト

う）に沿うことになる。

　まず、当該プログラムに相当するプログラム名称が、一般的名称通知[1]に存在するかを確認する。相当するプログラム名称が当該通知の名称欄に存在する場合には、当該プログラムは原則として医療機器プログラムに該当する。

　相当する一般的名称が掲載されていない場合は、ガイドラインのフローチャートに沿って医療機器該当性を判断することになる（同別紙、**Q15**参照）。

　ガイドラインのフローチャートは、プログラムの使用目的（健康管理であるのか、疾病の診断・治療・予防を目的とするものであるのか等）、プログラムの仕様（プログラムが行う処理方法、想定される使用者、入出力情報等）およびプログラムのリスクの程度（疾病の治療、診断等への寄与の程度、プログラムの機能に障害が生じた場合の人の生命や健康への影響のおそれ等）を考慮要素としている。

2　本設問のアプリの医療機器該当性

　まず、相当するプログラム名称が存在するかについては、本設問のアプリと類似の機能を有するプログラムとして、「パルスオキシメータ用プログラム」[2]が、管理医療機器（クラスⅡ）として掲載されている。よって、本設問のアプリが診断等を目的としないプログラムと認められれば、「パルスオキシメータ用プログラム」には該当しないこととなる。

　また、相当するプログラム名称が存在しないとして、ガイドラインのフローチャートに沿って医療機器該当性を検討していくと、本設問のアプリが、①疾病の診断、治療、予防を意図しておらず、②運動管理等の医療・健康以外の目的であるといえるか否かが医療機器該当性の判断の分かれ目

---

1) 厚生労働省「医薬品、医療機器等の品質、有効性及び安全性の確保等に関する法律第2条第5項から第7項までの規定により厚生労働大臣が指定する高度管理医療機器、管理医療機器及び一般医療機器（告示）及び医薬品、医療機器等の品質、有効性及び安全性の確保等に関する法律第2条第8項の規定により厚生労働大臣が指定する特定保守管理医療機器（告示）の施行について」（平成16年7月20日）。PMDAのウェブサイトにおいても一般的名称を検索することができる（https://www.std.pmda.go.jp/stdDB/index.html）。
2) 厚生労働省の告示（平成28年3月30日改訂）の別表3-860にて「パルスオキシメータから得られた情報をさらに処理して診断等のために使用する医療機器プログラム。当該プログラムを記録した記録媒体を含む場合もある。」と定義される。

となることになる。本設問の有酸素運動時のコンディションチェックや日常的な健康管理という目的は、これらに該当するだろうか。

　この点、厚生労働省による通知によれば、血中酸素飽和度の測定機能を有する機械器具（プログラムを含む）については、「健康な者、療養中の者を問わず、その測定結果に基づいて日常生活における健康状態の管理・体調管理又は医療機関への受診の目安の提示等を通じ疾病の兆候の検出等を目的とするものと考えられることから、医療機器に該当する。ただし、健康管理のうち例えば健康な者を対象として、上記の目的ではなく、運動におけるトレーニングの効果・効率の向上や運動強度の管理（以下「運動管理」という。）を主たる目的とするものは、疾病の兆候の検出等を目的とするものではないため、医療機器には該当しない。」と解されている（厚生労働省「血中酸素飽和度を測定する機械器具の取扱いについて」（令和4年2月3日）参照）。

　そのため、本設問のアプリの目的のうち、運動におけるトレーニングの効果・効率の向上や運動強度の管理という目的の範囲に限定すれば、本設問のアプリは、①疾病の診断、治療、予防を意図しておらず、②(ii)運動管理等の医療・健康以外の目的であるといえ、また、「パルスオキシメータ用プログラム」には該当しないといえることから、医療機器に該当しないこととなる。

　なお、ガイドラインのフローチャートによって、医療機器に該当しないことを確認したプログラムについては、利用者による誤解を防ぐために、「当該プログラムは、疾病の診断、治療、予防を目的としていない」旨の記載、表示を行うことが望ましいとされている。

164　第4章　ヘルスケア情報に関するアプリ・ウェブサイト

Q 46　医療機器の広告に際しての留意点

Q　当社では、血圧を測定するアプリを医療機器として開発しています。
　この血圧測定は、一般的な血圧計と同程度の精度を有しているので、その
点を広告したいと考えていますが、気を付けるべき点はありますか。

--->

A　広告に際して医療機器の性能に言及する場合、虚偽・誇大広告の禁止に触
れないよう、十分な留意が必要です。

■ 解　説 ■

　本設問のアプリは、医療機器として販売されている。なお、血圧測定器
は、医療機器として定められており（薬機法施行令別表1参照）、通常の器
具としての血圧測定器と血圧計測方法が異なるとしても、血圧測定を目的
とする以上、原則として疾病の診断等を目的とするものと想定され、本設
問のアプリも医療機器に該当することになる。

　したがって、本設問では、医療機器の広告を行うに際しての留意点が問
われることになる。

　まず、医療機器のうち、医家向け医療機器（医師等が自ら使用することを
目的として供給される医療機器）については、原則として一般人が使用した
場合に保健衛生上の危害が発生するおそれのあるものとして、一般人が使
用するおそれのないもの（設置管理医療機器）を除き、一般人を対象とす
る広告（一般人向け広告）を行うこと自体が禁止されている（医薬品等適正
広告基準第4の5(2)）。もっとも、血圧計については、例外的に、一般人が
使用した場合に保健衛生上の危害が発生するおそれがあるとはいえないも
のとして、医家向け医療機器であっても一般人向け広告を行うことが可能
と解されている。現在、このような一般人向け広告が可能と例外的な取扱
いがされている医家向け医療用医療機器は、血圧計のほか、コンタクトレ
ンズ、体温計、AED、パルスオキシメータ、補聴器および設置管理医療
機器である（厚生労働省医薬・生活衛生局監視指導・麻薬対策課「『パルスオ
キシメータの適正広告・表示ガイドライン』について」（令和4年2月3日））。
よって、本設問の血圧計アプリについては、一般向けの広告が可能であ

る。

次に、広告を行うに際しての留意点としては以下がある。

医療機器については、虚偽、誇大な広告が禁止されるので（薬機法66条）、広告内容の作成に際しては、特に留意が必要となる。虚偽または誇大の具体的な判断基準については、「医薬品適正広告基準」（厚生労働省「医薬品等適正広告基準の改正について」（平成29年9月29日）別紙）において示されている。

さらに同日付で公表された「医薬品等適正広告基準の解説及び留意事項」（同「医薬品等適正広告基準の解説及び留意事項等について」（平成29年9月29日）別紙）では、一般向けの広告で、臨床データや実験例等を例示することは消費者に対する説明不足となり、かえって効能効果等または安全性について誤解を与えるおそれがあるため、原則として行わないこととされている。

また、比較広告についても、漠然と比較する場合であっても、効能効果等や安全性を保証する表現の禁止に抵触するおそれがあるので注意することとされており、これらの規制に留意する必要がある。

166　第4章　ヘルスケア情報に関するアプリ・ウェブサイト

Q 47　医薬品等の口コミサイト

Q　薬局開設者が、利用者が医薬品を使用した感想を投稿したり、利用者の点数評価に基づいて人気のある医薬品等のランキングを掲載したりする口コミサイトを立ち上げることについて、法的な問題は生じないでしょうか。薬局開設者ではなく、医薬品メーカーが立ち上げる場合はどうでしょうか。

--➤

A　医薬品の口コミについては様々な規制が存在し、薬局開設者が、そのウェブサイトにおいて利用者から投稿を受けた医薬品を使用した感想を掲載したり、利用者の点数評価に基づいて人気のある医薬品等のランキングを掲載したりすることは、当該規制に違反することになります。また、医薬品メーカーの場合であっても、医薬品広告に該当する場合は、原則として当該規制に違反することになるため、留意が必要です。

═══ 解　説 ═══

1　薬局開設者等に関する医薬品の広告規制

　薬機法は、薬局開設者および店舗販売業者が、その薬局・店舗において販売・授与しようとする医薬品について広告を行う際に、当該医薬品の購入者、譲受者、使用者による当該医薬品に関する意見その他医薬品の使用が不適正なものとなるおそれのある事項を表示することを禁止する（薬機法9条1項2号、29条の2第1項2号、同法施行規則15条の5第1項、147条の6第1項）。これらの条項の行政解釈[1]では、販売等しようとする医薬品の効能・効果等に関する購入者等の意見（いわゆる「口コミ」等）を表示することもこれらの条項の禁止の範囲に含まれることが明示されている。

　したがって、薬局開設者または店舗販売業者である事業者が、そのウェブサイトにおいて利用者から投稿を受けた医薬品を使用した感想を掲載することが薬機法違反となることはもとより、利用者の点数評価に基づいて

1）厚生労働省医薬食品局長「薬事法及び薬剤師法の一部を改正する法律等の施行等について」（平成26年3月10日）

人気のある医薬品等のランキングを掲載したりすることも、薬機法違反となる可能性が高い。

2　医薬品等の広告に係る一般規制

　薬機法は、医薬品等（その定義については Q30 参照）の広告等に係る一般規制として、何人も、医薬品等について、①その名称、製造方法、効能、効果もしくは性能に関する、虚偽もしくは誇大な記事、または②その効能、効果もしくは性能について、医師その他の者がこれを保証したものと誤解されるおそれがある記事の広告・記述・流布をしてはならないと定める（薬機法66条1項・2項）。「何人も」とあるとおり、かかる一般規制の主体は特に限定されておらず、また、「広告」・「記述」・「流布」とは、およそ一般の人に広く知らせるための手段であれば全て規制の対象になると解されている[2]。

　したがって、薬局開設者または店舗販売業者ではない事業者が運営するウェブサイトであっても、この医薬品等の広告等に係る一般規制の適用があり、具体的な規制に抵触しないよう留意する必要がある。

　そして、このうち医薬品等の「広告」（その該当性判断の詳細については Q30 参照）に係る一般規制については、平成29年に改正された「医薬品等適正広告基準」（厚生労働省「医薬品等適正広告基準の改正について」（平成29年9月29日）別紙。以下「広告基準」という）において具体的な基準の内容が示されており、さらに、同日付で公表された「医薬品等適正広告基準の解説及び留意事項等」（厚生労働省「医薬品等適正広告基準の解説及び留意事項等について」（平成29年9月29日）別紙。以下「広告基準の解説等」という）において、個々の基準の解釈適用についての行政の考え方が示されている。

　この広告基準のうち、本設問のような医薬品メーカーによる口コミサイト[3]との関係で確認を要すると思われる基準の例として、次のものが挙げ

---

2) 薬事法規研究会編『逐条解説医薬品医療機器法』（ぎょうせい、2016年）第2部195頁〜196頁
3) なお、「広告」に該当するか否かは実質的に判断されることとなるため（その該当性判断の詳細については Q30 参照）、個別事案ごとに判断する必要があるが、本設問では、医薬品メーカーによる口コミサイトに掲載される口コミについて、当該医薬品メーカーの製造販売する医薬品への誘引性がある（すなわち、口コミ自体が「広告」に該当する）ことを前提として検討する。

168　第4章　ヘルスケア情報に関するアプリ・ウェブサイト

られる（口コミ等として記載される内容は多岐にわたり得るため、具体的な内容に応じて次の(1)や(2)以外の広告基準との関係でも確認の必要がある）。

(1)　効能効果等または安全性を保証する表現の禁止

　広告基準は、「医薬品等の効能効果等又は安全性について、具体的効能効果等又は安全性を摘示して、それが確実である保証をするような表現をしてはならない。」と定め、医薬品等の広告における効能効果等または安全性を保証する表現の使用を禁止する（広告基準第4の3(5)）。そして、広告基準の解説等によれば、この効能効果等または安全性を保証する表現の禁止の趣旨には、「愛用者の感謝状、感謝の言葉等の例示及び『私も使っています。』等使用経験又は体験談的広告は、客観的裏付けとはなりえず、かえって消費者に対し効能効果等又は安全性について誤解を与えるおそれがある」として、原則として行ってはならないとされている[4]。

　ウェブサイト上で利用者から投稿された医薬品等を使用した感想を掲載することは、広告基準および広告基準の解説等により原則として禁じられている使用経験または体験談的広告に該当する可能性がある[5]。

(2)　他社製品の誹謗広告の制限

　広告基準は、「医薬品等の品質、効果効能、安全性その他について他社の製品を誹謗するような広告を行ってはならない。」として、他社の製品の誹謗広告を制限する（広告基準第4の9）。そして、広告基準の解説等によれば、当該制限との関係で、いわゆる「比較広告」についても、「製品同士の比較広告を行う場合は、自社製品の範囲でその対照製品の名称を明示する場合に限定し、明示的、暗示的を問わず他社製品との比較広告は行わないこと。この場合でも説明不足にならないよう十分に注意すること。」と説明されている（広告基準の解説等）。

　ウェブサイト上で利用者の点数評価に基づいて人気のある医薬品等のラ

---

4)　例外的に禁止の対象外とされるのは、①目薬、外皮用剤および化粧品等の広告で使用感を説明する場合、②タレントが単に製品の説明や呈示を行う場合とされる。ただし、その場合も「過度な表現や保証的な表現とならないよう注意すること。」とされている（広告基準の解説等）。

5)　もっとも、事業者が選定して掲載する体験談的広告と、一般の利用者が投稿する口コミとを常に同一の取り扱いとしてよいか否かは慎重に検討する必要があろう。

ンキングを掲載することは、広告基準および広告基準の解説等により禁じられている複数社の製品の「比較広告」に該当する可能性がある。

170　第4章　ヘルスケア情報に関するアプリ・ウェブサイト

Q48　医療機器プログラムと医療保険

Q　スマートフォン向けのアプリ等のソフトウェアを開発していますが、医療機器プログラムの医療保険上の取扱いについて教えてください。

A　脳卒中ケアユニット入院医療管理料と画像診断管理料の医療加算の要件が改訂され、一定のスマートフォン向けのアプリ等の医療機器プログラムを利用する場合に、これまでと異なる要件で医療加算が受けられるようになりました。

═══ 解　説 ═══

1　医療機器プログラムの保険収載

　Q33 のとおり、平成26年以降、ハードウェアとしての医療機器に搭載等されることなく、単体で流通するソフトウェアについても、医療機器プログラム[1] として、医療機器の認定を受けることが可能となった。さらに、医療機器プログラムが、保険収載されれば、「療養の給付に関する費用」として保険の適用対象となる（保険収載の詳細は Q91 を参照されたい）。

　平成28年4月の医療保険の診療報酬改定においては、脳卒中ケアユニット入院医療管理料の加算要件と画像診断管理加算の施設基準要件が緩和された。

　まず、脳卒中ケアユニット入院医療管理料の加算については、従前は当該保険医療機関内に、神経内科または脳神経外科の経験を5年以上有する専任の医師が常時1名以上いることが必要だったが、院外から迅速に診療上の判断を支援する体制が確保されていることを条件に、医師の専門分野

---

1)「医療機器プログラム」とは、医療機器のうちプログラムであるものをいい、「プログラム」とは、電子計算機に対する指令であって、一の結果を得ることができるように組み合わされたものをいう（厚生労働省「医療機器プログラムの取扱いについて」（平成26年11月21日））。

における経験年数の要件が5年から3年に引き下げられた。

　次に、画像診断管理加算については、従前は当該保険医療機関内で読影を行うことが必要だったが、画像診断を担当する医師が、画像の読影および送受信を行うにつき十分な装置・機器を用いて、自宅等の院外から、読影、診断および担当医への報告をした場合にも、加算を受けることできると要件が緩和された[2]。

　そして、上記の各緩和に合わせて、医療機器プログラムである「Join」というMRIやCTといった医用の画像データを含む情報の授受やコミュニケーションができる外部連携システムが、平成28年4月の医療保険の診療報酬改定で緩和された上記の要件で診療報酬の加算を受ける際に利用できるものとして[3]、保険収載された[4]。

　なお、平成28年4月の診療報酬改定では、個々の患者の診療に関する情報等を送受信する場合は安全な通信環境を確保することも必要とされているが[5]、Joinは、現在の3省2ガイドライン（厚生労働省「医療情報システムの安全管理に関するガイドライン〔第5.2版〕」（令和4年3月）および経済産業省・総務省「医療情報を取り扱う情報システム・サービスの提供事業者における安全管理ガイドライン」（令和2年8月））に相当する当時の3省4ガイドライン（ Q5 ）に準拠して情報セキュリティを確保することで対応したようである。

2　治療用アプリの保険収載に向けた動向

　治療用アプリとは、生活習慣病や精神疾患などに対する治療効果を持つスマートフォン向けのアプリを指す。近年、患者がスマートフォンを用いて記録する日常の投薬や生活の状況に関し、そのデータの解析を行い、蓄積データや分析結果、およびアドバイス等を主治医や患者へ提供し、患者の投薬管理や生活習慣改善の支援を行う、こうした治療用アプリの開発が進んでいる。

　治療用アプリは、医療機器に組み込まれていない単体のソフトウェアで

---

2) 厚生労働省保険局医療課「平成28年度診療報酬改定の概要」（平成28年3月4日）
3) 中央社会保険医療協議会「第325回総会議事録」（平成28年1月27日）
4) 厚生労働省保険局医療課「医療機器の保険適用について」（平成28年3月31日）
5) 厚生労働省保険局医療課・前掲注2)

あるため、国内の薬機法および医療保険制度においては、1で述べた医療機器プログラムに分類される。2020 年 12 月 1 日には、治療用アプリとしては国内で初めて、「CureApp SC ニコチン依存症治療アプリ及び CO チェッカー」が保険適用された[6]。既に申請中のものを含め、保険適用される事例は今後増加することが予想される。

---

6) 厚生労働省「医療機器の保険適用について」（令和 2 年 11 月 30 日）

第5章

オンラインによる
診療・服薬指導・医薬品販売

174　第5章　オンラインによる診療・服薬指導・医薬品販売

Q 49　オンライン診療の可否

Q　私は医師をしていますが、休日や深夜などの時間帯に、スカイプなどのテレビ電話機能、電子メールやSNS、チャットなどを使って、診療を行いたいと思っています。可能でしょうか。

- ▶

A　オンライン診療指針が「最低限遵守すべき事項」として掲げる事項を遵守してオンライン診療を行う場合には、医師法20条に抵触するものではなく、可能とされています。

═══ 解　説 ═══

1　無診察治療の禁止

　医師法20条は、医師は、自ら診察しないで治療をしてはならないとし、無診察治療の禁止を定めている。オンライン診療は、離島、へき地の患者等については、医師の往診や、患者の来院に困難が伴うため、従来からその必要性が主張されていた一方で、医師と患者との間を何らかの情報通信手段によって繋ぐことにより診察を行う場合、同条の「診察」の要件を満たすのかについては議論があった。

2　通知による明確化

　そのような中、平成9年12月24日に、厚生省からオンライン診療に係る通知「情報通信機器を用いた診療（いわゆる『遠隔診療』）について」（以下「平成9年通知」という））が公表された。

　平成9年通知では、まず、オンライン診療の基本的な考え方として、「診療は、医師又は歯科医師と患者が直接対面して行われることが基本であり、遠隔診療は、あくまで直接の対面診療を補完するものとして行うべきものである」とされ、オンライン診療が、対面診療を補完するものであることが確認された。そして、医師法20条の「診察」とは、「問診、視診、触診、聴診その他手段の如何を問わないが、現代医学から見て、疾病に対して一応の診断を下し得る程度のものをいう」とされ、「直接の対面

診療による場合と同等ではないにしてもこれに代替し得る程度の患者の心身の状況に関する有用な情報が得られる場合には、遠隔診療を行うことは直ちに医師法第 20 条等に抵触するものではない」ことが確認された。また、平成 9 年通知では、例えば、「初診および急性期の疾患に対しては、原則として直接の対面診療によること」等といった留意事項も定められた。

このように、平成 9 年通知によって、オンライン診療は限定的な場合ではあるものの、一定の条件を満たすことで、医師法 20 条に抵触することなく行うことができることが明確化された。

3　平成 9 年通知の改正等

その後、平成 9 年通知は、平成 15 年と平成 23 年に一部が改正され、平成 27 年から平成 29 年の間にもその内容の一部明確化が行われた。各通知の概要は、下表のとおりである。

通　知	主な改正点等
平成 15 年通知[1]	遠隔診療が許容される場合の 1 つである、直近まで相当期間にわたって診療を継続してきた慢性期疾患の患者など病状が安定している患者を対象とする遠隔診療について、①患者の病状急変時等の連絡・対応体制を確保した上で行うべきこと、および、②対象症例が別表に規定された
平成 23 年通知[2]	直近まで相当期間にわたって診療を継続してきた慢性期疾患の患者など病状が安定している患者に対する遠隔診療について、①直接の対面診療を行うことが困難な場合に準ずる場合に限られないこととされ、また、②「在宅脳血管障害療養患者」と「在宅がん患者」の 2 種類の疾患が、患者の療養環境の向上が認められる遠隔診療を例示した別表に追加された

---

1) 厚生労働省「『情報通信機器を用いた診療（いわゆる『遠隔診療』）について』の一部改正について」（平成 15 年 3 月 31 日）
2) 厚生労働省「『情報通信機器を用いた診療（いわゆる『遠隔診療』）について』の一部改正について」（平成 23 年 3 月 31 日）

176　第5章　オンラインによる診療・服薬指導・医薬品販売

平成27年通知[3]	①「離島、へき地の患者」は、「直接の対面診療を行うことが困難である場合」の例示であること、②別表に掲げられている遠隔診療の対象および内容は例示であること、③常に直接の対面診療を行った上で、遠隔診療を行わなければならないものではないことが確認された
平成28年通知[4]	電子メール、ソーシャルネットワーキングサービス等の文字および写真のみによって得られる情報により診察を行い、対面診療を行わず遠隔診療だけで診療を完結させることを想定した事業について、平成9年通知の基本的考え方および注意事項に反し、医師法20条に違反することが明確化された
平成29年通知[5]	上記平成27年通知の内容を再度周知、明確化するとともに、①禁煙外来については一定の場合には直接の対面診療の必要性を柔軟に取り扱っても直ちに医師法20条等に抵触するものではないこと等や、②当事者が医師および患者本人であることが確認できる限り、テレビ電話、電子メール、ソーシャルネットワーキングサービス等の情報通信機器を組み合わせた遠隔診療も、直接の対面診療に代替し得る程度の患者の心身の状況に関する有用な情報が得られる場合には、直ちに医師法20条等に抵触するものではないことが確認された

4　オンライン診療指針

　平成9年通知について一部改正、明確化が繰り返される中、ICTを活用した医師の勤務環境改善の要請や、情報通信機器を用いた診療が医師の不足する地域において有用なものであること等を背景に、更なる情報通信技術の進展に伴い、情報通信機器を用いた診療の普及が一層進んでいくと考えられ、情報通信機器を用いた診療の安全で適切な普及を推進していくた

---

3) 厚生労働省「情報通信機器を用いた診療（いわゆる『遠隔診療』）について」（平成27年8月10日）
4) 厚生労働省「インターネット等の情報通信機器を用いた診療（いわゆる『遠隔診療』）を提供する事業について」（平成28年3月18日）
5) 厚生労働省「情報通信機器を用いた診療（いわゆる『遠隔診療』）について」（平成29年7月14日）

めにも、情報通信機器を用いた診療に係るこれまでの考え方を整理・統合し、適切なルール整備を行うことが求められた。

そのため、平成30年3月に、厚生労働省において、オンライン診療指針（以下「指針」という）が策定され、オンライン診療に関して、最低限遵守する事項および推奨される事項ならびにその考え方が示された。また、令和元年7月および令和4年1月には、指針の一部改訂も行われている。

指針では、安全性・必要性・有効性の観点から、医師、患者および関係者が安心できる適切なオンライン診療の普及を推進するために、診療計画や、本人確認、診察方法等について必要なルールが定められている。

なお、指針によれば、指針が「最低限遵守すべき事項」として掲げる事項を遵守してオンライン診療を行う場合には、医師法20条に抵触するものではないとされているため、オンライン診療を行おうとする場合には、少なくとも、「最低限遵守すべき事項」は遵守する必要があろう。

5 その他の留意点

オンライン診療については、指針公表後の平成30年12月26日に厚生労働省より「オンライン診療における不適切な診療行為の取扱いについて」が出されている。

同通知によれば、①指針に規定された例外事由に該当しないにもかかわらず、初診の患者についてオンライン診療を実施する行為、②指針に規定された例外事由に該当しないにもかかわらず、直接の対面診療を組み合わせずにオンライン診療のみで診療を完結する行為、③情報通信手段としてチャット機能のみを用いた診療行為は、医師法20条に違反するおそれがあるとされている。

また、これらとは別に、仮に指針に準拠していた場合であっても、オンライン診療について、患者の自費ではなく、診療報酬を請求しようとする場合には、別途、診療報酬を請求するための各種要件を充足する必要がある点にも留意が必要である。詳細は Q54 を参照されたい。

178　第5章　オンラインによる診療・服薬指導・医薬品販売

Q 50　オンライン診療の開始時・開始後の留意点

Q　各患者との間でオンライン診療を開始するに際しては、どのような方法で
開始すればよいでしょうか。初診患者や急病急変患者でも、オンライン診療
で対応して問題ないでしょうか。
　また、オンライン診療を開始した後にも何か留意点はあるのでしょうか。

--→

A　オンライン診療の開始にあたっては、患者がオンライン診療を希望してい
ることを確認した上で、医師が診療計画を策定するとともに、患者に対して
適切な説明をした上で、患者との間の合意の下で行うことが必要となります。
　初診患者のオンライン診療については、原則、かかりつけの医師が行うべ
きであるとされています。
　オンライン診療を開始した後にも、①本人確認、②薬剤処方・管理、③診
察方法、④診療場所などについて、オンライン診療指針を遵守する必要があ
ります。

═══ 解　説 ═══

1　オンライン診療の開始

　Q 49 のとおり、オンライン診療は、厚生労働省が平成30年3月に公
表し、令和元年7月および令和4年1月に一部改訂されたオンライン診療
指針（以下「指針」という）に従って行う必要がある。

(1)　診療計画の策定

　指針によれば、医師は、患者の心身の状態について十分な医学的評価を
行った上で、医療の安全性の担保および質の確保・向上や、利便性の向上
を図る観点から、オンライン診療を行うにあたって必要となるルールを
「診療計画」として策定し、患者の合意を得ておくべきとされている。
　具体的には、オンライン診療を行う前に直接の対面診療により診断等を
行い、その評価に基づいて次の事項を含む「診療計画」を定め、2年間は
保存するべきとされている。なお、厚生労働省「『オンライン診療の適切
な実施に関する指針』に関するQ&A」（平成30年12月作成、令和元年7月

および令和4年1月改訂。以下「Q&A」という）によれば、ここでいう「2年間」とは、オンライン診療による患者の診療が完結した日から起算するものとされており、また、診療録と合わせて5年間保存することが望ましいとされている。

	診療計画の内容
1	オンライン診療で行う具体的な診療内容（疾病名、治療内容等）
2	オンライン診療と直接の対面診療、検査の組み合わせに関する事項（頻度やタイミング等）
3	診療時間に関する事項（予約制等）
4	オンライン診療の方法（使用する情報通信機器等）
5	オンライン診療を行わないと判断する条件と、条件に該当した場合に直接の対面診療に切り替える旨（情報通信環境の障害等によりオンライン診療を行うことができなくなる場合を含む）
6	触診等ができないこと等により得られる情報が限られることを踏まえ、患者が診察に対し積極的に協力する必要がある旨
7	急病急変時の対応方針（自らが対応できない疾患等の場合は、対応できる医療機関の明示）
8	複数の医師がオンライン診療を実施する予定がある場合は、その医師の氏名およびどのような場合にどの医師がオンライン診療を行うかの明示
9	情報漏洩等のリスクを踏まえて、セキュリティリスクに関する責任の範囲およびそのとぎれがないこと等の明示

　また、指針によれば、初診からのオンライン診療を行う場合については、診察の後にその後の方針（例えば、次回の診察の日時および方法ならびに症状の増悪があった場合の対面診療の受診先等）を患者に説明するものとされている。

　さらに、指針によれば、オンライン診療において、映像や音声等を、医師側または患者側端末に保存する場合には、それらの情報が診療以外の目的に使用され、患者や医師が不利益を被ることを防ぐ観点から、事前に医師と患者との間で、映像や音声等の保存の要否や保存端末等の取り決めを明確にし、双方で合意しておくことが求められている。そして、患者の疾病の急変時等にオンライン診療を実施する医師自らが対応できないことが

180　第5章　オンラインによる診療・服薬指導・医薬品販売

想定される場合、そのような急変に対応できる医療機関に当該患者の必要な医療情報が事前に伝達されるよう、適切な情報提供体制を整備しておくことが求められている。

(2)　患者との合意

指針によれば、オンライン診療においては、患者が医師に対して、心身の状態に関する情報を伝えることになることから、医師と患者が相互に信頼関係を構築した上で行われるべきであり、双方の合意（前記(1)記載の「診療計画」の合意を含む）に基づき実施する必要があるとされている。なお、双方の合意にあたっては、医師は、患者がオンライン診療を希望する旨を明示的[1]に確認するものとされている。

また、医師は、患者の合意を得るに先立って、患者に対し、以下の事項の説明を行う（緊急時にやむを得ずオンライン診療を実施する場合であって、ただちに説明等を行うことができないときは、説明可能となった時点において速やかに説明を行う）ものとされている。

説明事項
触診等を行うことができない等の理由により、オンライン診療で得られる情報は限られていることから、対面診療を組み合わせる必要があること
オンライン診療を実施する都度、医師がオンライン診療の実施の可否を判断すること
診療計画に含まれる事項

なお、上記の説明事項のとおり、医師はオンライン診療を実施する都度、医学的な観点から実施の可否を判断し、オンライン診療が適切ではないと判断した場合には、これを中止し、速やかに適切な対面診療につなげるべきとされている。

---

1)　Q&Aによれば、オンライン診療に関する留意事項の説明がなされた文書等を用いて患者がオンライン診療を希望する旨を書面（電子データを含む）において署名等してもらうことを指すとされている。

2　オンライン診療の対象

　指針によれば、オンライン診療の実施の可否の判断については、安全に
オンライン診療が行えることを確認しておくことが必要であることから、
オンライン診療が困難な症状として、一般社団法人日本医学会連合が作成
した「オンライン診療の初診に適さない症状」等を踏まえて医師が判断
し、オンライン診療が適さない場合には対面診療を実施する（対面診療が
可能な医療機関を紹介する場合も含む）こととされている。なお、緊急性が
高い症状の場合は速やかに対面受診を促すこととされている。

　また、初診[2]からのオンライン診療は、原則として日頃より直接の対面
診療を重ねている等、患者と直接的な関係が既に存在する医師（なお、
Q&Aによれば最後の診療からの期間や定期的な受診の有無によって一律に制限
されるものではない。以下「かかりつけの医師」という）が行う必要があると
されている。ただし、既往歴、服薬歴、アレルギー歴等のほか、症状から
勘案して問診および視診を補完するのに必要な医学的情報を過去の診療
録、診療情報提供書、健康診断の結果、地域医療情報ネットワーク、お薬
手帳、Personal Health Record（PHR）等から把握でき、患者の症状と合わ
せて医師が可能と判断した場合にも実施できるものとされている（後者の
場合、事前に得た情報を診療録に記載する必要がある）。

　上記の例外として、「かかりつけの医師」以外の医師が診療前相談[3]を
行った上で初診からのオンライン診療を行う[4]のは、①かかりつけの医師
がオンライン診療を行っていない場合や、休日夜間等で、かかりつけの医
師がオンライン診療に対応できない場合、②患者にかかりつけの医師がい
ない場合、③かかりつけの医師がオンライン診療に対応している専門的な
医療等を提供する医療機関に紹介する場合（必要な連携を行っている場合、
D to P with Dの場合を含む）や、セカンドオピニオンのために受診する場
合が想定されるが、その際、オンライン診療の実施後、対面診療につなげ

---

2) Q&Aによれば、「初診」とは、初めて診察を行うことをいい、継続的に診療している場合に
　おいても、新たな症状等（ただし、既に診断されている疾患から予測された症状等を除く）
　に対する診察を行う場合や、疾患が治癒した後または治療が長期間中断した後に再度同一疾
　患について診察する場合も、「初診」に含むとされている。なお、診療報酬において「初診
　料」の算定上の取扱いが定められているが、指針における「初診」と、「初診料」を算定す
　る場合とは、必ずしも一致しないとされている。

182　第5章　オンラインによる診療・服薬指導・医薬品販売

られるようにしておくことが、安全性が担保されたオンライン診療が実施
できる体制として求められるとされている。

　加えて、複数の医師が関与する場合の例外についても、以下のとおり、
指針において定められている。

1	在宅診療において在宅療養支援診療所が連携して地域で対応する仕組みが構築されている場合や複数の診療科の医師がチームで診療を行う場合等において、特定の複数医師が関与することについて診療計画で明示しており、いずれかの医師が直接の対面診療を行っている場合には、全ての医師について直接の対面診療が行われる必要はなく、これらの医師が交代でオンライン診療を行うこととしても差し支えない（ただし、交代でオンライン診療を行う場合は、診療計画に医師名を記載する）
2	オンライン診療を行う予定であった医師の病欠、勤務の変更などにより、診療計画において予定されていない代診医がオンライン診療を行わなければならない場合は、患者の同意を得た上で、診療録記載を含む十分な引継ぎを行っていれば、実施できる
3	主に健康な人を対象にした診療であり、対面診療においても一般的に同一医師が行う必要性が低いと認識されている診療（Q&Aによれば、健康診断など疾患の治療を目的としていない診療（診察、診断等）が想定されている）を行う場合などにおいても、診療計画での明示など同様の要件の下、特定の複数医師が交代でオンライン診療を行うことが認められる

---

3) 診療前相談は、かかりつけの医師以外の医師が初診からのオンライン診療を行おうとする場合（医師が患者の医学的情報を十分に把握できる場合を除く）に、医師─患者間で映像を用いたリアルタイムのやりとりを行い、医師が患者の症状及び医学的情報を確認する行為をいう。診療前相談において、適切な情報が把握でき、医師・患者双方がオンラインでの診療が可能であると判断し、相互に合意した場合にオンライン診療を実施することが可能である（オンライン診療を実施する場合においては、診療前相談で得た情報を診療録に記載する必要がある。オンライン診療に至らなかった場合にも診療前相談の記録は保存しておくことが望ましい）。なお、診療前相談は、診断、処方その他の診療行為は含まない行為である。また、Q&Aによれば診療前相談を効果的かつ効率的に行うため、診療前相談に先立って、メール、チャットその他の方法により患者から情報を収集することは差し支えないとされている。

4) 診療前相談については、これを行うにあたり、結果としてオンライン診療が行えない可能性があることや、診療前相談の費用等について医療機関のホームページ等で示すほか、あらかじめ患者に十分周知することが必要であるとされている。そして、診療前相談により対面受診が必要と判断した場合であって、対面診療を行うのが他院である場合は、診療前相談で得た情報について必要に応じて適切に情報提供を行う必要がある。

Q50　オンライン診療の開始時・開始後の留意点　183

　上記のほか、治療等の内容に応じた例外についても、以下のとおり指針において定められている。

1	禁煙外来については、定期的な健康診断等が行われる等により疾病を見落とすリスクが排除されている場合であって、治療によるリスクが極めて低いものとして、患者側の利益と不利益を十分に勘案した上で、直接の対面診療を組み合わせないオンライン診療を行うことが許容され得る
2	緊急避妊に係る診療については、緊急避妊を要するが対面診療が可能な医療機関等に係る適切な情報を有しない女性に対し、女性の健康に関する相談窓口等（女性健康支援センター、婦人相談所、性犯罪・性暴力被害者のためのワンストップ支援センターを含む）において、対面診療が可能な医療機関のリスト等を用いて受診可能な医療機関を紹介することとし、その上で直接の対面診療を受診することとする。例外として、地理的要因がある場合、女性の健康に関する相談窓口等に所属する、またはこうした相談窓口等と連携している医師が女性の心理的な状態に鑑みて対面診療が困難であると判断した場合においては、産婦人科医または厚生労働省が指定する研修を受講した医師が、初診からオンライン診療を行うことは許容され得るとされている。ただし、初診からオンライン診療を行う医師は1錠のみの院外処方を行うこととし、受診した女性は薬局において研修を受けた薬剤師による調剤を受け、薬剤師の面前で内服することとする。その際、医師と薬剤師はより確実な避妊法について適切に説明を行うこととし、加えて、内服した女性が避妊の成否等を確認できるよう、産婦人科医による直接の対面診療を約3週間後に受診することを確実に担保することにより、初診からオンライン診療を行う医師は確実なフォローアップを行うこととする （注）オンライン診療を行う医師は、対面診療を医療機関で行うことができないか、再度確認すること。また、オンライン診療による緊急避妊薬の処方を希望した女性が性被害を受けた可能性がある場合は、十分に女性の心理面や社会的状況に鑑みながら、警察への相談を促すこと（18歳未満の女性が受けた可能性がある性被害が児童虐待にあたると思われる場合には児童相談所へ通告すること）、性犯罪・性暴力被害者のためのワンストップ支援センター等を紹介すること等により、適切な支援につなげること。さらに、事前に研修等を通じて、直接の対面診療による検体採取の必要性も含め、適切な対応方法について習得しておくこと

　なお、急病急変患者[5]については、原則として直接の対面による診療を行うことが定められているが、急病急変患者であっても、直接の対面によ

184　第5章　オンラインによる診療・服薬指導・医薬品販売

る診療を行った後、患者の容態が安定した段階に至った際は、オンライン診療の適用を検討してもよいとされている。

3　オンライン診療開始後の留意点

オンライン診療を開始した後も、以下のとおり、指針に従った運用をしていく必要があることは当然である。

⑴　本人確認

指針によれば、医師は、自身が医師免許を保有していることを患者が確認できる環境を整えておかなければならない。また、緊急時などに身分確認書類を保持していない等のやむを得ない事情がある場合を除き、原則として、医師と患者双方が身分確認書類を用いてお互いに本人確認を行わなければならない（社会通念上、当然に本人と認識できる状況であれば診療の都度本人確認を行うことは不要である）。

⑵　薬剤処方・管理

現にオンライン診療を行っている疾患の延長とされる症状に対応するために必要な医薬品については、医師の判断により、オンライン診療による処方が可能とされている。ただし、患者の心身の状態の十分な評価を行うため、初診からのオンライン診療の場合および新たな疾患に対して医薬品の処方を行う場合は、一般社団法人日本医学会連合が作成した「オンライン診療の初診での投与について十分な検討が必要な薬剤」等の関係学会が定める診療ガイドラインを参考に行う必要があるとされている（ただし、初診の場合には、①麻薬および向精神薬の処方、②基礎疾患等の情報が把握できていない患者に対する、特に安全管理が必要な薬品（診療報酬における薬剤管理指導料の「1」の対象となる薬剤）の処方、③基礎疾患等の情報が把握できていない患者に対する8日分以上の処方は行わないものとされている）。

---

5) Q&Aによれば、急病急変患者とは、急性に発症または容態が急変し、直ちに対面での診療が必要となるような患者を指すとされている。このため、急性発症であっても症状が軽い患者は必ずしも該当せず、医師の判断で初診からのオンライン診療を行うことが可能であるとされている。なお、判断にあたっては、一般社団法人日本医学会連合作成の「オンライン診療の初診に適さない症状」（「オンライン診療の初診に関する提言（2021年6月1日版)」）等を参考にすることとされている。

さらに、指針では、重篤な副作用が発現するおそれのある医薬品の処方は特に慎重に行い、処方後の患者の服薬状況の把握に努めるなどのリスク管理が求められている。

加えて、オンライン診療においても、医師は、患者に対して、現在服薬している医薬品を確認しなければならないとされている。

(3) 診察方法

指針によれば、医師がオンライン診療を行っている間、患者の状態について十分に必要な情報が得られていると判断できない場合には、速やかにオンライン診療を中止し、直接の対面診療を行う必要があるとされている。

また、オンライン診療では、可能な限り多くの診療情報を得るために、リアルタイムの視覚および聴覚の情報を含む情報通信手段を採用することとされている。直接の対面診療に代替し得る程度の患者の心身の状況に関する有用な情報が得られる場合には、補助的な手段として、画像や文字等による情報のやりとりを活用することも許容されるが、文字、写真および録画動画のみのやりとりでの完結は認められない（Q&Aにおいても、チャットなどのみによる診療は認められないとされている）。

なお、オンライン診療の間などに、文字等により患者の病状の変化に直接関わらないことについてコミュニケーションを行うにあたっては、リアルタイムの視覚および聴覚の情報を伴わないチャット機能（文字、写真、録画動画等による情報のやりとりを行うもの）が活用され得るが、この際、オンライン診療と区別するため、あらかじめチャット機能を活用して伝達し合う事項・範囲を決めておくべきとされている。

さらに、指針では、オンライン診療において、医師は、情報通信機器を介して、同時に複数の患者の診療を行ってはならないとされている。

また、医師のほかに医療従事者等が同席する場合、その都度患者に説明を行い、患者の同意を得なければならないとされている。

(4) オンライン診療の提供体制（医師側）

まず、当然のことながら、オンライン診療を行う医師は、医療機関に所属し、その所属を明らかにしておく必要がある。

また、患者の急病急変時に適切に対応できるように、患者が速やかにア

186　第5章　オンラインによる診療・服薬指導・医薬品販売

クセスできる医療機関において直接の対面診療を行える体制も整備してお
く必要がある。

　さらに、医師は、騒音により音声が聞き取れない、ネットワークが不安
定であり動画が途切れる等、オンライン診療を行うにあたり適切な判断を
害する場所でオンライン診療を行うことはできない。そして、オンライン
診療を行う際は、診療録等を参照できるようにするなど、医療機関に居る
場合と同等程度に患者の心身の状態に関する情報を得られる体制を整えて
おく必要がある。また、第三者に患者の心身の状態に関する情報の伝わる
ことのないように、医師は物理的に外部から隔離される空間においてオン
ライン診療を行う必要がある。

　なお、患者の所在に関する提供体制については Q 51 を、通信環境
（情報セキュリティ・利用端末）に関する提供体制については Q 52 Q 53
を参照されたい。

Q 51　オンライン診療を受ける場所

Q　患者がオンライン診療を受ける場合の場所については、インターネットがつながればどこでもよいと考えてよいでしょうか。

A　医療提供施設または患者が療養生活を営むことができる場所でなければなりません。また、これに加えて、患者に関する個人情報・医療情報が伝わることのないよう、患者のプライバシーに十分配慮された環境でオンライン診療が行われるべきであり、さらに、当然ながら、清潔が保持され、衛生上、防火上および保安上安全と認められるような場所でオンライン診療が行われるべきとされています。

解　説

　Q 49 のとおり、オンライン診療は、厚生労働省が公表しているオンライン診療指針（以下「指針」という）に従って行う必要がある。

　医療法上、医療は、病院、診療所等の医療提供施設または患者の居宅等で提供されなければならないとされており（医療法１条の２第２項）、オンライン診療にもこれが適用される。そして、医療法施行規則１条では、「居宅等」とは、老人福祉法に規定する養護老人ホーム等のほか、医療を受ける者が療養生活を営むことができる場所と規定されているため、オンライン診療においても、患者は、医療提供施設か、または、患者が療養生活を営むことができる場所で診察を受ける必要がある。

　また、患者の所在が医療提供施設であるか居宅等であるかにかかわらず、第三者に患者に関する個人情報・医療情報が伝わることのないように、患者のプライバシーに十分配慮された環境でオンライン診療が行われるべきである。そして、プライバシーが保たれるよう、患者が物理的に外部から隔離される空間においてオンライン診療が行わなければならないとされている。

　さらに、当然ではあるが、患者がオンライン診療を受ける場所は、清潔が保持され、衛生上、防火上および保安上安全と認められるような場所でなければならないともされている。

188 第5章 オンラインによる診療・服薬指導・医薬品販売

　なお、患者の日常生活等の事情によって異なるが、患者の勤務する職場等についても、療養生活を営むことのできる場所として認められると考えられている。

Q52 オンライン診療における情報セキュリティの観点からの留意点

Q 医師としてオンライン診療を行うに際し、情報セキュリティの観点から留意すべき点はありますか。

- →

A 医師としては、オンライン診療に用いるシステムによって講じるべき対策が異なることを理解し、オンライン診療を計画する際には、患者に対してセキュリティリスクを説明し、同意を得る必要があり、また、システムは適宜アップデートされ、リスクも変わり得ること等について理解を深めるべきであるとされています。

═══ 解 説 ═══

オンライン診療に適用される規制やオンライン診療を実施する際の留意点は、 Q49 ～ Q51 において説明したとおりであるが、ここでは、特に、情報セキュリティの観点から、医師が留意すべき事項について説明する。

厚生労働省が公表しているオンライン診療指針（以下「指針」という）によれば、オンライン診療の実施にあたっては、利用する情報通信機器やクラウドサービスを含むオンライン診療システム（オンライン診療で使用されることを念頭に作成された視覚および聴覚を用いる情報通信機器のシステム）および汎用サービス（オンライン診療に限らず広く用いられるサービスであって、視覚および聴覚を用いる情報通信機器のシステムを使用するもの）等を適切に選択・使用するために、個人情報およびプライバシーの保護に最大限配慮するとともに、使用するシステムに伴うリスクを踏まえた対策を講じた上で、オンライン診療を実施することが重要であるとされている。

指針では、かかる基本的な考え方に基づき、医師が留意すべき事項とオンライン診療システム事業者が留意すべき事項を整理して示している。

それらの事項のうち、特に、医師の留意事項については、オンライン診療に用いるシステムによって講じるべき対策が異なることを理解し、オンライン診療を計画する際には、患者に対してセキュリティリスクを説明し、同意を得る必要があり、また、システムは適宜アップデートされ、リ

190　第5章　オンラインによる診療・服薬指導・医薬品販売

スクも変わり得ることなど、理解を深めるべきであるとされている。

　さらに、指針においては、オンライン診療の実施にあたって医師が遵守すべき事項として、以下の各事項が示されている。

- ・　診療計画を作成する際に、患者に対して使用するオンライン診療システムを示し、それに伴うセキュリティリスク等と対策および責任の所在について患者に説明し、合意を得ること
- ・　OSやソフトウェア等を適宜アップデートするとともに、必要に応じてセキュリティソフトをインストールすること
- ・　オンライン診療に用いるシステムを使用する際には、多要素認証を用いるのが望ましいこと
- ・　汎用サービスを用いる場合は、医師のなりすまし防止のために、社会通念上、当然に医師本人であると認識できる場合を除き、原則として、顔写真付きの「身分証明書」と「医籍登録年」を示すこと（HPKIカードを使用するのが望ましい）
- ・　オンライン診療システムを用いる場合は、患者がいつでも医師の本人確認ができるように必要な情報を掲載すること
- ・　オンライン診療システムが指針が事業者に求める要件を満たしていることを確認すること（**Q 53** 参照）
- ・　医師がいる空間に診療に関わっていない者がいるかを示し、また、患者がいる空間に第三者がいないか確認すること。ただし、患者がいる空間に家族等やオンライン診療支援者がいることを医師および患者が同意している場合を除く
- ・　プライバシーが保たれるように、患者側、医師側ともに録音、録画、撮影を同意なしに行うことがないよう確認すること
- ・　チャット機能やファイルの送付などを患者側に利用させる場合には、医師側（所属病院等の医療従事者、スタッフ等を含む）から、セキュリティリスクを勘案した上で、チャット機能やファイルの送付などが可能な場合とその方法についてあらかじめ患者側に指示を行うこと
- ・　オンライン診療を実施する医師は、オンライン診療の研修等を通じて、セキュリティリスクに関する情報を適宜アップデートすること
- ・　患者が入力したPersonal Health Record（以下「PHR」という）をオンライン診療システム等を通じて診察に活用する際には、当該PHR

を管理する事業者との間で当該 PHR の安全管理に関する事項を確認すること

　そのほかにも、指針には、医師が汎用サービスを用いる場合および医師が医療情報システムに影響を及ぼす可能性があるシステムを用いる場合に留意・実施すべき事項等が示されており、医師がオンライン診療を行う場合にはこれらも参照すべきである。

　また、医師がオンライン診療を活用する際は、診療計画を作成する際に患者に対して、オンライン診療を行う際のセキュリティおよびプライバシーのリスクを説明し、患者側が負うべき責任があることを明示する必要があることにも留意が必要である。これらに関する具体的な遵守事項も指針において示されている。

192　第5章　オンラインによる診療・服薬指導・医薬品販売

Q 53　オンライン診療システム事業者の留意点

Q　当社は、オンライン診療を提供できるシステムを開発し、医師に提供したいと考えています。情報セキュリティの観点で留意すべき点はどのような点になりますでしょうか。

- ▶

A　オンライン診療指針には、セキュリティ対策などのオンライン診療システム事業者が留意すべき事項が示されており、これらを遵守する必要があります。

═══ 解　説 ═══

　Q 52 で述べたとおり、厚生労働省の公表しているオンライン診療指針（以下「指針」という）では、医師が留意すべき事項とオンライン診療システム事業者が留意すべき事項を整理して示している。

　かかる留意事項のうち、特にオンライン診療システム事業者が留意すべき事項は、以下のとおりである。

- ・　医師に対して、医師が負う情報漏洩・不正アクセス等のセキュリティリスクを明確に説明すること
- ・　オンライン診療システムの中に汎用サービスを組み込んだシステムにおいても、事業者はシステム全般のセキュリティリスクに対して責任を負うこと
- ・　オンライン診療システム等が医療情報システムに影響を及ぼし得るかを明らかにすること
- ・　医療情報システム以外のシステム（端末・サーバー等）における診療にかかる患者個人に関するデータの蓄積・残存の禁止（医療情報システムに影響を及ぼす可能性があるシステムの場合を除く）
- ・　システムの運用保守を行う医療機関の職員や事業者、クラウドサービス事業者におけるアクセス権限の管理（ID またはパスワードや生体認証、IC カード等により多要素認証を実施することが望ましい）
- ・　不正アクセス防止措置を講じること（IDS または IPS を設置する等）
- ・　不正アクセスやなりすましを防止するため、患者が医師の本人確認

を行えるように、顔写真付きの身分証明書と医籍登録年を常に確認できる機能を備えること（例えば、JPKI を活用した認証や端末へのクライアント証明書の導入、ID またはパスワードの設定、HPKI カード等）

・　アクセスログの保全措置（ログ監査・監視を実施することが望ましい）
・　端末へのウイルス対策ソフトの導入、OS・ソフトウェアのアップデートの実施を定期的に促す機能を備えること
・　信頼性の高い機関によって発行されたサーバー証明書を用いて、通信の暗号化（TLS1.2）を実施すること
・　オンライン診療時に、複数の患者が同一の施設からネットワークに継続的に接続する場合には、IP-VPN や IPsec + IKE による接続を行うことが望ましいこと
・　遠隔モニタリング等で蓄積された医療情報については、厚生労働省の定める「医療情報安全管理関連ガイドライン〔第 5.2 版〕」（令和 4 年 3 月）に基づいて、安全に取り扱えるシステムを確立すること
・　使用するドメインが不適切な移管や再利用が行われないようにすること

　また、オンライン診療システムが、医療情報システムを扱う端末で使用され、オンライン診療を行うことで、医療情報システムに影響を及ぼす可能性がある場合には、これらの事項に加えて医療情報安全管理関連ガイドラインに沿った対策を行う必要があるとされており、指針には、この点に関して特に留意すべき事項も挙げられている。

　さらに、上記の各事項のうち指針で指定されている一部の項目については、システムがこれらを満たしているかどうかが第三者機関に認証されるのが望ましいとされている。

194 第5章 オンラインによる診療・服薬指導・医薬品販売

Q 54 オンライン診療と診療報酬

Q オンライン診療の場合も、診療報酬を請求できるでしょうか。

A 一定の要件を充足する場合には、オンライン診療であっても診療報酬を請求することができます。

解　説

1　オンライン診療に係る診療報酬改定のこれまでの概況

　オンライン診療は、従前は対面診療の補完として限定的に行われることが想定されていたため、これに特化した診療報酬は定められていなかった。しかし、遠隔診療に対する現場の要請が高まってきたことから、厚生労働省は、オンライン診療指針（以下「指針」という）を発出するとともに、平成30年度の診療報酬改定により、オンライン診療料などが創設された（厚生労働省「オンライン診療の診療報酬における取扱いについて」（令和元年5月27日））。

　具体的には、厚生労働省の告示である「診療報酬の算定方法」（平成20年3月5日）が、平成30年3月5日に改訂、同年4月1日から適用され、オンライン診療料、オンライン医学管理料、オンライン在宅管理料、精神科オンライン在宅管理料が新設された。このうち、オンライン医学管理料は、同告示の令和2年3月5日の一部改訂により廃止されている。

2　令和4年度診療報酬改定におけるオンライン診療に係る診療報酬の概要[1]

　令和4年度診療報酬改定においては、オンライン診療に係る診療報酬に関して、大要以下の見直しが行われた。

---

1)　厚生労働省保険局医療課「令和4年度診療報酬改定の概要　個別改定事項Ⅱ（情報通信機器を用いた診療）」（令和4年3月4日）

(1) 情報通信機器を用いた初診に係る評価の新設

　指針が令和4年1月に一部改訂されたことを踏まえ、令和4年度診療報酬改定では、情報通信機器を用いた場合の初診について、新たな評価を行うこととされた。

　具体的には、オンライン診療に係る初診料については、対面診療の点数水準と「時限的・特例的な対応」の点数水準の中間程度の水準とすることが適当であるという考えのもと、一定の施設基準に適合するものとして届け出た保健医療機関において、情報通信機器を用いた初診を行った場合には、251点を算定することとされた[2]。また、情報通信機器を用いた診療については、以下の1から7までの取扱いとすることとされた[3]。

1	指針に沿って情報通信機器を用いた診療を行った場合に算定する なお、この場合において、診療内容、診療日および診療時間等の要点を診療録に記載すること
2	情報通信機器を用いた診療は、原則として、保険医療機関に所属する保険医が保険医療機関内で実施すること なお、保険医療機関外で情報通信機器を用いた診療を実施する場合であっても、指針に沿った適切な診療が行われるものであり、情報通信機器を用いた診療を実施した場所については、事後的に確認可能な場所であること
3	情報通信機器を用いた診療を行う保険医療機関について、患者の急変時等の緊急時には、原則として、当該保険医療機関が必要な対応を行うこと

---

2)　厚生労働省「診療報酬の算定方法の一部を改正する件」(令和4年3月4日)。なお、厚生労働省「新型コロナウイルス感染症に係る診療報酬上の臨時的な取扱いについて（その10)」(令和2年4月10日)に基づき、初診から電話や情報通信機器を用いた診療により診断や処方を行った場合には、当該診療について、214点を算定することとされているが、令和4年度診療報酬改定後において、一定の施設基準を満たすものとして届け出た保険医療機関において、情報通信機器を用いた初診が行われた場合には、251点を算定するものとされている。なお、当該施設基準の届出を行っていない保険医療機関において、電話や情報通信機器を用いた診療が行われた場合にあっては、上記の事務連絡に基づき、214点を引き続き算定しても差し支えないものとされているが、この場合であっても令和4年度診療報酬改定後の施設基準に準じた体制の整備に最大限努めることとされている（厚生労働省「新型コロナウイルス感染症に係る診療報酬上の臨時的な取扱いについて（その67)」(令和4年3月4日))。

3)　厚生労働省「診療報酬の算定方法の一部改正に伴う実施上の留意事項について」(令和4年3月4日)

196 第5章 オンラインによる診療・服薬指導・医薬品販売

	ただし、夜間や休日など、当該保険医療機関がやむを得ず対応できない場合については、患者が速やかに受診できる医療機関において対面診療を行えるよう、事前に受診可能な医療機関を患者に説明した上で、以下の内容について、診療録に記載しておくこと ① 当該患者に「かかりつけの医師」がいる場合には、当該医師が所属する医療機関名 ② 当該患者に「かかりつけの医師」がいない場合には、対面診療により診療できない理由、適切な医療機関としての紹介先の医療機関名、紹介方法および患者の同意
4	指針において、「対面診療を適切に組み合わせて行うことが求められる」とされていることから、保険医療機関においては、対面診療を提供できる体制を有すること また、「オンライン診療を行った医師自身では対応困難な疾患・病態の患者や緊急性がある場合については、オンライン診療を行った医師がより適切な医療機関に自ら連絡して紹介することが求められる」とされていることから、患者の状況によって対応することが困難な場合には、ほかの医療機関と連携して対応できる体制を有すること
5	情報通信機器を用いた診療を行う際には、指針に沿って診療を行い、指針において示されている一般社団法人日本医学会連合が作成した「オンライン診療の初診に適さない症状」等を踏まえ、当該診療が指針に沿った適切な診療であることを診療録及び診療報酬明細書の摘要欄に記載すること また、処方を行う際には、指針に沿って処方を行い、同連合が作成した「オンライン診療の初診での投与について十分な検討が必要な薬剤」等の関係学会が定める診療ガイドラインを踏まえ、当該処方がオンライン指針に沿った適切な処方であることを診療録および診療報酬明細書の摘要欄に記載すること
6	情報通信機器を用いた診療を行う際は、予約に基づく診察による特別の料金の徴収はできない
7	情報通信機器を用いた診療を行う際の情報通信機器の運用に要する費用については、療養の給付と直接関係ないサービス等の費用として別途徴収できる

　また、初診料の情報通信機器を用いた診療に係る施設基準として、情報通信機器を用いた診療を行うにつき十分な体制が整備されていること[4]と、指針に沿って診療を行う体制を有する保険医療機関であることが必要

とされている[5]。

　なお、再診料について、一定の施設基準に適合するものとして届け出た保健医療機関において、情報通信機器を用いた再診を行った場合には、保険医療機関（許可病床のうち一般病床に係るものの数が200以上のものを除く）において再診を行った場合と同様に73点を算定することとされた[6]。また、外来診療料についても、一定の施設基準に適合するものとして届け出た保健医療機関において、情報通信機器を用いた再診を行った場合には、73点を算定することとされた。情報通信機器を用いた再診料および外来診療料に関する取扱いおよび施設基準については、初診料に関する取扱い（前記表の1〜7）および施設基準と同様とされた。

　また、オンライン診療料は、上記の見直しを踏まえて廃止された。

(2)　情報通信機器を用いた医学管理等に係る評価の見直し

　情報通信機器を用いて行った場合の医学管理等（医学管理料）については、概要、①入院中の患者に対して実施されるもの、②救急医療として実施されるもの、③検査等を実施しなければ医学管理として成立しないもの、④指針において、実施不可とされているもの、⑤精神医療に関するものを除いて対象が追加された。具体的な追加対象は以下の14種類である[6]。

　なお、検査料等が包括されている地域包括診療料、認知症地域包括診療

---

4)　①保険医療機関外で診療を実施することがあらかじめ想定される場合においては、実施場所が指針に該当しており、事後的に確認が可能であること、②対面診療を適切に組み合わせて行うことが求められていることを踏まえて、対面診療を提供できる体制を有すること、③患者の状況によって当該保険医療機関において対面診療を提供することが困難な場合に、ほかの保険医療機関と連携して対応できること、が必要とされる（厚生労働省「基本診療料の施設基準等及びその届出に関する手続きの取扱いについて」（令和4年3月4日））

5)　厚生労働省「基本診療料の施設基準等の一部を改正する件」（令和4年3月4日）、厚生労働省・前掲注4)

6)　なお、令和4年度診療報酬改定における一定の施設基準の届出を行っていない保険医療機関において、電話や情報通信機器を用いた再診により診断や処方を行った場合には、厚生労働省・前掲注2)「新型コロナウイルス感染症に係る診療報酬上の臨時的な取扱いについて（その10）」に基づき、電話等再診料等を引き続き算定しても差し支えないとされているが、この場合であっても同診療報酬改定後の施設基準に準じた体制の整備に最大限努めることとされている（厚生労働省・前掲注2)「新型コロナウイルス感染症に係る診療報酬上の臨時的な取扱いについて（その67)」）。

7)　厚生労働省・前掲注2)

198　第5章　オンラインによる診療・服薬指導・医薬品販売

料及び生活習慣病管理料については、情報通信機器を用いた場合の評価対象から除外された。

・　ウイルス疾患指導料	・　腎代替療法指導管理料
・　皮膚科特定疾患指導管理料	・　乳幼児育児栄養指導料
・　小児悪性腫瘍患者指導管理料	・　療養・就労両立支援指導料
・　がん性疼痛緩和指導管理料	・　がん治療連携計画策定料2
・　がん患者指導管理料	・　外来がん患者在宅連携指導料
・　外来緩和ケア管理料	・　肝炎インターフェロン治療計画料
・　移植後患者指導管理料	・　薬剤総合評価調整管理料

　また、現行においても情報通信機器を用いた場合の点数が設定されているもの（特定疾患療養管理料、小児科療養指導料、てんかん指導料、難病外来指導管理料、糖尿病透析予防指導管理料、在宅自己注射指導管理料）についても、評価の見直しが行われた。なお、精神科在宅患者支援管理料については、従前と同様に、一定の施設基準に適合するものとして届け出た保健医療機関において、情報通信機器を用いた診察（訪問診療と同時に行う場合を除く）による医学管理を行っている場合に、精神科オンライン在宅管理料として、100点を所定点数に加えて算定できるものとされている。また、ニコチン依存症管理料及び遠隔連携診療料については、令和2年度診療報酬改定において、情報通信機器を用いて行った場合の点数が追加された。

(3)　情報通信機器を用いた在宅管理に係る評価の見直し

　在宅時医学総合管理料については、訪問による対面診療と情報通信機器を用いた診療を組み合わせて実施した場合の評価を新設するとともに、オンライン在宅管理料が廃止された。

　また、在宅時医学総合管理料の訪問による対面診療と情報通信機器を用いた診療を組み合わせて実施した場合の評価における要件について、情報通信機器を用いた診療の見直しにあわせて、事前の対面診療の期間を3ヵ月とされていた要件が廃止され、複数の医師がチームで診療を行う場合についての要件についても、従前「同一の保険医療機関に所属する5人以下のチームで診療を行っている場合」とされていたところ、「同一の保険医療機関に所属するチームで診療を行っている場合」とされた。

なお、施設入居時等医学総合管理料についても、訪問による対面診療と情報通信機器を用いた診療を組み合わせて実施した場合の評価が新設された。

(4) 外来栄養食事指導料の要件の見直し

初回から情報通信機器等を用いて栄養食事指導を行った場合の評価が見直された。

具体的には、「外来栄養食事指導料1」について、入院中の患者以外の患者であって、疾病治療の直接手段として、医師の発行する食事箋に基づき提供された適切な栄養量および内容を有する一定の特別食を必要とする患者、がん患者、摂食機能若しくは嚥下機能が低下した患者又は低栄養状態にある患者（以下「対象患者」という）に対して、保険医療機関の医師の指示に基づき当該保険医療機関の管理栄養士が電話または情報通信機器によって必要な指導を行った場合に、初回の指導を行った月にあっては月2回に限り、その他の月にあっては月1回に限り算定することとされた。

また、「外来栄養食事指導料2」についても、対象患者に対して、保険医療機関（診療所に限る）の医師の指示に基づき当該保険医療機関以外の管理栄養士が電話または情報通信機器によって必要な指導を行った場合に、初回の指導を行った月にあっては月2回に限り、その他の月にあっては月1回に限り算定することとされた。

(5) 情報通信機器を用いたカンファレンス等に係る要件の見直し

医療従事者等により実施されるカンファレンス等について、ビデオ通話が可能な機器を用いて実施する場合の入退院支援加算等の要件が緩和された。

具体的には、例えば入退院支援加算について、従前は医療従事者等により実施されるカンファレンス等は原則対面によるものとされていたが、令和4年度診療報酬改定により、リアルタイムの画像を介したコミュニケーション（ビデオ通話）が可能な機器を用いて実施しても差し支えないこととされた[8]。

---

7) 厚生労働省・前掲注2)

8) 厚生労働省・前掲注5)

200　第5章　オンラインによる診療・服薬指導・医薬品販売

　また、在宅患者訪問看護・指導料についても、従前は関係者全員が患家に赴き実施することが原則であるが、要件を満たす場合は、関係者のうちいずれかがビデオ通話が可能な機器を用いて参加することができるとされていたものが、令和4年度診療報酬改定により、1者以上が患家に赴きカンファレンスを行う場合には、その他の関係者はビデオ通話が可能な機器を用いて参加することができるとされた[9]。

---

9)　厚生労働省・前掲注3)

Q55 海外とのオンライン診療 201

Q 55 海外とのオンライン診療

Q ①海外の医師が、日本に在住する患者に対して、スカイプなどのテレビ電話機能、電子メールやSNSなどを使って、診療を行うことは可能でしょうか。また、海外の医師が、外国での手術を望む日本に在住する患者に対して、事前に問診だけを行う場合はどうでしょうか。

②逆に、日本の医師が海外に在住する日本人や外国人に対して、スカイプなどのテレビ電話機能、電子メールやSNSなどを使って診療を行うことは可能でしょうか。

A ①のように海外の医師が日本の医師免許なしに日本に在住する患者に対してオンライン診療を行うと、医師法17条に違反するおそれがあります。これは、問診だけを行う場合でも異なりません。

他方、②のように日本の医師が、海外に在住する日本人や外国人に対してオンライン診療を行う場合には、日本の医師法、医療法やオンライン診療指針が適用されることに加え、当該現地法の規制に服する可能性があるため、現地法の適用の有無および規制内容も併せて確認する必要があります。

═══ 解 説 ═══

1 海外の医師が日本に在住する患者に対してオンライン診療を行う場合

(1) 海外の医師が日本に在住する患者に対してオンライン診療を行うことの可否（医師法等の適用範囲）

日本の医師法等の医療関係法令は、日本国内における医療に関する規制等を定めた法令である。そのため、海外の医師が日本に在住する患者に対してオンライン診療を行う場合には、日本の医師法等の医療関係法令が適用されると考えられる。

したがって、海外の医師が日本の医師免許なく日本に在住する患者に対してオンライン診療を行うと、医師法17条に違反するおそれがある。

また、仮に当該医師が日本の医師免許を有している場合であっても、厚生労働省のオンライン診療指針（以下「指針」という）等の日本国内の医

202　第5章　オンラインによる診療・服薬指導・医薬品販売

療関係法令を遵守して行う必要がある（詳細については、 Q 49 を参照されたい）。

(2)　海外の医師が日本に在住している患者に対してオンラインで事前に問診を行うことの可否（医行為該当性）

医師が患者から病気の症状や患者の体質、既往症等の必要な情報を聞き出し、患者の病状を診断し、以後の検査や治療行為の要否および選定のために行うことは、「問診」といわれる[1]。そして、この問診は、判例上「医行為」に該当すると解されている[2]。

そのため、海外の医師が日本の医師免許なく日本に在住する患者に対してオンラインで事前に問診を行うことも、医師法17条に違反するおそれがある。

また、当該医師が日本の医師免許を有している場合であっても、問診を行う際は、指針等の日本国の医療関係のルールを遵守して行う必要がある。

例えば、指針においては「患者からの症状の訴えや、問診などの心身状態情報収集に基づき、疑われる疾患等を判断して、受診すべき適切な診療科を選択するなど、患者個人の心身の状態に応じた必要な最低限の医学的判断を伴う受診勧奨」をオンラインで行った場合を「オンライン受診勧奨」としており、オンライン診療の規制が限定的に及ぶとされている。

2　日本の医師が、海外に在住する患者に対してオンライン診療を行う場合

厚生労働省において平成30年12月に作成され、令和元年7月および令和4年1月に改訂された「『オンライン診療の適切な実施に関する指針』に関するQ&A」によれば、国外に所在する患者に対するオンライン診療やオンライン受診勧奨についても、診察・診断・処方等の診療行為は国内で実施されているため、医師法、医療法や指針が適用されると考えられている。

また、日本の医師が、海外に在住する患者に対してオンライン診療を行

1）加藤良夫編著『実務医事法〔第2版〕』（民事法研究会、2014年）127頁
2）最判昭48・9・27刑集27巻8号1403頁等

う場合には、当該患者の所在する国における現地法の規制にも服する可能性があるため、現地法の適用の有無および規制内容も併せて確認する必要がある。

例えば、アメリカでは、各州が医療従事者へのライセンス付与に関する法律を整備しており、医師は基本的に免許を得た州の中でしか活動できない[3]。また、EUにおいても加盟国から医療専門職に対して付与されるライセンスを取得しなければ、EU域内での医療活動は行えない[4]。

---

3) 厚生労働省第1回情報通信機器を用いた診療に関するガイドライン作成検討会資料2-3「米国における遠隔医療に関する調査」(2017年12月14日)
4) 厚生労働省第1回情報通信機器を用いた診療に関するガイドライン作成検討会資料2-2「EUにおける遠隔医療に関する調査」(2017年12月27日)。なお、EU内においては、国境を越える遠隔医療の場合でも特別な資格は法的に必要とされておらず、遠隔医療のプロバイダーが所在する国の法規に従っていれば、原則的に自由に他の加盟国でサービスを提供できるとされている。

204　第5章　オンラインによる診療・服薬指導・医薬品販売

Q 56　オンライン診療（D to P with D）

Q　症状等の判断や治療方針に関して、主治医が当該疾病の専門医とオンラインで連携して患者の治療ができるプラットフォームを提供することを考えています。法的な問題は生じないでしょうか。

A　オンライン診療指針では、対面診療を行っている医師と同一の医師でなくても、一定の要件のもとオンライン診療が可能であるとされています。

解　説

　疾病の内容によっては、高度の特殊な技術を必要とする手術等や、診察・診療等に高い専門的知識を必要とするものが存在する。このような疾病について、過疎地域等においては、当該技術を有した適切な医師が存在しないこともあり得る。

　そこで、オンライン診療指針（以下「指針」という）においては、主治医が患者に対して対面診療をすることに加えて、専門性の高い医師によるオンラインでの診療を組み合わせたオンライン診療（D to P with D）について、下表のような一定の要件を満たした場合を例外として認めている。

	情報通信機器を用いた遠隔からの高度な技術を有する医師による手術等	情報通信機器を用いた遠隔からの高度な専門性を有する医師による診察・診断等
前　提	・　患者の側にいる医師は、既に直接の対面診療を行っている主治医等であること ・　情報通信機器を用いて診療を行う医師は、あらかじめ、主治医等の医師より十分な情報提供を受けること ・　診療の責任の主体は、原則として従来から診療している主治医等の医師にあるが、情報通信機器の特性を勘案し、問題が生じた場合の責任分担等についてあらかじめ協議しておくこと	

適用対象	・ 高度な技術を要するなど遠隔地にいる医師でないと実施が困難な手術等であること ・ 患者の体力面などから当該医師の下への搬送・移動等が難しい患者を対象に行うこと （注）具体的な対象疾患や患者の状態などの詳細な適用対象は、今後は、各学会などが別途ガイドラインなどを作成して実施すること	希少性の高い疾患等、専門性の観点から近隣の医療機関では診断が困難な疾患であることや遠方からでは受診するまでに長期間を要すること等により、患者の早期診断のニーズを満たすことが難しい患者を対象に行うこと
提供体制	・ 情報通信機器について、手術等を実施するにあたり重大な遅延等が生じない通信環境を整え、事前に通信環境の確認を行うこと ・ 仮に一時的に情報通信機器等に不具合があった場合等においても、患者の側にいる主治医等の医師により手術の安全な継続が可能な体制を組むこと （注）具体的な提供体制等については、今後は、各学会などが別途ガイドラインなどを作成して実施すること	・ 患者は主治医等の患者の状態を十分に把握している医師とともに、遠隔地にいる医師の診療を受けること ・ 患者の側にいる主治医等の医師と遠隔地にいる医師は、事前に診療情報提供書等を通じて連携をとっていること

　なお、指針では、患者が看護師等といる場合のオンライン診療（D to P with N）についても、訪問診療等を定期的に行っている医師および同一医療機関の看護師等あるいは訪問看護の指示を受けた看護師等は、患者の同意の下、①オンライン診療を開始する際に作成した診療計画および訪問看護指示書に基づき、予測された範囲内において診療の補助行為を行うこと、②オンライン診療を行った際に、予測されていない新たな症状等が生じた場合において、医師が看護師等に対し、診断の補助となり得る追加的な検査を指示することができるとされている。

206　第 5 章　オンラインによる診療・服薬指導・医薬品販売

Q 57　オンライン服薬指導(1)

Q　患者が電子メールで薬剤師に対して処方箋を送付し、薬剤師が、スカイプなどのテレビ電話機能、電子メールや SNS などを使って服薬指導を行うことによって、医療用医薬品を郵送するサービスを提供することは可能でしょうか。

-->

A　薬剤師が、患者、服薬状況等に関する情報を得た上で、電話や情報通信機器を用いて服薬指導等を適切に行うことが可能と判断した場合には、当該電話や情報通信機器を用いた服薬指導等を行って差し支えないとされています。また、調剤した薬剤は、患者と相談の上、当該薬剤の品質の保持（温度管理を含む）や、確実な授与等がなされる方法（書留郵便等）で患者へ渡す必要があり、薬剤の発送後、当該薬剤が確実に患者に授与されたことを電話等により確認することも求められます。

═══ 解　説 ═══

1 「0410 対応」によるオンライン服薬指導の解禁

　従前、薬剤師は薬剤師法および薬機法の下で、薬局または医療を受ける者の居宅等以外の場所において、調剤または服薬指導を行うことができなかった。

　そうしたところ、令和元年 11 月に成立した改正薬機法では、オンラインによる服薬指導を実施可能とする改正が行われ、令和 2 年 9 月の施行が予定されていた。しかしながら、令和 2 年の冬より、日本においても新型コロナウイルス感染症が急速に拡大し、医療機関の受診が困難となるおそれのある事態が生じたことから、厚生労働省は、時限的・特例的な対応として、電話や情報通信機器を用いた服薬指導を改正薬機法の施行よりも前倒しして解禁する「0410 対応」を発出した[1]。

---

1) 厚生労働省「新型コロナウイルス感染症の拡大に際しての電話や情報通信機器を用いた診療等の時限的・特例的な取扱いについて」（令和 2 年 4 月 10 日）

「0410対応」においては、全ての薬局において、薬剤師が、患者、服薬状況等に関する情報を得た上で、電話や情報通信機器を用いて服薬指導等を適切に行うことが可能と判断した場合には、電話や情報通信機器を用いた服薬指導等を行って差し支えないこととされた。患者、服薬状況等に関する情報としては下表の1～6が考えられるが、注射薬や吸入薬など、服用に当たり手技が必要な薬剤については、1～6の情報に加え、受診時の医師による指導の状況や患者の理解に応じ、薬剤師が電話や情報通信機器を用いた服薬指導等を適切に行うことが可能と判断した場合に限り実施する必要があるとされている。

1	患者のかかりつけ薬剤師・薬局として有している情報
2	当該薬局で過去に服薬指導等を行った際の情報
3	患者が保有するお薬手帳に基づく情報
4	患者の同意の下で、患者が利用した他の薬局から情報提供を受けて得られる情報
5	処方箋を発行した医師の診療情報
6	患者から電話等を通じて聴取した情報

なお、患者の状況等によっては、対面での服薬指導等が適切な場合や、次回以降の調剤時に対面での服薬指導等を行う必要性が生じ得るため、かかりつけ薬剤師・薬局や、当該患者の居住地域内にある薬局により行われることが望ましいとされている。

2 「0410対応」によるオンライン服薬指導を実施する場合の留意点

また、電話や情報通信機器を用いた服薬指導等を行う場合には、以下の条件を満たした上で行うこととされている。

1	薬剤の配送に関わる事項を含む、生じ得る不利益等のほか、配送および服薬状況の把握等の手順について、薬剤師から患者に対して十分な情報を提供し、説明した上で、当該説明を行ったことについて記録すること
2	薬剤師は、電話や情報通信機器を用いた服薬指導等を行うに当たり、当該患者に初めて調剤した薬剤については、患者の服薬アドヒアランスの低下等を回避して薬剤の適正使用を確保するため、調剤する薬剤の性質や患者の状態等を踏まえ、 　①　必要に応じ、事前に薬剤情報提供文書等を患者にファクシミリ等により送付してから服薬指導等を実施する 　②　必要に応じ、薬剤の交付時に（本文の3「薬剤の発送等について」に従って配送した場合は薬剤が患者の手元に到着後、速やかに）、電話等による方法も含め、再度服薬指導等を行う 　③　薬剤交付後の服用期間中に、電話等を用いて服薬状況の把握や副作用の確認などを実施する 　④　上記で得られた患者の服薬状況等の必要な情報を処方した医師にフィードバックする 等の対応を行うこと。当該患者に初めて調剤した薬剤でない場合であっても、必要に応じて実施すること
3	電話や情報通信機器を用いた服薬指導等を行う過程で、対面による服薬指導等が必要と判断される場合は、速やかに対面による服薬指導に切り替えること
4	患者のなりすまし防止の観点から講ずべき措置については、オンライン診療における患者のなりすましの防止や虚偽の申告による処方を防止するための措置に準じて行うこと

3　薬剤の発送等について

　「0410対応」では、調剤した薬剤は、患者と相談の上、当該薬剤の品質の保持（温度管理を含む）や、確実な授与等がなされる方法（書留郵便等）で患者へ渡すこととされている。また、薬局は、薬剤の発送後、当該薬剤が確実に患者に授与されたことを電話等により確認することも求められている。

　さらに、品質の保持（温度管理を含む）に特別の注意を要する薬剤や、早急に授与する必要のある薬剤については、適切な配送方法を利用する、薬局の従事者が届ける、患者またはその家族等に来局を求める等、工夫して対応するものとされている。

なお、患者が支払う配送料および薬剤費等については、配送業者による代金引換のほか、銀行振込、クレジットカード決済、その他電子決済等の支払方法により実施して差し支えないこととされている。

210 第5章 オンラインによる診療・服薬指導・医薬品販売

Q 58 オンライン服薬指導(2)

Q 「0410対応」は、あくまで時限的・特例的な対応と聞きましたが、今後もオンライン服薬指導を実施することはできるのでしょうか。

A 令和2年9月に令和元年改正薬機法が施行され、令和4年3月31日に改正薬機法施行規則が施行されたことにより、「0410対応」において解禁されたオンライン服薬指導が概ね薬機法上も実施可能となりました。ただし、電話（音声のみ）によるオンライン服薬指導は、薬機法上はこれを行うことはできず、今後も、新型コロナウイルス感染症の感染が収束するまでの間、「0410対応」に基づいて行うことになりますので、留意が必要です。

═══ 解 説 ═══

1 改正薬機法の施行

　新型コロナウイルス感染症の拡大により、「0410対応」が発出され、オンライン服薬指導が解禁されることとなったが、その後、令和2年9月に令和元年改正薬機法が施行され、法律上も、全国的にオンライン服薬指導が実施可能となった。

　もっとも、薬機法は、薬剤師が、映像および音声の送受信により相手の状態を相互に認識しながら通話をすることが可能な方法その他の方法により薬剤の適正な使用を確保することが可能であると認められる方法として厚生労働省令で定めるものにより、服薬指導ができるものとしており（薬機法9条の4第1項）、「0410対応」とは異なり、電話での服薬指導は行えないものとされている。

2 改正薬機法施行規則の施行

　このように、薬機法と「0410対応」を比較すると、薬機法では、オンライン服薬指導が行える場面が一部限定されていた。そこで、「0410対応」の恒久化を実現すべく、令和4年3月31日、薬機法施行規則の一部が改正され、以下のような点を中心に見直しが行われた[1]。

・ 実施の都度、薬剤師の判断・責任により、<u>初回から</u>オンライン服薬指導の実施が可能
・ 処方箋について、従前はオンライン診療または訪問診療を行った際に交付された処方箋がオンライン服薬指導の対象とされていたが、今後は<u>診療の形態に関わらず全ての処方箋が対象</u>
・ 薬剤について、従前はこれまでに処方されていた薬剤またはこれに準じる薬剤の場合がオンライン服薬指導の対象とされていたが、今後は<u>原則として全ての薬剤がオンライン服薬指導の対象</u>（なお、初診の場合には処方しないこととされている薬剤（麻薬や向精神薬等）がある）
・ 「服薬指導計画」の策定に代えて、必要事項を示した上で行うこと
・ オンライン服薬指導は、患者の意向の範囲内で、かかりつけ薬剤師・薬局により行われることが望ましいこと

　改正後のオンライン服薬指導の具体的な取扱いおよび留意事項等は以下のとおりである[2]。

(1)　オンライン服薬指導の実施

　オンライン服薬指導については、映像および音声の送受信により相手の状態を相互に認識しながら通話をすることが可能な方法であって、患者の求めに応じて、その都度薬剤師の判断と責任に基づき、行うことができるものとすることとされている。

(2)　オンライン服薬指導の実施要件

① 薬剤師の判断

　薬局開設者は、オンライン服薬指導の実施に際して、その都度、当該薬局の薬剤師の判断と責任に基づき、行わせることとされている。

　また、当該薬局において服薬指導を実施したことがない患者および処方内容に変更のあった患者に対してオンライン服薬指導を行う場合においては、当該患者の服薬状況等を把握した上で実施することとされている。患

---

1) 日本薬剤師会「医薬品、医療機器等の品質、有効性及び安全性の確保等に関する法律施行規則の一部を改正する省令の施行について（オンライン服薬指導）」（令和4年4月1日）

2) 厚生労働省「医薬品、医療機器等の品質、有効性及び安全性の確保等に関する法律施行規則の一部を改正する省令の施行について（オンライン服薬指導関係）」（令和4年3月31日）

者の服薬状況の把握は、対面と同様に、例えば、以下の情報のいずれかまたは組み合せによることが考えられるとされている。

1	患者が保有するお薬手帳に基づく情報
2	患者の同意の下で、当該患者が利用した他の薬局から情報提供を受けて得られる情報
3	処方箋を発行した医師の診療情報（患者から聴取した情報も含む）
4	患者から聴取した併用薬、副作用歴その他参考となる情報

　ただし、注射薬や吸入薬など、使用にあたり手技が必要な薬剤については、上記表の1から4までの情報に加え、受診時の医師による指導の状況や患者の理解度等に応じ、薬剤師がオンライン服薬指導の実施を困難とする事情がないか確認することとされている。

　なお、当該薬剤師がオンライン服薬指導を適切に行うことが困難であると判断し、対面での服薬指導を受けるよう促すことは薬剤師法21条に規定する調剤応需義務に違反するものではないとされている。

　②　患者に対し明らかにする事項

　薬局開設者は、当該薬局の薬剤師に、下記の表1および2に掲げるオンライン服薬指導に関する必要事項を明らかにした上でオンライン服薬指導を実施させることとされている。なお、当該事項を明らかにするにあたっては、服薬指導に利用する情報通信機器やアプリケーション、当該薬局のホームページに表示する方法等によることも可能とすることとされている。

1　オンライン服薬指導を行うことの可否についての判断の基礎となる事項
服用にあたり手技が必要な薬剤の初回処方時等、薬剤師がオンライン服薬指導を行わないと判断した場合にオンライン服薬指導を中止した上で、対面による服薬指導を促す旨（情報通信環境の障害等によりオンライン服薬指導を行うことが困難になる場合を含む）を説明すること
2　オンライン服薬指導に係る情報の漏えい等の危険に関する事項
オンライン服薬指導時の情報の漏洩等に関する責任の所在が明確にされるようにすること なお、オンライン服薬指導に関する必要事項を説明するに当たっては、以下について留意すべきであること

Q58 オンライン服薬指導⑵ 213

- ・ 患者に重度の認知機能障害がある等により薬剤師と十分に意思疎通を図ることができない場合は、説明の際に、患者の家族等を患者の代わりに指導の対象とすることができること
- ・ 必要事項に変更が生じた場合には、改めて患者に明らかにすること

⑶ オンライン服薬指導を実施する際の留意事項

薬剤師は、オンライン服薬指導等を行うに当たり、患者の服薬アドヒアランスの低下等を回避して薬剤の適正使用を確保するため、調剤する薬剤の性質や患者の状態等を踏まえ、必要に応じ、以下の対応等を行うこととされている。

1	事前に薬剤情報提供文書等を患者に送付してから服薬指導等を実施する（画面に表示しながらの実施も含む）
2	対面による服薬指導と同様に、患者の求めに応じて、改めて、薬剤の使用方法の説明等を行う
3	対面による服薬指導と同様に、薬剤交付後の服用期間中に、服薬状況の把握や副作用の確認などを実施する
4	対面による服薬指導と同様に、上記で得られた患者の服薬状況等の必要な情報を処方した医師にフィードバックする

⑷ オンライン服薬指導に関するその他の留意事項

オンライン服薬指導に関しては、その他の留意事項として以下の内容も遵守する必要がある。

1 オンライン服薬指導の体制
薬歴管理が適切に行われるために、オンライン服薬指導は、患者の意向の範囲内で、かかりつけ薬剤師・薬局により行われることが望ましいこと
2 訪問診療を受ける患者への対応
複数の患者が居住する介護施設等においては、患者ごとにオンライン服薬指導の実施可否を判断すること 複数人が入居する居室の場合においても、下記7に留意しつつ、患者のプライバシーに対面による服薬指導と同程度配慮した上で患者ごとにオンライン服薬指導を行うこと
3 本人の状況の確認

原則として、薬剤師と患者双方が、身分確認書類（例えば、薬剤師は顔写真付きの身分証明書、HPKI カードや薬剤師免許等、患者は保険証やマイナンバーカード等）を用いて、薬剤師は薬剤師であること、患者は患者本人であることの確認を行うこと

ただし、社会通念上、当然に薬剤師、患者本人であると認識できる状況である場合には、服薬指導の都度本人確認を行う必要はないこと

4　通信環境（情報セキュリティ・プライバシー・利用端末）

オンライン服薬指導の実施における情報セキュリティおよびプライバシー保護等の観点から、オンライン診療指針に示された内容を参考に、必要な通信環境を確保すること

患者側の通信環境については、患者の希望に応じたデバイスやネットワークに対応できるよう配慮すること

5　薬剤師に必要な知識および技能の確保

オンライン服薬指導の実施にあたっては、薬学的知識のみならず、情報通信機器の使用や情報セキュリティ等に関する知識が必要となるため、薬局開設者は、オンライン服薬指導を実施する薬剤師に対しオンライン服薬指導に特有の知識等を習得させるための研修材料等を充実させること

その際、厚生労働省ホームページに掲載予定のオンライン服薬指導に関する e - learning 等が教材として活用可能であるので、参考にすること

6　薬剤の交付

薬局開設者は、オンライン服薬指導後、当該薬局において当該薬局の薬剤師が調剤した薬剤を、品質を確保した状態で速やかに患者に届けさせること

調剤済みの薬剤の郵送または配送を行う場合には、薬剤師による患者への直接の授与と同視し得る程度に、当該薬剤の品質の保持や、患者本人への授与等がなされることを確保するため、薬局開設者は、あらかじめ配送のための手順を定め、配送の際に必要な措置を講ずること

なお、薬局は、薬剤の配送後、当該薬剤が確実に患者に授与されたことを電話等により確認すること（配達業者の配達記録やアプリ等での受領確認、配達記録が記載されたメール等による確認も含む）

また、品質の保持（温度管理を含む）に特別の注意を要する薬剤や、早急に授与する必要のある薬剤、麻薬・向精神薬や覚醒剤原料、放射性医薬品、毒薬・劇薬等流通上厳格な管理を要する薬剤等については、適切な配送方法を利用する、薬局の従事者が届ける、患者またはその家族等に来局を求める等、工夫して対応すること

初診からオンライン診療を実施する医療機関に関して、オンライン診療指針

に規定する以下の要件について、これまでの来局の記録等から判断して疑義がある場合には、対面による服薬指導と同様に、処方した医師に遵守しているかどうか確認すること

初診の場合には以下の処方は行わないこと
- 麻薬および向精神薬の処方
- 基礎疾患等の情報が把握できていない患者に対する、特に安全管理が必要な薬品（診療報酬における薬剤管理指導料の「1」の対象となる薬剤）の処方
- 基礎疾患等の情報が把握できていない患者に対する8日分以上の処方

7 服薬指導を受ける場所

患者がオンライン服薬指導を受ける場所は、適切な服薬指導を行うために必要な患者の心身の状態を確認する観点から、プライバシーが保たれるよう配慮すること
ただし、患者の同意があればその限りではない

8 服薬指導を行う場所

薬剤師がオンライン服薬指導を行う場所は、その調剤を行った薬局内の場所とすること
この場合において、当該場所は、対面による服薬指導が行われる場合と同程度にプライバシーに配慮すること

9 処方箋

処方医等が処方箋を発行した際に、患者から、薬局に送付して欲しい旨の申出があった場合は、当該医療機関は、当該処方箋を当該薬局に直接送付することができること
厚生労働省「オンライン服薬指導における処方箋の取扱いについて」（令和4年3月31日）により医療機関から処方箋情報の送付を受けた薬局は、医療機関から処方箋原本を入手するまでの間は、ファクシミリ、メール等により送付された処方箋を薬剤師法23条から27条までおよび薬機法49条における処方箋とみなして調剤等を行うこと
薬局は、医療機関から処方箋原本を入手し、以前にファクシミリ、メール等で送付された処方箋情報とともに保管すること

10 その他

患者が支払う配送料および薬剤費等については、配送業者による代金引換のほか、銀行振込、クレジットカード決済、その他電子決済等の支払方法によ

216　第5章　オンラインによる診療・服薬指導・医薬品販売

り実施して差し支えないこと

また、薬局は、オンライン服薬指導等を行う場合の以下の点について、薬局内の掲示やホームページへの掲載等を通じて、あらかじめ患者等に周知すること

① オンライン服薬指導の時間に関する事項（予約制等）

② オンライン服薬指導の方法（使用可能なソフトウェア、アプリ等）

③ 薬剤の配送方法

④ 費用の支払方法（代金引換サービス、クレジットカード決済等）

3　その他の留意点

　なお、上記2のとおり、改正薬機法施行規則の施行後でも、「0410対応」とは異なり、薬機法上は、電話（音声のみ）によるオンライン服薬指導は行えないものとされている。

　もっとも、「0410対応」は、改正薬機法施行規則の施行後も、新型コロナウイルス感染症の感染が収束するまでの間、当面運用が継続されるものとされているため、引き続き、「0410対応」に基づいて、電話（音声のみ）によるオンライン服薬指導を行うことも可能となっている[3]。

---

3) 厚生労働省「『新型コロナウイルスの感染症の拡大に際しての電話や情報通信機器を用いた診療等の時限的・特例的な取扱いに関するQ&A』の改定について（その2）」（令和4年3月31日）

Q59 医薬品インターネット販売実施のための構造設備・体制

Q 当社では健康食品や健康雑貨のインターネット販売を行っていますが、このたび医薬品についても販売品目に加えたいと考えています。設備や人員で新たに手配が必要になることはあるでしょうか。

A インターネット販売ができる医薬品は、一般用医薬品に限られます。また、医薬品のインターネット販売は、薬局・薬店の許可を取得した有形の店舗が、実際の店舗に貯蔵・陳列している製品を販売する方法でのみ許容されるものであり、販売行為も、注文を受けた薬局・薬店で、必要な資質・知識を持った専門家が行うことが必要です。

═══ 解 説 ═══

1 平成25年1月11日最高裁判決と旧薬事法の改正

医薬品は、医師の処方箋に基づいて薬剤師が調剤する「医療用医薬品」（処方薬）と、医師の処方箋がなくても購入できる「一般用医薬品」（市販薬、OTC薬）とに大別され、さらに一般用医薬品も、その副作用等のリスクの程度に応じて、（比較的リスクの高いものから順に）第1類医薬品・第2類医薬品・第3類医薬品と分類される。

かつては、医療用医薬品のみならず一般用医薬品であっても、厚生労働省令により、第1類・第2類の医薬品の郵便等販売が禁止されていたため、第3類医薬品以外については、インターネット販売は行われていなかった。しかし、最判平25・1・11判タ1386号160頁により、当該厚生労働省令について、薬事法（当時）の委任の範囲から逸脱した違法なもので無効であるという判断が示されたことを契機に、インターネット販売のルールが整理され、平成26年6月12日に改正施行された同法の下では、医療用医薬品と要指導医薬品（医療用から一般用に移行するために処方箋が不要とされたばかりのスイッチ直後品目等）を除き、第1類・第2類も含めて一般用医薬品は全て、インターネット販売が、薬局・薬店以外の場所にいる者に販売する「特定販売」の一態様として、可能となった。

218　第5章　オンラインによる診療・服薬指導・医薬品販売

　なお、要指導医薬品のインターネット販売が規制されていることについて、最判令3・3・18民集75巻3号552頁は、合憲であるとの判断を示している。

2　店舗での販売

　一般用医薬品のインターネット販売が解禁されたとはいえ、販売する対象が医薬品である以上、特段の許認可がなくても販売が可能な一部の健康食品や健康雑貨とは、様々な違いがある。

　まず、一般用医薬品のインターネット販売は、許可を受けた薬局・薬店（店舗販売業者）が、有形の店舗に貯蔵・陳列している製品を販売する場合にのみ、可能とされる。そのため、薬局・薬店として必要となる設備等を有しない倉庫やバーチャル店舗を事業所として医薬品のネット販売を行うことはできないし、また、薬局・薬店として必要となる設備等を形式的に満たす場所を用意したとしても、対面販売が予定されていないような場合には、薬局や店舗販売業の許可は取得できない（薬局等構造設備規則）。

　さらに、薬局・薬店として対面販売を行うのみならず、インターネット販売も行う場合には、販売サイト上でも、トップページに店舗の名称を表示した上で、店舗の主要な外観の写真を掲載したり、薬局開設や店舗販売業の許可証の内容を掲載したりしなければならない（薬機法施行規則15条の6、147条の7第2号、厚生労働省「薬事法及び薬剤師法の一部を改正する法律等の施行等について」（平成26年3月10日））。

3　専門家の関与

　次に、インターネット販売であっても、第1類医薬品を販売できるのは薬剤師のみ、第2類・第3類医薬品を販売できるのは薬剤師または登録販売者のみであるという要件は、通常の薬局・薬店と何ら違いはない。そのため、インターネット販売を行う場合も、店舗の開店時間内は、薬剤師等の専門家が店舗に常駐していることが必要となり、販売サイト上でも、現在勤務中の専門家の氏名（対応専門家の勤務シフト表等）や、営業時間外を含めた連絡先等を表示することが必要とされる（薬機法施行規則15条の6、147条の7第2号）。

　その上で、インターネット販売をする場合でも、実店舗で販売する場合と同様に、薬剤師等の専門家が購入者に対して情報提供を行ったり、相談

に応じたりすることが義務づけられる。例えば、第1類医薬品をインターネットで販売する場合には、薬剤師が購入者との間で、電子メール等を介して、

① 使用者の状態等の確認（年代、性別、他の医療品等の使用状況、症状、副作用歴の有無・内容、持病の有無・内容、医療機関の受診の有無・内容、妊娠・授乳の該当性等）

② ①の使用者の状態等に応じた個別の情報提供（医薬品の用法・用量、使用上の注意、併用を避けるべき医薬品その他の適正使用のため必要な情報等）

③ ②の情報提供を理解したことの確認（提供された情報を理解したこと、再質問・他の相談がないこと等）

を経なければ販売することができず、さらには販売記録（品名、数量、販売日時、販売・情報提供を行った薬剤師の氏名、③の確認が行われたこと等）を作成・保存する義務が課されている（薬機法36条の10第1項・2項、同法施行規則159条の15）。

4 販売サイトの表示方法

薬局・薬店においては、医薬品の貯蔵・陳列についての方法についても規制がなされているところ、販売サイト上の「表示」は実店舗での「陳列」に該当するものである。そのため、販売サイト上には、

・ 店舗での陳列の状況の分かる写真を表示すること

・ リスク区分（第1類、第2類等）別に表示する方法を確保すること

・ サイト内検索の結果を、各医薬品のリスク区分について分かりやすく表示すること

・ 医薬品の使用期限（「使用期限終了まで○日以上」等）について表示すること

等が必要となる（薬機法施行規則15条の6、147条の7、別表1の2、1の3、前述厚生労働省「薬事法および薬剤師法の一部を改正する法律等の施行等について」等）。

このほか、医薬品の販売については、オークション形式での販売が禁止されたり、購入者によるレビューや口コミ、レコメンドが禁止されたりするなど、健康食品や健康雑貨のインターネット販売とは異なる規制も存するため、留意が必要である（**Q 60** 参照）。

220　第 5 章　オンラインによる診療・服薬指導・医薬品販売

Q 60　医薬品インターネット販売の広告表示

Q　当店はドラッグストアを営んでおり、当店で取り扱っている一般用医薬品を、インターネットでも販売できるようにしたいと考えています。よくあるＥＣサイトのように、商品に関する他の購入経験者による感想や、お客様自身にとって必要性が高そうな商品を上位に表示するなどの諸機能を充実させたいのですが、販売サイトにおいては、どのような点に留意する必要があるでしょうか。

A　医薬品については、不適切な購入を促すおそれがあること等から、効能・効果に関する他の購入者のレビューや口コミを表示することや、過去の購入履歴等から特定の医薬品を勧めるようなレコメンド広告は禁止されています。

═══ 解 説 ═══

1　販売サイト上の表示の留意事項

　医薬品については、不適正な使用がなされたり濫用されたりすることを防ぐため、医薬品を販売する薬局や薬店に対し、医薬品の販売方法や広告表示方法について一定の規制がなされている。

　インターネット販売を行う場合、販売サイト上に表示しなければならない事項が加わることに加え（**Q 59** 参照）、当然ながら、薬局・薬店で禁止されている医薬品等の販売方法や広告表示方法は、同様に禁止される。とりわけ医薬品の広告表示に関しては、店舗で販売する場合と比べ、販売サイト上では多くの情報を載せやすく、かつ、他の EC サイトを参考にしたページ構成としてしまいやすいことから、特に注意が必要である。

2　口コミ機能について

　医薬品は、個々人のそのときの症状に合わせて使用されるべきものであり、体調や症状の異なる他人からの効能・効果に関するいわゆる「口コミ」に基づいて使用すると、不適正な使用を招くおそれがある。そのた

め、医薬品に関する意見については広告が禁止されている（薬機法施行規則15条の5第1項、147条の6第1項）。

単に薬局等の接客態度等に関する口コミであれば、サイト上に掲載することは許容されるが、接客態度等に関する口コミと称していても、その内容が医薬品の効能・効果に関する口コミに該当する場合には認められないこととなるため、留意が必要である。

3　レコメンド機能について

医薬品の購入履歴や閲覧履歴に基づき、自動的に特定の医薬品の購入を勧める表示をするような、いわゆる「レコメンド広告」は禁止されている（薬機法施行規則15条の5第2項、147条の6第2項）。必ずしも販売サイトに「おすすめ」として表示をする場合に限らず、医薬品の購入履歴等に基づいて販売サイトのトップページに医薬品を表示させる場合や、医薬品の購入履歴等に基づいて広告Eメールを送信する場合も、同様に禁止される。

なお、医薬品の購入履歴等に基づかず、ホームページ閲覧者全員に対して一律の医薬品広告を行ったり、販売サイトに登録された年齢や性別に関する情報に基づいて特定の医薬品を広告行ったりすることは、差し支えないものとされている。

また、購入希望者が、自身の購入履歴を踏まえた情報提供を希望しており、かかる求めに応じて、客観的な事実を情報提供することも、差し支えないものとされている。ただし、購入希望者の求めに応じた情報提供であるか否かを明確にするため、購入希望者による同意については、単に、広告Eメール等による情報提供を行うことへの同意ではなく、医薬品の購入履歴等に基づいて特定の医薬品を勧めることに対しての同意を得ることが必要である。また、ホームページでこのような情報提供を行う場合には、

① 医薬品の購入履歴等に基づいて勧める医薬品を表示するページを別に設け、

② 購入希望者に、当該頁には過去の購入履歴等に基づき勧められる医薬品が表示されることを伝えた上で、

③ 購入希望者が当該ページを閲覧することで希望した場合に当該ページを見られるようにする

といった手続で同意を得る方法が考えられる。

　さらに、広告Eメールを送付する際に、毎回、同意の撤回に関する手続を併せて記載しておくなど、購入希望者からいつでも同意が撤回できるようにしておくことも必要である。

Q 61 医薬品インターネット販売のための端末設置

Q 当社はコンビニエンスストアを営んでいます。今回、近隣に居住するお客様の利便性向上のため、店内に設置された端末を使って、提携する薬局の一般用医薬品を注文できるサービスを導入しようと考えています。端末を通じて、薬局からお客様に必要な情報提供をしていただき、お客様が当該薬局に医薬品を注文して代金を支払うと、数時間内に、お客様が薬局に注文した医薬品が当社店舗に配送され、当該店内でお客様が受け取ることができる、というものです。

　当社は医薬品の販売業の許可を持っていませんが、このようなサービスは可能でしょうか。

- ->

A 端末の設置されたコンビニエンスストアでは単に商品を取り次ぐ業務を行うのみで、販売の可否についての判断や、注文されていない医薬品の貯蔵・陳列等を行わないのであれば、医薬品の販売業の許可は不要です。ただし、実際に医薬品を販売する薬局が、購入者に対して、必要な情報提供や相談応需体制が直接できることが必要ですので、仕組み作りには十分な留意が必要です。

解　説

　薬機法上、薬局開設者または医薬品販売業許可を受けた者でなければ、業として、医薬品を販売・授与したり、販売・授与の目的で貯蔵・陳列したりすることはできない（薬機法 24 条 1 項本文）。そのため、質問のコンビニが主体となって購入者に販売・授与するか否かを判断したり、未だ注文されていない医薬品も含めて貯蔵・陳列したりすることは、当該コンビニが医薬品販売業の許可を得ない限り、不可能である。

　他方、コンビニエンスストアではそのようなことは行わず、単に商品を取り次ぐ業務だけを行っているのみであれば、当該コンビニは販売業の許可を取得することは不要である。

　ただし、コンビニエンスストア自身も、薬機法に違反する形での医薬品の販売が行われないよう、

　① 　購入者がどこの店舗から医薬品を購入しているのかが明らかである

224　第5章　オンラインによる診療・服薬指導・医薬品販売

② 必要な表示等も含めて、特定販売に関する全てのルールが遵守され
ている
③ 実際に医薬品を販売する薬局等に現に勤務している薬剤師等が、購
入者の情報を収集した上で販売の可否を判断し、必要な情報提供をし
ている

という条件を満たすように、必要な取り組みをすることが望ましいとされ
ているため（厚生労働省「医薬品の販売業等に関するQ&Aについて」別添
（平成26年3月31日））、留意が必要である。

Q 62 インターネット販売した医薬品の 配送・在庫融通

Q 当社は、県下でドラッグストアをチェーン店舗展開し、一般用医薬品を販売しています。このたび、そのうちの１店舗（Ａ店）について、インターネット販売も取り扱うこととしました。

① Ａ店にインターネットで注文が入った医薬品は、Ａ店において梱包しますが、配送業務については、既にインターネット販売を実施している近傍の同系列店のＢ店に委託して行ってもらうことを考えています。このような運用とすることは可能でしょうか。

② Ａ店にインターネットで注文が入った医薬品について、たまたまＡ店店舗内の在庫が切れてしまっていた場合、既にインターネット販売を実施している近傍の同系列店Ｂ店に当該医薬品の在庫があれば、Ｂ店からお客様に配送するということは可能でしょうか。

-->

A ①については、可能です。

②については、不可です。いったんＢ店からＡ店に納入した後に、Ａ店から配送しなければなりません。

━━ 解 説 ━━

1 インターネット販売した医薬品の配送

インターネット等により特定販売した医薬品の配送の手段については、薬機法とその関連法令上は特段の規制はなく、一般的にも、郵便や宅配便等を用いて配送を行うことが広く行われている。ただし、医薬品の搬送についても、特定販売を行った薬局・薬店の管理業務に含まれるものであるため、薬局・薬店としては、配送業者等の委託先に対して適切な指示を出すなどして、医薬品の品質が適切に管理できるように留意する必要がある（厚生労働省「医薬品の販売業等に関する Q&A について（その２）」別添（平成26年５月７日）参照）。

本設問の①の事例では、Ａ店が販売した医薬品を購入者に搬送する際、あくまでＡ店の管理責任下で、必要かつ適切な指示を出すことによって配送業務をＢ店に委託すること自体は差し支えない。

2 在庫の融通

　薬局・薬店は、特定販売にあたって、当該店舗に貯蔵・陳列している医薬品を販売しなければならない（薬機法施行規則15条の6、147条の7第1号、厚生労働省「薬事法および薬剤師法の一部を改正する法律等の施行等について」（平成26年3月10日））。

　そのため本設問の②の事例では、A店に貯蔵・陳列されていなかった医薬品を、A店が販売したものとして消費者に配送することはできない。

　B店から在庫品を融通してもらって購入者に販売するのであれば、販売を行うのはあくまでA店である以上、販売やその責任の主体を明確にするため、当該医薬品をいったんB店からA店に納入した後に、A店から購入者に配送しなければならない。

Q63 インターネットを利用した特定販売の該当性

Q 当社は一般用医薬品・化粧品のメーカーで、一般消費者向けにインターネット販売も行っています。かねてより、従業員向けには、紙の割引クーポンを配布し、従業員割引による販売を行っていました。この度、社内のイントラネット上に割引クーポンを表示してイントラネット上で注文を受け付けるなど、社内のイントラネットを利用した従業員向け販売をできるようにしたいと計画しています。

一般消費者向けではないこのような販売の方法であっても、インターネットを利用した特定販売としての届出が必要になるのでしょうか。

--->

A 特定販売には該当しますが、インターネットを利用した特定販売には該当しません。

══ 解 説 ══

1 「特定販売」の趣旨

薬機法上は、薬局・薬店が、店舗以外の場所にいる者に対して一般用医薬品等を販売または授与することが「特定販売」にあたるとされるため（薬機法施行規則1条2項3号）、従業員向けの販売であっても、店舗以外の場所にいる者に対してイントラネット上で注文を受け付けて販売する以上は、「特定販売」をしていることになる。そのため、このようなイントラネットを利用した従業員向け販売であっても、販売するのは特定販売を行う薬局・薬店に貯蔵・陳列している医薬品でなければならないなど、特定販売をするにあたっての事項を遵守しなければならない。

2 インターネットを利用した特定販売

特定販売の方法としては、カタログ通信販売等のインターネットを利用しない方法によるものもあるが、インターネットを利用した特定販売を行う場合には、主たるウェブサイトアドレス（URL）等を事前に届出なければならず、かつ、当該ウェブサイトアドレスについては、厚生労働省の

228 第 5 章 オンラインによる診療・服薬指導・医薬品販売

ウェブサイトにも掲載される。

　ただし、組織の外部から接続できないのであれば、「インターネットを利用した特定販売」には該当せず、厚生労働省のウェブサイトの販売サイト一覧には掲載されない（厚生労働省「医薬品の販売業等に関する Q&A について」別添（平成 26 年 3 月 31 日）参照）。

第6章

医療機関・薬局等における DX

230　第 6 章　医療機関・薬局等における DX

Q 64　医療機関・薬局等における DX の現状

Q　医療機関や薬局等におけるデジタルトランスフォーメーション（DX）の現状について教えて下さい。

A　新型コロナウイルス感染症の拡大により、データの利活用やオンライン化の必要性が広く認識され、様々な施策や法整備が進んでいるほか、2025年度までのデータヘルス改革に関する工程表が作成されています。

■ 解　説 ■

1　新型コロナウイルスの感染拡大による影響

　患者の健康情報が各医療機関等に分散している状況や紙媒体に依存した医療現場の状況に対し、患者の健康情報をデータ化して利活用したり効率的な実務運営を図るための検討は、新型コロナウイルスの感染拡大以前から進んでいた。しかし、新型コロナウイルスの感染拡大によって、かかりつけ医療機関以外で患者の健康情報を迅速に把握したり、対面を前提としない診療や服薬指導等を行う必要性が広く認識されることとなった。こうした事情を背景に、令和 2 年 7 月 17 日に閣議決定された「経済財政運営と改革の基本方針 2020」および「成長戦略フォローアップ」において、データ利活用やオンライン化に関する様々な施策の具体的な開始時期等が定められ、データヘルス改革に関する今後の工程も具体化することが明記された。

2　データヘルス改革の推進状況

⑴　「新たな日常にも対応したデータヘルスの集中改革プラン」

　厚生労働省は、令和 2 年 7 月 30 日に「新たな日常にも対応したデータヘルスの集中改革プラン」を公表し、令和 2 年からの 2 年間で、①全国で医療情報を確認できる仕組みの拡大（ACTION 1）、②電子処方せんの仕組みの構築（ACTION 2）、③自身の保健医療情報を活用できる仕組みの拡大（ACTION 3）を集中的に実行することとした。

ACTION 1　全国で医療情報を確認できる仕組みの拡大
患者や全国の医療機関等で医療情報を確認できる仕組みについて、対象となる情報（薬剤情報に加えて、手術・移植や透析等の情報）を拡大し、令和4年夏を目途に運用開始
ACTION 2　電子処方せんの仕組みの構築
重複投薬の回避にも資する電子処方箋の仕組みについて、オンライン資格確認等システムを基盤とする運用に関する要件整理および関係者間の調整を実施した上で、整理結果に基づく必要な法制上の対応と共に、医療機関等のシステム回収を行い、令和4年夏を目途に運用開始
ACTION 3　自身の保健医療情報を活用できる仕組みの拡大
PCやスマートフォン等を通じて国民・患者が自身の保健医療情報を閲覧・活用できる仕組みについて、健診・検診データの標準化に速やかに取り組むとともに、対象となる健診等を拡大するため、令和3年に必要な法制上の対応を行い、令和4年度早期から順次拡大し、運用

(参考：厚生労働省「新たな日常にも対応したデータヘルスの集中改革プランについて」を元に作成)

　このうちACTION 1については、マイナンバーカードを利用したオンライン資格確認等システムの構築・運用によって実現することが予定されている。

　オンライン資格確認等システムとは、審査支払機関（支払基金・国保中央会）が構築・運用する、個人単位化された被保険者番号・資格情報等（加入している医療保険や自己負担限度額等）とマイナンバーカードに記録された電子証明書情報を紐づけたシステムを指す。オンライン資格確認等システムの導入によって、①医療機関・薬局の窓口で、患者の直近の資格情報等が確認できるようになり、期限切れの保険証による受診で発生する過誤請求や手入力による手間等による事務コストが削減できることが期待されるほか、②マイナンバーカードを用いた本人確認を行うことにより、医療機関や薬局において特定健診等の情報や薬剤情報を閲覧可能となり、患者もマイナポータルを通じてシステムに登録された情報を閲覧することが可能となる。

　同システム上に登録されている医療情報は、令和4年3月現在、特定健診等情報およびレセプトに基づく過去の処方・調剤情報のみであるが、手

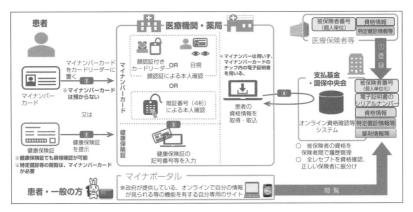

(出典：厚生労働省のウェブサイト)

術・移植や透析等の情報についても順次追加することが予定されている。

ACTION 2については Q67 を、ACTION 3については Q69 を参照されたい。

(2) 「データヘルス改革に関する工程表」

厚生労働省は令和3年6月4日に「データヘルス改革に関する工程表」を公表した。この工程表では、前記(1)の3つのACTIONに関する施策に加え、ゲノム医療の推進や審査支払機関改革について、2025年度までの進行計画が示されている。例えば、この工程表によれば、医療機関等における検査結果の情報や画像情報についても2024年度以降にマイナポータル等で閲覧が可能になることと計画されている。

Q 65 カルテ等の電子化に関する規制

Q 紙カルテやレントゲンフィルムの電子保存に関するルールについて教えてください。

A 診療録（カルテ）やエックス線写真（レントゲンフィルム）等、法令上保存が義務付けられている書面について電子保存する場合には、①見読性の確保、②真正性の確保、③保存性の確保が必要とされています。

解 説

1 カルテ等の保存義務と電子化保存

医師は、診療をしたときは、遅滞なく診療に関する事項を診療録（カルテ）に記載しなければならず、かかるカルテについては5年間の保存義務が課されている（医師法24条、歯科医師法23条、療担規則9条）。また、エックス線写真（レントゲンフィルム）や手術記録等の診療に関する諸記録についても、2年間保存する義務がある（医療法21条、同法施行規則20条10号）。

これらの記録については、厚生省「診療録等の電子媒体による保存について」（平成11年4月22日）により、一定の条件の下に電子媒体により保存できることが明確化されたが、その適用範囲は、電子カルテシステムを利用して診療録を保存する場合のように、当該情報が最初から電子的に作成された場合にのみ限定されていた。

その後平成17年、e-文書法（**Q5**参照）の施行に伴い、「厚生労働省の所管する法令の規定に基づく民間事業者等が行う書面の保存等における情報通信の技術の利用に関する省令」（平成17年3月25日。以下「e-文書省令」という）や、「民間事業者等が行う書面の保存等における情報通信の技術の利用に関する法律等の施行等について」（平成17年3月31日。以下「施行通知」という）およびその別添として「医療情報システムの安全管理に関するガイドライン」（以下「ガイドライン」という）が厚生労働省により整備され、法令上の保存義務が課されている記録について、紙カルテを

234 第6章 医療機関・薬局等におけるDX

スキャナで取り込んで電子化した場合のように、紙媒体から電子媒体に変えて電子保存することも許容されることとなった。

　これらのe-文書省令や施行通知、ガイドライン等については、その後も改定が重ねられて詳細な指針が示されており、ガイドラインについては現在第5.2版が発行（令和4年3月）されている。

2　電子保存のための要件

　診療録やレントゲンフィルム等、法令上の保存義務がある記録の電子化については、e-文書省令に従った内容がガイドライン7章に記載されており、以下の①見読性の確保、②真正性の確保、③保存性の確保（電子保存の3要件）についても規定されている。なお、紙媒体の原本をスキャナで読み取り電子文書化する場合の記載については、ガイドライン9章に詳細が規定されている。

(1)　見読性の確保

　必要に応じ電磁的記録に記録された事項を出力することにより、直ちに明瞭かつ整然とした形式で使用に係る電子計算機その他の機器に表示し、および書面を作成できるようにすること（e-文書省令4条4項1号、e-文書法3条1項）。

① 　情報の内容を必要に応じて肉眼で見読可能な状態に容易にできること

② 　情報の内容を必要に応じて直ちに書面に表示できること（施行通知第2・2(3)①）

(2)　真正性の確保

　電磁的記録に記録された事項について、保存すべき期間中における当該事項の改変または消去の事実の有無およびその内容を確認することができる措置を講じ、かつ、当該電磁的記録の作成に係る責任の所在を明らかにしていること（e-文書省令4条4項2号、e-文書法3条1項）。

① 　故意または過失による虚偽入力、書換え、消去および混同を防止すること

② 　作成の責任の所在を明確にすること（施行通知第2・2(3)②）

⑶　**保存性の確保**

　電磁的記録に記録された事項について、保存すべき期間中において復元可能な状態で保存することができる措置を講じていること（ｅ‐文書省令4条4項3号、ｅ‐文書法3条1項、施行通知第2・2⑶③）。

236　第6章　医療機関・薬局等におけるDX

Q 66　電子カルテサービス

Q　クラウド型電子カルテを導入した医療機関との間でカルテを相互閲覧できる仕組みを構築することを検討していますが、どのような点に留意する必要がありますか。

- ▶

A　カルテに記載された患者の個人情報を第三者に提供するのであれば、原則として、患者本人の同意が必要となりますが、特定の医療機関との共同利用にあたる場合は、第三者提供のための同意取得は不要です。また、使用するクラウドサービスについても安全管理のためガイドラインを遵守させる必要があります。なお、医療機関同士で患者の情報を共有する方法として、電子カルテの標準化も進められています。

═══　**解　説**　═══

1　医療機関の間でカルテを相互閲覧するための留意点

　カルテに記載される患者の診療情報は、要配慮個人情報に該当し（個人情報保護法2条3項、同法施行令2条2号・3号）、個人情報取扱事業者が、個人データを第三者に提供する場合や要配慮個人情報を取得する場合には、原則として、あらかじめ本人の同意が必要である（同法27条1項、20条2項）。

　そのため、医療機関が他の医療機関との間で患者のカルテを相互に閲覧できる仕組みを構築しようとする場合、あらかじめ当該患者本人から同意を得ることが必要となる。

　もっとも、特定の者との間で共同して利用される個人データが当該特定の者に提供される場合は、次の①～⑤の事項について、あらかじめ、本人に通知し、または本人が容易に知り得る状態に置いているときには、当該特定の者はそもそも「第三者」に該当しないため（同法27条5項3号）、「第三者」への提供についての本人の同意は不要であるし、取得する側も要配慮個人情報の取得に伴う本人の同意は不要となる（同法20条2項8号、同法施行令9条2号）。

①　共同利用を行う旨
②　共同して利用される個人データの項目
③　共同して利用する者の範囲
④　利用する者の利用目的
⑤　当該個人データの管理について責任を有する者の氏名または名称

　本事例でも、医療機関が他の特定の医療機関との間で電子カルテの情報を共同利用することとし、上記①～⑤について、例えば院内にできる限り具体的に記載した掲示を行うなどして本人が容易に知り得る状態に置いているのであれば、「第三者」への提供のための患者本人の同意を別途取得することは不要と整理することができる。

2　クラウドサービス事業者への委託時の留意点

　また、医療機関のカルテ相互閲覧のためにクラウドサービスを利用する場合、医療機関が、カルテに記録された情報をクラウドサービス事業者に第三者提供することになるのであれば、やはり、あらかじめ当該患者本人の同意が必要となる。

　ただし、個人情報の取得時に通知済みの利用目的達成のため必要な範囲内で、個人データの取扱いを委託する限りであれば、当該受託者は、「第三者」にはあたらず、第三者提供にかかる本人の同意は必要とはされない（個人情報保護法 27 条 5 項 1 号）。

　本設問では、医療機関が、電子カルテの管理など、あらかじめ患者本人に通知した利用目的達成のため必要な範囲で、クラウドサービス事業者に対して電子カルテ（個人データ）の取扱いを委託するのであれば、当該行為は、あらかじめ患者本人からの同意を得ていなくても可能である。この場合、クラウドサービス事業者は、自らはサーバーに保存された電子カルテの情報を取得しない旨の条項を含む契約を医療機関と締結し、電子カルテへのアクセスを適切に制御する必要がある（個人情報保護法ガイドライン Q&A Q 7-53）。他方、医療機関側では、自ら果たすべき安全管理措置の一環として、適切な安全管理措置を講じる義務があり（個人情報保護法ガイドライン Q&A Q 7-54）、上記契約にはクラウドサービス事業者が電子カルテの外部漏えい等を防ぐために遵守すべき義務等も含めるべきである。

　また、電子カルテは、「医療に関わる情報を扱う」情報システムであるから、厚生労働省から発表された「医療情報システムの安全管理に関する

238　第6章　医療機関・薬局等におけるDX

ガイドライン〔第5.2版〕」（令和4年3月）の適用を受けるところ、同ガイドラインでは、診療録等を「医療機関等が民間業者等との契約に基づいて確保した安全な場所に保存する場合」につき、「最低限のガイドライン」として、総務省・経済産業省の定めた「医療情報を取り扱う情報システム・サービスの提供事業者における安全管理ガイドライン」（令和2年8月。以下「統合ガイドライン」という）等を遵守することを契約内容で明確に定め、少なくとも定期的に報告を受けること等で確認することが求められている（前記「医療情報システムの安全管理に関するガイドライン〔第5.2版〕」）。

　統合ガイドラインは、過去に総務省や経済産業省から公表されていたガイドラインとは異なり、一律に要求事項を定めることはせず、リスクベースアプローチに基づいたリスクマネジメントプロセスを定義する点に特徴がある。もっとも、医療情報および当該情報に係る医療情報システム等が国内法の執行の及ぶ範囲にあることを確実とすることが求められる等の制約は残っている（ Q5 　Q14 も参照されたい）。

3　電子カルテ情報等の標準化

　厚生労働省は、医療機関同士での情報共有・連携を図る手段として、電子カルテ情報等の標準化を検討している。これは、全国の各医療機関に画一化された電子カルテシステムを普及させるのではなく、各医療機関で異なる仕様の電子カルテシステムを使用していることを前提に、特定の種類のカルテ情報およびその交換方式を標準化する施策である。具体的には、医療機関間で共有する必要性の高い一定のカルテ情報（例えば傷病名やアレルギー情報）およびこれらの情報を外部と交換するための電子的仕様（HL7 FHIRの規格を用いたAPI接続）を標準規格化した上で、それらを実装した電子カルテシステム等の普及が目指されている。「データヘルス改革に関する工程表」（ Q64 参照）においては、医療機関間で共有するデータ項目や技術的な基準の検討・決定等の整理を経て、2022年度以降、標準化が進められるとされている。

Q67 オンライン資格確認等システムを基盤とした 電子処方箋システム

Q 電子処方箋の概要や、オンライン資格確認等システムを基盤とした電子処方箋システムの概要について教えてください。

A オンライン資格確認等システムを基盤とした電子処方箋システムでは、審査支払機関が運営する電子処方箋管理サービスを通じて、医療機関と薬局の情報共有が行われ、患者の処方・調剤情報をリアルタイムで共有することが可能となります。

解 説

1 電子処方箋の意義

処方箋とは、医師が患者に対し治療上薬剤を調剤して投与する必要があると認めた場合に、患者または現にその看護にあたっている者に対して交付する書面であり、薬剤師が当該書面に基づき調剤するため、薬名、分量、用法、用量、使用期間などが記載されるものである（医師法22条、同法施行規則21条、薬剤師法19条以下）。

このように、処方箋は、医師・歯科医師から薬剤師への処方内容の伝達だけでなく、医師・歯科医師から患者に交付され、患者自らが処方内容を知ることができる、患者にとって最も身近な医療情報の1つである。

上記の意義を持つ処方箋の電子化は、医療機関と薬局の連携や服薬管理の効率化等に資するだけでなく、電子版お薬手帳との連携により、患者自らが服薬等の医療情報の履歴を電子的に管理し、健康増進への活用の第一歩になるなど、多くのメリットが認められる。

2 オンライン資格確認等システムを基盤とした電子処方箋システムの概要

電子処方箋システムは、民間事業者が提供するものも含めて様々な種類のシステム開発が進められているが、現在、審査支払機関（支払基金・国保中央会）により、オンライン資格確認等システムを基盤とした電子処方

電子処方箋管理サービスの仕組みを踏まえた運用全体像

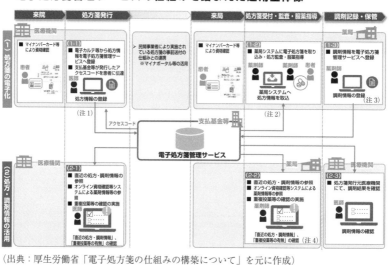

（出典：厚生労働省「電子処方箋の仕組みの構築について」を元に作成）

(注1)	医師が処方箋を発行
(注2)	薬剤師が処方箋を取り込んで調剤
(注3)	調剤情報を登録
(注4)	リアルタイムの処方・調剤情報の共有（重複投薬情報も確認可能）

箋管理システムの構築が進められている（厚生労働省「新たな日常にも対応したデータヘルスの集中改革プラン」における ACTION 2。Q 64 参照）。

このシステムは、オンライン資格確認等システムに参加している医療機関が処方箋を発行する場合、審査支払機関が運営する電子処方箋管理サービスに処方情報を登録し、薬局もこのサービスから処方情報を取り込む形で調剤し、最終的に調剤した情報も電子処方箋管理サービスに登録するというものである。これにより、処方箋発行元医療機関はもちろん、オンライン資格確認等システムに登録している他の薬局等においても、当該患者への処方・調剤情報をリアルタイムで把握することが出来、より実効性のある重複投薬防止等が可能となるなど（レセプトに基づく調剤情報の登録では、調剤してから登録までのタイムラグが生じるため、その間の重複投薬の防止が困難な場合がある）、様々なメリットが期待される。

3 電子処方箋システムの運用開始に伴う法改正等

　現行法上、医師および歯科医師は、患者に対し治療上薬剤を調剤して投与する必要があると認めた場合には、患者等に対して「処方せんを交付しなければならない」と定められている（医師法22条、歯科医師法21条）。したがって、前記2の電子処方箋サービスの運用を開始するためには、電子処方箋管理サービスへの処方情報の登録をもって、「処方せんを交付」したとみなすための法整備が必要となる。このための各種改正法は、令和4年3月1日に第208回通常国会へ提出され同年5月13日に成立した。改正法は令和5年2月1日までに施行される予定である。

　また、電子処方箋サービスの運用が開始されると、処方・調剤情報という患者の要配慮個人情報が、患者が受診した医療機関のみならず、システムに参加している医療機関や薬局も閲覧可能となる。要配慮個人情報は、原則として本人の同意なく取得することは出来ないため、上記の仕組みを個人情報保護法上どのように整理するのかという点も、引き続き検討されている。

242　第6章　医療機関・薬局等におけるDX

Q 68　電子処方箋に関する制度

Q　電子処方箋に関する制度および検討状況について教えてください。

- ▶

A　電子処方箋に関する制度としては、現状、厚生労働省が令和2年4月
30日に改定した「電子処方箋の運用ガイドライン〔第2版〕」があります。電子処方箋の発行に必要な資格確認・本人確認の方法については、新たに改訂された「医療情報システムの安全管理に関するガイドライン〔第5.2版〕」において、HPKIの電子署名以外の方法についても認められ得る旨が明記されています。

■■■ 解 説 ■■■

1 電子処方箋に関する制度

　電子処方箋に関する制度としては、厚生労働省が策定した令和2年4月30日付「電子処方箋の運用ガイドライン〔第2版〕」がある。改定前の同ガイドラインでは、電子処方箋を利用するにあたり、医療機関が患者に対して「電子処方せん引換証」という紙媒体を発行しなければならないなどの運営モデルになっていたこともあり、実務上電子処方せんが利用されていない状況が続いていたが、「電子処方箋の運用ガイドライン〔第2版〕」ではこの「電子処方せん引換証」を廃止し、完全な電子化を行う方針が明確化されている。同ガイドラインでは、電子処方箋管理サービスを介して、医療機関が電子処方箋を登録し、薬局が取得するという運用が示されており、電子処方箋管理サービスの運営主体が取り組むべき事項として、以下の点が挙げられている。

　① 事業の継続性の確保

　　電子処方箋管理サービスの運営主体は、事業の継続性を十分に確保することが求められる。例えば地域医療情報連携ネットワークの中で、電子処方箋の運用を開始する場合にあっては、その仕組みが有効に活用されるよう、実施地域の体制を確認し、地域医療情報連携ネットワークの普及と併せて、計画的に事業を進め、普及に取り組むこと

等が求められる。

② システムの安全性の確保

電子処方箋管理サービスの運営主体は、システムの運用について、総務省、経済産業省から公表されている「医療情報を取り扱う情報システム・サービスの提供事業者における安全管理ガイドライン」（令和2年8月）を遵守して、システムの安全性を確保するための対応を行う必要がある。

③ 相互運用性の確保

電子処方箋管理サービスの運営主体は、患者の医療継続性の確保のために、電子処方箋管理サービスの標準化とともに、医療機関、薬局、電子処方箋管理サービスの運営主体間の相互運用性を確保しなければならない。

④ 電子版お薬手帳等との連携等の確保

電子処方箋管理サービスの運営主体は、当該サービスの機能として、患者からの登録の依頼に基づき、調剤情報を電子版お薬手帳等の運営主体に送信する機能を有する場合には、電子版お薬手帳の運営主体との連携等を確保することが必要とされる。

⑤ 電子処方箋の運用に関する問合せ対応の実施

患者や医療機関・薬局等からの問合せの対応の窓口を設置する。ホームページ等により情報提供するだけでなく、いわゆるコールセンター等の設置等により、問合せ対応を実施することが求められる。

2 資格確認・本人認証手段に関する検討状況

法令上、処方箋には、医師・歯科医師が記名押印または署名しなければならないとされている（医師法施行規則21条、歯科医師法施行規則20条）。従前の厚生労働省「医療情報システムの安全管理に関するガイドライン〔第5.1版〕」では、こうした記名押印または署名が法令で義務付けられた文書について、電子署名に代える場合、HPKI（保健医療福祉分野の公開鍵基盤：Healthcare Public Key Infrastructure）を用いた電子署名・本人確認が推奨されていた。これに対しては、規制改革推進会議医療・介護ワーキング・グループ等において、HPKIのみを前提とすると紙媒体の処方箋の発行と比しても余計に手間がかかり、電子処方箋の普及が妨げられるおそれがある旨の指摘もなされており、これらの指摘を踏まえて、令和4年3

月に改訂された厚生労働省「医療情報システムの安全管理に関するガイドライン〔第5.2版〕」においては、HPKI等のローカル署名だけではなく、クラウドサービスを用いた電子署名も認められることや、医療機関による本人確認（利用者の資格確認）も認められること等が記載された。

Q69 電子お薬手帳サービスの意義と留意点 245

Q 69 電子お薬手帳サービスの意義と留意点

Q 電子お薬手帳が普及し始め、医療健康情報のクラウド化・ペーパーレス化が進んでいますが、既存の紙の手帳とはどのような関係なのでしょうか。電子お薬手帳サービスに参入するにあたってはどのような点に留意する必要があるでしょうか。

A 電子お薬手帳は、紙の手帳が有する意義を保持しつつ、紙の手帳が抱えていたリスクを減らすと共に、紙の手帳にはなかった便利な機能を実装することで、広く利用されているサービスです。お薬手帳に記載される情報は要配慮個人情報に該当することから、電子お薬手帳サービスに参入するにあたっては、PHR事業者の基本方針等を遵守するほか、個人情報の取扱いに特に留意する必要があります。

解 説

1 お薬手帳の意義

お薬手帳は、誤った薬の飲み合わせで患者が死亡した平成5年のソリブジン薬害事件を契機に、患者が安全で有効な薬物療法を受けるために導入された手帳であり、医療機関で処方された薬の名称や分量などの服用履歴に加え、既往歴、副作用歴、アレルギー歴等が記録される。

平成23年3月の東日本大震災の際には、地震や津波の被害によって病院や薬局のカルテ等の情報は失われたものの、お薬手帳を持参していた患者は、避難所でも、医師等に対して病歴や薬歴を正確に伝え、適切な医療を受けることができた実態があったことから、お薬手帳の重要性が改めて認識された。

近年では、平成28年度の診療報酬改定により、お薬手帳を薬局に持参することで調剤時の薬剤服用歴管理指導料が下げられるなど、お薬手帳の活用が促されている。

2 紙のお薬手帳と電子お薬手帳との関係性

電子版のお薬手帳は、紙のお薬手帳が有していた意義を保持しつつ、紙の手帳が抱えていたリスクを減らすと共に、紙のお薬手帳にはなかった便利な機能を実装し、より利便性を高めたものである。

すなわち、電子お薬手帳は、紙のお薬手帳で記録されていた、薬歴、既往歴、副作用歴、アレルギー歴等の情報を、患者が保有するスマートフォンのアプリケーション等を通じて電子的に記録するサービスであり、紙のお薬手帳と同等の機能を有する場合には、調剤時の算定上も前記1と同様に、薬剤服用歴管理指導料が下げられるというメリットを受けられる。

また、紙のお薬手帳には、持参を忘れたり紛失したりしやすいという難点があったが、電子お薬手帳の場合は、アプリケーションがインストールされたスマートフォンさえ保持していれば利用可能であるため、携帯性に優れており、紛失リスクも低下させられる。さらに、電子お薬手帳の種類によっては、薬歴の見える化が図られたり、QRコードの読み取り等の簡便な方法により薬の詳細な情報を確認しやすくなったり、飲み忘れを防ぐアラーム機能を活用できたりするなどの機能が付いているものもあり、電子版の特性を利用して利便性が高められている。特に近年では、自身の保健医療情報を活用できる仕組みの拡大（「新たな日常にも対応したデータヘルスの集中改革プラン」ACTION 3。 **Q 64** 参照）の一環として、審査支払機関が運営する電子処方箋管理サービス（ **Q 67** 参照）からマイナポータルAPIを通じて処方・調剤情報を取得するような電子お薬手帳も検討されている。

他方で、紙のお薬手帳の場合は、手帳ごとの書式に統一性がなくても各薬局において対応可能であったが、電子お薬手帳の場合、薬局ごとに特定の仕様でなければ対応できないこともあり、その場合にはかえって患者の薬歴情報等の一元化が阻まれることとなりかねない。そのため、電子版お薬手帳については、仕様の共通化、相互利用化が進められている。

3 PHR 事業者の基本指針

個人がマイナポータルAPI等を活用して入手可能な薬剤情報や、医療機関等から個人に提供され、個人が自ら入力する情報を取り扱う電子お薬手帳を提供する民間事業者には、総務省、厚生労働省、経済産業省「民間

PHR事業者による健診等情報の取扱いに関する基本的指針」（令和3年4月。以下「指針」という）が適用される[1]。したがって、審査支払機関が運営する電子処方箋管理サービス（**Q 70** 参照）からマイナポータルAPIを通じて処方・調剤情報を取得するような電子お薬手帳サービスを提供する民間事業者は、指針を遵守する必要がある。

指針では、PHR事業者が実施すべき事項として、情報セキュリティ対策、個人情報の適切な取扱い、健診等情報の保存および管理ならびに相互運用性の確保、要件遵守の担保が挙げられている。また、同指針は、個人情報保護法や関連ガイドラインの改正、指針の運用状況およびPHRサービスまたはセキュリティ技術等の拡大等の状況の変化を踏まえて、必要に応じて検討および見直しを行うものとされており、その動向に留意する必要がある。

4　その他のサービス導入における留意点

お薬手帳に記録される情報については、ユーザーである患者の病歴等を推察させるものであることから、特に配慮を要する記述であり、特定の個人を識別できる情報と結びついて記録される場合には、要配慮個人情報に該当するものである（医療介護ガイダンス10頁、要配慮個人情報については**Q 2** 参照）。そのため、電子お薬手帳のサービスを設計するにあたっては、まず個人情報保護法令や関連する個人情報保護ガイドライン等に留意する必要がある。

具体的には、患者が訪れた薬局だけではなくサービス事業者としても患者の要配慮個人情報を取得するのか、サービス事業者が患者の要配慮個人情報を取得する場合どのように患者本人の同意を取得するか、いったん取得した要配慮個人情報を他の薬局と相互閲覧する場合にどのような仕組みを構築するか、といった事項について、検討する必要がある。

なお、一般にアプリの利用規約は民法548条の2に定める「定型約款」に該当するため、サービスの利用規約の作成・改訂にあたっては、同条に

---

1) これに対し、利用者の指示に基づいて薬局から、システムを通じて直接、薬剤情報を受領する電子お薬手帳を提供する事業者等には、総務省・経済産業省「医療情報を取り扱う情報システム・サービスの提供事業者における安全管理ガイドライン」（令和2年8月）が適用される。

おける規制にも留意が必要である。

Q 70　電子お薬手帳における家族情報の管理機能

Q　電子お薬手帳において、ユーザーだけではなく、その家族の情報もまとめて管理できるサービスの導入を検討していますが、どのような点に留意する必要がありますか。

A　ユーザーの家族であっても、サービス事業者が当該家族の調剤情報を取得するのであれば、原則として当該家族本人の同意が必要となるため、留意が必要です。

解　説

1　電子お薬手帳サービスと要配慮個人情報

お薬手帳に記録される情報については、ユーザーの病歴等を推察させるものであることから、特に配慮を要する記述であり、特定の個人を識別できる情報と結びついて記録される場合には、要配慮個人情報に該当するものである（医療介護ガイダンス 10 頁、要配慮個人情報については **Q 2** 参照）。

電子お薬手帳サービスにおいては、特定の調剤薬局と調剤歴情報等を共有する機能を備えるため、氏名、住所、生年月日または保険証番号など、特定の個人を識別できる情報も紐付けて入力することになっている場合も多い。このような場合には、同サービスで取り扱う情報は要配慮個人情報に該当し、個人情報取扱事業者が、当該情報を取得する場合には、原則として、あらかじめ本人の同意が必要となる（個人情報保護法 20 条 2 項、27 条 1 項）。

2　家族管理サービス

従来、紙のお薬手帳についても、家族の中で育児や介護を中心的に担う者が、家族のお薬手帳数冊分を一括管理するということが行われていた。

同様に、電子お薬手帳を利用するユーザーにも、ユーザー自身のみならず、自身の子どもや介護している親など家族の調剤情報を、一括して記録・管理したいというニーズが存在する。こうしたニーズに対応するた

め、電子お薬手帳の中には、ユーザーが家族等（第三者）の調剤情報を記録・管理する機能を実装するものがある（いわゆる「家族管理サービス」）。

もっとも、前記1のとおり、電子お薬手帳サービスに記録される情報が要配慮個人情報に該当し、電子お薬手帳サービスの提供事業者がその家族等の調剤情報を取得する立て付けとする場合には、電子お薬手帳サービスの提供事業者は、あらかじめ当該家族等本人の同意を得ることが必要となる。

3　家族等からの同意の取得

通常、家族等からの処方箋を預かった者や、当該処方箋の提出を受けた調剤薬局の立場であれば、その家族等が処方箋を預けたという事実から、当該処方箋にかかる調剤情報を取得することについて、その家族等自身が同意していると合理的に推認することは可能である。また、電子お薬手帳サービスの提供事業者が、当該調剤薬局から情報管理の委託を受けるのみで当該情報を取得しないのであれば（個人情報保護法27条5項1号）、電子お薬手帳サービスの提供事業者がその家族等の調剤情報を取得するわけではないため（同法20条2項8号、同法施行令9条2号）、当該家族本人の同意が必要となるわけではない。

これに対し、電子お薬手帳サービスの提供事業者が、同サービスのユーザーの家族等の要配慮個人情報を取得する立て付けとする場合には、電子お薬手帳サービスの提供事業者が当該要配慮個人情報を取得することについて、その家族等本人の同意が必要となる。しかし、電子お薬手帳サービスの提供事業者としては、当該要配慮個人情報について、その家族等本人から直接取得するのではなく、ユーザーを介して取得することになるため、その家族等本人が、電子お薬手帳サービスの提供事業者が当該要配慮個人情報を取得することまで同意しているか否かは、必ずしも明らかではない場合も多い（もっとも、その家族等がユーザー本人の未成年の子であったり、ユーザー本人が成年後見人を務める成年被後見人であったりする場合には、別途プライバシーに対する配慮は必要であるとしても、電子お薬手帳サービスの提供事業者は親権者または成年後見人から同意を取得することで足りると整理することは可能である）。そのため、電子お薬手帳サービスの提供事業者としては、ユーザーの家族等本人からその要配慮個人情報を取得することについて、当該家族等本人から同意をとれる仕組みを用意したり、あ

るいは、当該家族本人の同意を得ていることをユーザーを通じて担保する仕組みを用意するなど、サービス設計上の工夫をすることが必要となる。

第7章

再生医療

Q71 細胞加工に関わる事業と法規制

Q 当社は、病気の治療を目的とする細胞の加工事業に参入しようと考えているのですが、どのような事業形態があり得ますか。

A 企業が再生医療ビジネスに参入する方法として、薬機法上の製造販売業の許可を取得して、加工した細胞を再生医療等製品として市場で流通させる方法があります。この場合に企業が再生医療等製品を自ら製造するならば、企業は、製造所ごとに厚生労働大臣の許可も取得する必要があります。

また、企業としては、再生医療等安全確保法に基づき細胞培養加工施設ごとに厚生労働大臣の許可を受けた上で、医療機関の委託を受けて細胞加工を行う方法もあります。

解説

1 再生医療等製品と再生医療等安全確保法

次の図のように、企業が主導して再生医療等製品を製造する場合には薬機法の適用対象となり、再生医療等が医療機関内で医師の責任の下で医療

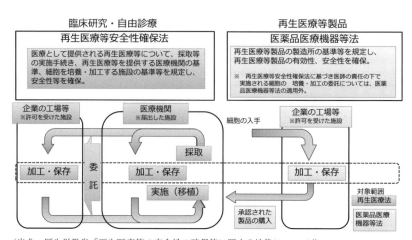

(出典:厚生労働省「再生医療等の安全性の確保等に関する法律について」)

として実施される場合には再生医療等安全確保法の適用対象となる。

2 薬機法に基づく再生医療等製品の製造販売

(1) 再生医療等製品の定義

「再生医療等製品」とは、以下のもののうち、薬機法施行令に列挙されるものをいう（薬機法2条9項、同法施行令1条の2、同施行令別表第2）。

- ・ ①身体の構造・機能の再建・修復・形成を目的として使用する物や、②疾病の治療・予防を目的として使用する物のうち、人または動物の細胞に培養等の加工を施したもの
- ・ 人または動物の疾病の治療に使用されることが目的とされている物のうち、人または動物の細胞に導入され、これらの体内で発現する遺伝子を含有させたもの

(2) 再生医療等製品の製造販売に係る許認可等

事業者が、業として、再生医療等製品の製造販売を行うにあたっては、当該事業者は、厚生労働大臣の許可を受ける必要がある（薬機法23条の20第1項）。そして、再生医療等製品を製造販売する事業者は、再生医療等製品の品目ごとに厚生労働大臣の承認を受ける必要がある（同法23条の25第1項）。

また、事業者が、業として、再生医療等製品を自ら製造する場合、当該事業者は、製造所ごとに厚生労働大臣の許可を受ける必要がある（同法23条の22第1項・2項）。

3 再生医療等安全確保法に基づく再生医療等・再生医療等技術

(1) 再生医療等・再生医療等技術の定義

再生医療等安全確保法において、「再生医療等」は、「再生医療等技術」を用いて行われる医療をいう（再生医療等安全確保法2条1項）。この「再生医療等技術」とは、次の図のとおり、①(i)人の身体の構造もしくは機能の再建、修復もしくは形成、または(ii)人の疾病の治療もしくは予防を目的とする医療技術であって、②細胞加工物を用いるものをいう（同法2条2項）。ただし、製造販売承認を得ている再生医療等製品を承認された適用内で使用する医療技術など、一定の医療技術は除外される。

「細胞加工物」とは、人または動物の細胞に培養その他の加工を施した

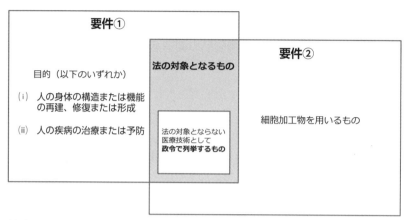

(参考:厚生労働省「再生医療等の安全性の確保等に関する法律について」を元に作成)

ものをいう。また、「特定細胞加工物」とは、再生医療等に用いられる細胞加工物のうち再生医療等製品であるもの以外のものをいう(同法2条4項)。

(2) 特定細胞加工物製造事業者による製造およびそれに係る許認可等

再生医療等を提供する医療機関は、自ら細胞の加工を行うのではなく、特定細胞加工物製造事業者に対して、特定細胞加工物の製造を委託することができる(再生医療等安全確保法12条)。

委託先の「特定細胞加工物製造事業者」とは、特定細胞加工物の製造の許可もしくは認定を受けた者または特定細胞加工物の製造の届出をした者をいい(同法2条8項)、許認可等が必要となる類型は、次の表のとおりである。なお、これらの許認可等は、細胞培養加工施設(特定細胞加工物の製造をする施設(同法2条4項))ごとに取得または届け出る必要がある。また、厚生労働省医政局研究開発振興課長から示された「再生医療等の安全性の確保等に関する法律等に関する Q&A について」(平成26年11月21日)によれば、1つの特定細胞加工物製造事業者が許認可等を取得または実施した細胞培養加工施設またはその一部について、他の特定細胞加工物製造事業者が許認可を取得しまたは届け出ることはできないとされている。

細胞培養加工施設における「製造」とは、人または動物の細胞に培養そ

類　型	許認可等	再生医療等安全確保法の条文
国内の医療機関等以外で製造を行う場合	許可	35条1項
国外で製造を行う場合	認定	39条1項
国内の医療機関等内で製造を行う場合	届出	40条1項

の他の加工を施すことをいい（同法2条4項）、厚生労働省から示された「『再生医療等の安全性の確保等に関する法律』、『再生医療等の安全性の確保等に関する法律施行令』及び『再生医療等の安全性の確保等に関する法律施行規則』の取扱いについて」（平成26年10月31日、令和3年1月28日改正）によれば、「加工」とは、細胞・組織の人為的な増殖・分化、細胞の株化、細胞の活性化等を目的とした薬剤処理、生物学的特性改変、非細胞成分との組み合わせまたは遺伝子工学的改変等を施すことをいう。なお、組織の分離、組織の細切、細胞の分離、特定細胞の単離（薬剤等による生物学的・化学的な処理により単離するものを除く）、抗生物質による処理、洗浄、ガンマ線等による滅菌、冷凍、解凍等は「加工」とみなさない（ただし、本来の細胞と異なる構造・機能を発揮することを目的として細胞を使用するものについてはこの限りでない）。

258 第7章 再生医療

Q72 再生医療等製品の早期の実用化

Q 再生医療等製品の早期の製品化のために、どのような制度がありますか。

--->

A 再生医療等製品に係る条件および期限付承認制度（薬機法23条の26第1項）が存在します。また、革新的な再生医療等製品については、優先的に審査を行う先駆け審査指定制度があります。

═══ 解 説 ═══

　再生医療等製品の場合、人の細胞が原材料として用いられることから、原材料となる細胞を提供した個人ごとの差が反映され、製品の品質が不均一となるため、通常の製品化までのプロセスよりも、製品の有効性を確認するためのデータの収集・評価に長時間を要する。他方で、安全性については、急性期の副作用等は短期間で評価を行うことが可能であることから、有効性についても、一定数の限られた症例から短期間で有効性を推定することとし、再生医療等製品の製造販売承認の仕組みとして、条件および期限を付すことによって、早期にいったん承認を与える制度が採用された。

　具体的には、製造販売の承認申請をされた製品が、下記①〜③のいずれにも該当する再生医療等製品である場合には、厚生労働大臣は、薬事・食品衛生審議会の意見を聴いて、その適正な使用の確保のために必要な条件および7年を超えない範囲内[1]の期限を付してその品目に係る承認を与えることができる（薬機法23条の26第1項）。

①　申請に係る再生医療等製品が均質でないこと

②　申請に係る効能、効果または性能を有すると推定されるものであること

③　申請に係る効能、効果または性能に比して著しく有害な作用を有することにより再生医療等製品として使用価値がないと推定されるもの

----

1) 厚生労働大臣は、審査を適正に行うため特に必要があると認めるときは、薬事・食品衛生審議会の意見を聴いて、3年を超えない範囲内において延長することができる。

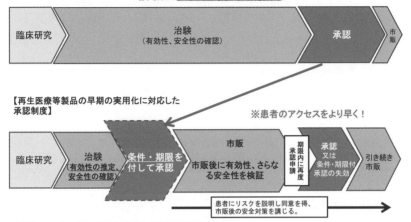

（出典：厚生労働省「薬事法等の一部を改正する法律の概要」）

でないこと

なお、条件および期限付承認はあくまで一時的な承認に過ぎず、当該期限が到来すれば効力を失うため、当該承認の対象となった再生医療等製品を継続して製造販売するには、条件および期限付承認を受けた事業者は、その品目について、当該承認の期限内に、改めて承認の申請をする必要がある（同法23条の26第5項）[2]。

また、患者に世界で最先端の治療薬を最も早く提供することを目指し、一定の要件を満たす画期的な新薬等については、先駆け審査指定制度が用意されている。これは、開発の比較的早期の段階から先駆け審査指定制度の対象品目に指定し、薬事承認に係る相談・審査における優先的な取扱いの対象とするとともに、承認審査のスケジュールに沿って申請者における製造体制の整備や承認後円滑に医療現場に提供するための対応が十分になされることで、更なる迅速な実用化を図る制度である。

2）期限内にその申請に対する処分がされないときは、条件および期限付承認は、当該期限の到来後もその処分がされるまでの間は、なおその効力を有する（薬機法23条の26第6項）。

260 第7章 再生医療

Q 73 再生医療等の提供と規制

Q 再生医療等を提供する医療機関には、どのような規制が適用されますか。

--->

A 再生医療等を提供する医療機関には、厚生労働大臣または地方厚生局長に
対し、再生医療等の各リスクのレベルに応じた再生医療等提供計画を提出す
る義務があります。

══ 解 説 ══

1 再生医療等のリスク分類

　再生医療等安全確保法は、再生医療等を、リスクの度合いに応じて「第
一種再生医療等」、「第二種再生医療等」、および「第三種再生医療等」の
3つに分類しており、それぞれ必要な手続を定めている。なお、重大な影
響を与えるおそれがあるものが、第一種再生医療等に分類される。

⑴ 第一種再生医療等

　「第一種再生医療等技術」とは、人の生命および健康に与える影響が明
らかでないまたは相当の注意をしても人の生命および健康に重大な影響を
与えるおそれがあることから、その安全性の確保等に関する措置その他の
再生医療等安全確保法で定める措置を講ずることが必要なものとして厚生
労働省令で定める再生医療等技術をいい、「第一種再生医療等」とは、第
一種再生医療等技術を用いて行われる再生医療等をいう（再生医療等安全
確保法2条5項）。

⑵ 第二種再生医療等

　「第二種再生医療等技術」とは、相当の注意をしても人の生命および健
康に影響を与えるおそれがあることから、その安全性の確保等に関する措
置その他の再生医療等安全確保法で定める措置を講ずることが必要なもの
として厚生労働省令で定める再生医療等技術（第一種再生医療等技術に該当

するものを除く）をいい、「第二種再生医療等」とは、第二種再生医療等技術を用いて行われる再生医療等をいう（再生医療等安全確保法2条6項）。

(3) 第三種再生医療等

「第三種再生医療等技術」とは、第一種再生医療等技術および第二種再生医療等技術以外の再生医療等技術をいい、「第三種再生医療等」とは、第三種再生医療等技術を用いて行われる再生医療等をいう（再生医療等安全確保法2条7項）。

なお、再生医療等がどの分類に該当するかを判断するにあたっては、下記の図を参照されたい。

2 再生医療等提供計画

再生医療等を提供しようとする病院または診療所の管理者は、第一種再生医療等、第二種再生医療等および第三種再生医療等のそれぞれにつき厚生労働省令で定める再生医療等の区分ごとに再生医療等の提供に関する計画（以下「再生医療等提供計画」という）を厚生労働大臣または地方厚生局長に提出する義務を負い（再生医療等安全確保法4条1項、同法施行規則108

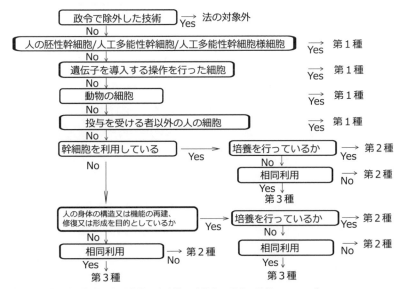

（出典：厚生労働省「再生医療等の安全性の確保等に関する法律について」）

262　第7章　再生医療

条1項1号）、当該義務を負う医療機関を「再生医療等提供機関」という（同法6条）。

　再生医療等を提供しようとする病院または診療所の管理者は、再生医療等提供計画を提出しようとするときは、当該再生医療等提供計画が再生医療等提供基準（同法3条1項・2項および同法施行規則4条以下により定義される）に適合しているかどうかについて、あらかじめ、当該再生医療等提供計画に記載される認定再生医療等委員会の意見を聴かなければならず（同法4条2項）、再生医療等提供計画の提出を行った際には、速やかに当該再生医療等提供計画に記載された認定再生医療等委員会に通知しなければならない（同法施行規則27条2項）。

　なお、「認定再生医療等委員会」とは、再生医療等技術や法律の専門家等の有識者からなる合議制の委員会（同法施行規則44条、45条参照）で、一定の手続により厚生労働大臣の認定を受けたものであり、再生医療等提供機関の管理者から再生医療等提供計画について意見を求められた場合に、再生医療等提供基準に照らして審査を行い、意見を述べるといった審査等業務を行うものである（同法4条1項7号、26条5項2号・1項・4項）。また、「特定認定再生医療等委員会」とは、認定再生医療等委員会のうち、特に高度な審査能力、第三者性を有するものであり、第一種再生医療等および第二種再生医療等の審査等業務を行うものである（同法7条および11条）。

　再生医療等提供機関が提出した再生医療等提供計画に基づく再生医療等の提供は、次頁の図表の過程を経て開始される。

Q73 再生医療等の提供と規制

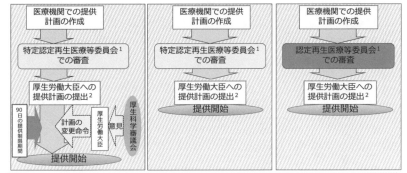

(注1) 「認定再生医療等委員会」とは、再生医療等技術や法律の専門家等の有識者からなる合議制の委員会で、一定の手続により厚生労働大臣の認定を受けたものをいい、「特定認定再生医療等委員会」は、認定再生医療等委員会のうち、特に高度な審査能力、第三者性を有するもの。

(注2) 厚生労働大臣への提供計画の提出の手続を義務付ける。提供計画を提出せずに再生医療等を提供した場合は、罰則が適用される。

(出典:厚生労働省「再生医療等の安全性の確保等に関する法律について」)

第8章

遺伝子検査サービス・
遺伝情報の利用

266　第8章　遺伝子検査サービス・遺伝情報の利用

Q 74　遺伝子検査サービスとは

Q　遺伝子検査サービスとはどのようなものでしょうか。

-->

A　典型的な遺伝子検査サービスは、医師を介さずに、個人から採取された検体の遺伝情報を解析し、個人の有する遺伝情報に特徴的な疾患リスクや体質に関する情報を提供するサービスです。

═══ 解　説 ═══

1　消費者向け遺伝子検査とは

　近時一般事業者による遺伝子検査ビジネスへの参入が相次いでいる。典型例として、個人（消費者）から採取された検体の遺伝情報を解析し、疾患リスクや体質に関する情報を提供するサービスがある。

　遺伝子検査は、疾患の診断や治療・投薬の方針決定を目的として医療機関（医師）によって実施される場合もあるが、一般事業者による遺伝子検査（消費者向け遺伝子検査）は、医師を介さずに検体の採取や検査を実施し、個人の疾患リスクや体質について気付きを与え、その生活習慣改善や健康増進を促す点に特徴があるといわれている。

　また、遺伝子検査を通じて収集した遺伝情報に関する知見の蓄積が進むことにより、新たな治療方法や薬の開発などに繋がることも期待されており、そのための大学や製薬会社等との共同研究の動きも出てきている。

2　消費者向け遺伝子検査のプロセス

　代表的な消費者向け遺伝子検査は、以下のプロセスをたどる。
　①　受　付
　検査事業者が、個人から遺伝子検査の申込みを受け付け、検査採取キット等を消費者に送付する。
　②　検体採取
　個人が、検体採取キットにより自身で検体（唾液等）を採取し、検査事

業者に送付する。

③ 解　析

検査事業者が、個人から送付された検体を解析する（検査機関等に解析が委託される場合もある）。

④ 結果報告

検査事業者が、解析結果を郵送やウェブサイト等を通じて個人に報告する。

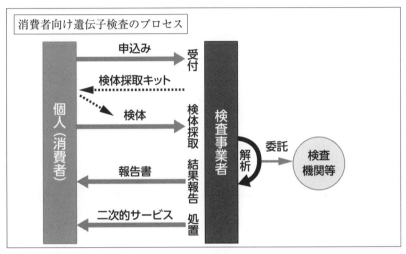

（出典：吉田和央「遺伝子検査ビジネスの法的諸問題」NBL1102号（平成29年））

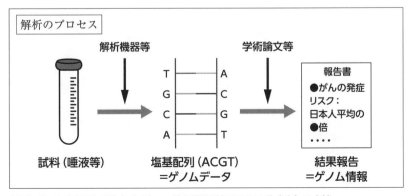

（出典：吉田和央「遺伝子検査ビジネスの法的諸問題」NBL1102号（平成29年））

268　第8章　遺伝子検査サービス・遺伝情報の利用

⑤　処　置

　検査事業者が、遺伝子検査の結果を基に、栄養または運動指導、サプリメントの販売などの疾患り患リスクの低減等を図るサービス（二次的サービス）を提供する（オプション的なサービスとして提供される場合が多い）。

　このうち③解析は、(ⅰ)解析機器等により個人（消費者）から送付された検体（唾液等）に含まれる塩基配列（ACGT）を文字列で表記したもの（ゲノムデータ）を明らかにする作業と、(ⅱ)当該ゲノムデータを（ゲノムデータと疾患との関係を明らかにする）学術論文や統計データ等に照らし合わせて個人の疾患リスクや体質等（ゲノム情報）を明らかにする作業から構成される。

　遺伝子検査サービスの法規制については Q75 ～ Q79 を参照されたい。

Q75 遺伝子検査サービスと医師法の関係

Q 遺伝子検査サービスと医師法の関係を教えてください。

A 遺伝子検査サービスが①遺伝要因だけでなく、環境要因が疾患の発症に大きく関わる「多因子疾患」のみを対象としており、②学術論文等の統計データと検査結果とを比較しているにすぎない場合には、「医業」を行っているとは言えず、医師の関与なしに実施できる場合があります。

解 説

1 医師法における「医業」の意義

医師法17条は、医師でなければ、「医業」をしてはならないと定めている。

「医業」とは、医行為を、反復継続する意思をもって行うこと意味し、「診断」（診察）はこれに含まれると解されている（大判昭8・7・31刑集12巻1543頁、厚生労働省「医師法第17条、歯科医師法第17条及び保健師助産師看護師法第31条の解釈について」（平成17年7月26日））。「医業」の内容となる「医行為」とは、医療および保健指導に属する行為のうち、医師が行うのでなければ保健衛生上危害を生ずるおそれのある行為をいい、これに該当するか否かは、行為の方法や作用のみならず、その目的、行為者と相手方との関係、行為が行われる際の具体的な状況、実情や社会における受け止め方等をも考慮した上で、社会通念に照らして判断される（ Q32 、最決令和2・9・16刑集第74巻6号581頁）。

2 消費者向け遺伝子検査は「医業」に該当するか

消費者向け遺伝子検査のうち、特に疾患リスクを明らかにするものについては、「医業」に該当しないかが問題となる。仮に「医業」に該当することとなれば、そのような消費者向け遺伝子検査を医師（医療機関）でない一般事業者が提供すると医師法17条に抵触してしまうためである。

「医業」（診断、医行為）と消費者向け遺伝子検査の関係については、平

270　第8章　遺伝子検査サービス・遺伝情報の利用

成27年11月17日から平成28年10月19日までに厚生労働省で開催された「ゲノム情報を用いた医療等の実用化推進タスクフォース」第4回資料2「今後の検討課題と進め方（案）」（平成28年1月27日）において厚生労働省より示された次の見解が参考になる。

- 　診察、検査等により得られた患者の様々な情報を、確立された医学的法則に当てはめ、疾患の名称、原因、現在の病状、今後の病状の予測、治療方針等について判断を行い、患者に伝達することは「診断」に該当する
- 　他方、消費者の遺伝子型とともに疾患リスク情報を提供する消費者向け遺伝子検査ビジネスにおいて、①遺伝要因だけでなく、環境要因が疾患の発症に大きく関わる「多因子疾患」のみを対象としており、②学術論文等の統計データと検査結果とを比較しているにすぎない場合には、「診断」を行っているとはいえず、「医行為」には該当しない

3　「多因子疾患」とは何か

2で述べたとおり、「医業」に該当しない形で消費者向け遺伝子検査を実施するためには、その対象を「多因子疾患」に限る必要がある。

ヒトの場合、父と母からそれぞれ1セットずつ受け継いだ23対の染色体があり、1本の染色体はひとつながりの長いDNA分子を含んでいる。DNA分子の一部領域が1遺伝子に対応している。遺伝子は二重らせんの「はしご」のような形状をしており、「はしご」の縦棒は糖とリン酸による1本鎖、「はしご」の横棒はA（アデニン）、C（シトシン）、G（グアニン）、T（チミン）という4種類の塩基が対になってできており、これらの塩基配列がヒトの疾患リスクや体質等に影響を及ぼすといわれている。

遺伝子と関連する疾患は、以下のとおり分類される。

(1)　単一遺伝子疾患

特定の遺伝子によって引き起こされる疾患をいう。例として、ハンティントン病、嚢胞性線維症、鎌状赤血球貧血などが挙げられる。

(2)　他因子疾患

遺伝子のリスク因子の1つ1つの力はそれほど強くなく、そのいくつかが組み合わさって、さらに環境からの刺激を受けて疾患を引き起こすもの

をいう。例えば、糖尿病や心臓病、がんなど、よくある病気のほとんどは遺伝的要素を持っているが、これらの疾患は単一の遺伝子ではなく、複数の遺伝子や環境要因が関与しているとされる。

①単一遺伝子疾患に関する遺伝子検査は、ほぼ完全に発症を予測することができる点で「発症前検査」と、②多因子疾患に関する遺伝子検査は罹患性の程度（リスク）を予測する点で「易罹患性検査」とも呼ばれている（遺伝医学関連学会「遺伝学的検査に関するガイドライン」（平成15年8月））。

272　第8章　遺伝子検査サービス・遺伝情報の利用

Q 76　遺伝子検査サービスの規制

Q　遺伝子検査サービスを提供する場合、どのような規制を遵守する必要があります。

--->

A　個人情報保護法に加えて、経済産業省が策定した「個人遺伝情報保護ガイドライン」などを遵守する必要があります。

=== 解　説 ===

1　個人情報保護法・個人遺伝情報保護ガイドライン

　消費者向け遺伝子検査において、消費者から直接試料等を取得する検査事業者は、「個人情報取扱事業者」（個人情報保護法16条2項）として個人情報保護法の適用を受ける。

　これに加えて、遺伝子検査については、本人およびその血縁者の遺伝的素因を明らかにし、本人を識別することができるなど、その取扱いによっては倫理的、法的または社会的問題を招く可能性があることから、経済産業省は「経済産業分野のうち個人遺伝情報を用いた事業分野における個人情報保護ガイドライン」（令和3年3月23日。以下「個人遺伝情報保護ガイドライン」という）を策定し、遺伝情報の取扱いに固有の規律を定めている。

　個人遺伝情報保護ガイドラインでは、「個人遺伝情報」は、個人情報保護法に定められた「個人情報」のうち、個人の遺伝的特徴やそれに基づく体質を示す情報を含み、特定の個人を識別することが可能なものと定義されており（同ガイドラインⅡ.1-1.(5)）、特定の個人と紐付いたゲノムデータ・情報は「個人遺伝情報」に該当する。そのため、そのような「個人遺伝情報」を取り扱う検査事業者は、「個人遺伝情報取扱事業者」（同ガイドラインⅡ.1-2.⒁）として、同ガイドラインの適用を受けることになる。

2 その他

　経済産業省は、個人遺伝情報保護ガイドラインに加え、法的拘束力はないものの、遺伝子検査ビジネスを適切に実施するための参考資料として、「遺伝子検査ビジネス実施事業者の遵守事項」（平成25年2月）を公表している。

　また、一般社団法人遺伝情報取扱協会は、個人遺伝情報保護ガイドラインに定められている事項に加えて、倫理的・法的・社会的、技術的な観点から個人遺伝情報を取扱う事業者が遵守すべき事項を整理したものとして、「個人遺伝情報を取扱う企業が遵守すべき自主基準（遺伝情報取扱事業者自主基準)」を策定し、当該自主基準の遵守状況を認定する制度も設けている。

274　第8章　遺伝子検査サービス・遺伝情報の利用

Q 77　遺伝子検査サービスの法的留意点 ──受付・検体採取

Q　遺伝子検査サービスのプロセスのうち、受付・検体採取の場面では、どのような点に留意する必要がありますか。

-->

A　インフォームド・コンセントの取得や検体の厳格な管理などが求められます。

解　説

1　受付にあたっての留意点

　個人遺伝情報取扱事業者が個人遺伝情報を取り扱う場合、利用目的の特定は、検査の対象となる遺伝子を明確にする程度に行うことする旨が定められている（経済産業省「経済産業分野のうち個人遺伝情報を用いた事業分野」における個人情報保護ガイドライン」（令和3年3月23日。以下「個人遺伝情報保護ガイドライン」という）Ⅱ.2.(1)①）。

　また、消費者向け遺伝子検査により得られたゲノムデータ・情報、すなわち「本人の遺伝型とその遺伝型の疾患へのかかりやすさに該当する結果」は、「本人に対して医師その他医療に関連する職務に従事する者」により行われた「疾病の予防及び早期発見のための健康診断その他の検査」の結果として、「要配慮個人情報」に該当する（個人情報保護法2条3項、同法施行令2条2号、個人情報保護法ガイドライン（通則編）2-3）。そのため、個人情報取扱事業者は、ゲノムデータおよびゲノム情報について、①原則としてあらかじめ本人の同意を得ないで取得してはならない（同法20条2項）、②第三者提供にあたってオプトアウト方式を採ることができず（同法27条2項柱書かっこ書）、原則として本人の同意を取得する必要がある（同法27条1項）といった規律の適用を受ける。

　さらに、個人遺伝情報取扱事業者は、個人遺伝情報を用いた事業の実施にあたり、一定の項目について、事前に本人に十分な説明をし、本人の文書による同意（インフォームド・コンセント）を受けることが求められる

（個人遺伝情報保護ガイドラインⅡ.2.(2)①）。

なおインフォームド・コンセントに盛り込む内容は次のとおりである。

- ・ 事業の意義（特に、体質検査を行う場合には、その意義が客観的なデータとして明確に示されていること）、目的および方法（対象とする遺伝的要素、分析方法、精度等。将来の追加、変更が予想される場合はその旨）、事業の期間、事業終了後の試料の取扱い、予測される結果や不利益（社会的な差別その他の社会生活上の不利益も含む）等
- ・ インフォームド・コンセントの撤回をする場合の方法と、撤回の要件、撤回への対応（廃棄の方法等も含む）、費用負担等
- ・ 事業者名称、住所、電話番号、代表者の氏名・職名
- ・ 試料等の取得から廃棄に至る各段階での情報の取扱いについて、個人遺伝情報の匿名化および安全管理措置の具体的方法
- ・ 解析等を他の事業者に委託する場合、または共同利用する場合は、委託先または共同利用先の名称および、委託・共同利用に際しての個人遺伝情報の匿名化と安全管理措置の具体的方法
- ・ 解析等を外国にある他の事業者に委託する場合、または共同利用する場合は、その旨
- ・ 個人遺伝情報取扱審査委員会により、公正かつ中立的に事業実施の適否が審査されていること
- ・ 個人遺伝情報の開示に関する事項（受付先、受付の方法、開示にあたって手数料が発生する場合はその旨を含む）
- ・ 遺伝カウンセリングの利用に係る情報
- ・ 問い合わせ（個人情報の訂正、同意の撤回等）、苦情等の窓口の連絡先等に関する情報

2 検体採取にあたっての留意点

個人情報取扱事業者は、その取り扱う個人データの漏えい、滅失またはき損の防止その他の個人データの安全管理のために必要かつ適切な措置を講じなければならない（個人情報保護法23条）。

この点について、①個人遺伝情報取扱事業者は、匿名化管理者を設置し、試料等を入手後速やかに、委託または第三者提供の場合にはその前に、試料等を匿名化することとすること、②匿名化管理者は、個人遺伝情報の匿名化のほか、インフォームド・コンセントの文書、匿名化作業にあ

たって作成した対応表等の管理および廃棄を適切に行い、個人遺伝情報が漏えいしないように厳重に管理することが求められている（個人遺伝情報保護ガイドラインII.2.(3)2)）。

　また、試料の取扱いおよび送付や情報開示については、以下の対応が求められている（経済産業省「遺伝子検査ビジネス実施事業者の遵守事項」（平成25年2月）1(10)～(12)）。

- ・　検査に供する試料が検査を希望する本人のものであることを保証するために合理的な措置を取ること
- ・　インターネットを介した個人情報の開示においては、セキュリティ上の問題がある可能性を消費者に通知し、その同意を得ること
- ・　郵送による試料の送付においては、セキュリティ上の問題に加え、輸送中のトラブルや試料の劣化等が起こる可能性を消費者に通知し、その同意を得ること

Q78 遺伝子検査サービスの法的留意点 ——解析・結果報告・処置

Q 遺伝子検査サービスのプロセスのうち、解析・結果報告・処置の場面では、どのような点に留意する必要がありますか。

A 分析的妥当性や科学的根拠に基づく解析、遺伝カウンセリングなどが求められます。

═══ **解 説** ═══

1 解 析

　個人遺伝情報取扱事業者は、個人遺伝情報に係る検査、解析および鑑定等を行うにあたって、「分析的妥当性」や「科学的根拠」等、検査等の質の確保に努めることが求められる（経済産業省「経済産業分野のうち個人遺伝情報を用いた事業分野における個人情報保護ガイドライン」（令和3年3月23日。以下「個人遺伝情報保護ガイドライン」という）Ⅱ.2.(12)）。

　「分析的妥当性」とは、検査実施施設においては、各検査工程の標準化のための標準作業手順書の整備、機器の保守点検作業書等を整備すること、検査の実施、内部精度管理の状況、機器の保守点検の実施、教育・技術試験の実施等に関する記録を作成することを意味する。例えば、①各検査工程の標準化のための標準作業手順書、機器の保守点検作業書等の整備、②検査の実施、内部精度管理、機器の保守点検、教育・技術試験等に関する記録の作成、③消費者からのクレームに関する記録（クレームの内容、対応、改善方策等）の作成、④安全性および健康上の問題が生じた場合には、当該業務を即時停止し、関係省庁に報告することなどが挙げられる（経済産業省「遺伝子検査ビジネス実施事業者の遵守事項」（平成25年2月。以下「遵守事項」という）2)）。

　「科学的根拠」とは、検査等の意義が客観的なデータとして明確に示されていることを意味する。Medline に掲載されている peer review journal（投稿原稿を編集者以外の同分野の専門家が査読する雑誌）に掲載されている

278 第8章 遺伝子検査サービス・遺伝情報の利用

こと、日本人を対象集団とした関連解析または連鎖解析であること、同一研究について異なるグループから複数報告されていること、最初の論文が報告されてから一定の年月が経過していること、論文選択にあたってMedline の検索式を明記するなど客観性が示されていること、適切な統計学的手法が用いられていることが望ましいとされる（遵守事項1(3)(*)）。

2 結果報告

　個人遺伝情報取扱事業者は、遺伝子検査等の結果として、遺伝情報を本人に伝達しようとする場合には、医学的または精神的な影響等を十分考慮し、必要に応じ、自らこれを実施し、または適切な施設の紹介等により、遺伝カウンセリングを受けられるような体制を整えることが求められる。

　このような遺伝カウンセリングを行うにあたっての留意点は、次のとおりである（個人遺伝情報保護ガイドラインⅡ.2.(8)）。

- ・　医師または医療従事者以外の者がこのカウンセリングを行う場合には、遺伝カウンセリングに習熟した医師、医療従事者等が協力して実施する
- ・　遺伝カウンセリングは、できる限り正確で最新の関連情報を本人に提供するように努める
- ・　本人が理解できる平易な言葉を用い、本人が十分理解していることを常に確認しながら進めることとし、本人が望んだ場合は、継続して行う

3 処　置

　遺伝子検査の結果を基にした二次的サービスを提供する際には、そのサービスの妥当性を示す科学的根拠や、サービスの代替法等に関する情報を、消費者が容易に入手できるよう努力しなければならない（遵守事項1(9)）。

Q79 遺伝子検査と保険

Q 保険会社が危険選択（保険の引受け）に遺伝情報を用いることはできますか。

A 遺伝子差別にあたり許されないのではないかといった議論がありますが、法律上の取扱いは明確ではありません。今後の動向に注視する必要があります。

═══ 解 説 ═══

1 問題の所在

遺伝子検査が普及してくると、保険会社が危険選択（保険の引受け）において顧客に遺伝子検査を求めたり、その結果を用いたりすることができるかという点が問題となる。例えば次のような事例を考えることができる。

Aが遺伝子検査を受けて、将来がんになるリスクが高いことが判明したとする。この場合、Aは将来に備えて民間の医療保険や生命保険に加入することができるか。Aは保険加入の際に保険会社に対して当該遺伝子検査の結果を伝える必要はあるか。あるいは、Aが未だ遺伝子検査を受けていない段階において、保険会社はAに対して遺伝子検査を受けることを求めることができるか。

保険会社の立場からすれば、Aは将来病気になる可能性が高いことが判明したのであれば、保険の引受けの謝絶や保険料の引上げを検討するかもしれない。また、そのような遺伝情報を得るために、積極的にAに対して遺伝子検査を受けるよう求めたいと考えるかもしれない。

他方、Aの立場からすれば、自己の力で変えることのできない遺伝情報や病気になることを確実に示すものではない遺伝情報に基づいて保険の引受けが謝絶されたり、保険料が引き上げられたりすることは遺伝子差別であると感じるかもしれない。また、遺伝情報という究極のプライバシー情報を保険会社に伝えたくないと思うかもしれない。そもそも自己の遺伝情

280　第8章　遺伝子検査サービス・遺伝情報の利用

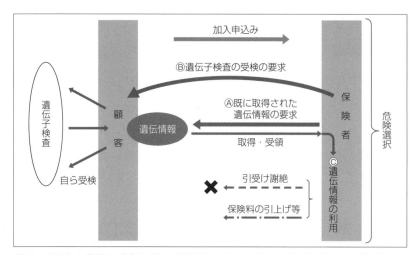

（出典：吉田和央「遺伝子検査と保険の緊張関係に係る一考察――米国及びドイツの法制を踏まえて」生命保険論集193号（平成27年））

報は知りたくないとして、保険会社から遺伝子検査の受検を求められることに抵抗を感じるかもしれない。両者間における遺伝情報の危険選択への利用関係については、上記の図表のように整理される。

　このように、保険会社が顧客に遺伝子検査を求めたり、その結果を用いることについては、保険会社および顧客のそれぞれの立場から様々な議論が想定される。

2　我が国の法制

　1で述べた問題について、海外では保険会社が遺伝子検査・情報を要求したり利用することを一定の範囲で禁止する立法が相次いでいる。例えば、米国では2008年（平成20年）に連邦法レベルでGenetic Information Nondiscrimination Act（遺伝情報差別禁止法）が成立し、ドイツでは2009年（平成21年）にGesetz über genetische Untersuchungen bei Menschen（Gendiagnostikgesetz‐GenDG）（遺伝子診断法）が成立している。

　他方、我が国では平成10年代に活発に議論が行われたが、具体的な法制化や指針等の実現には至っていない。

　もっとも、我が国の保険実務では、現在のところ、保険加入審査の際

に、遺伝子検査結果の利用は行われていないとされている。

　また、平成29年末、複数の保険会社の約款に遺伝情報を利用するかのように読める記載があったとして、金融庁が各社に削除を要請した経緯もある。

　最近では、生命保険協会が、保険の加入や支払いなどの審査の際に遺伝子検査結果の収集や利用はしないとの見解を明記した指針を策定する動きもあると報じられており、今後の動向を注視する必要がある。

禁止行為	遺伝子検査の受検の要求	既に取得された遺伝情報の要求遺伝情報の利用
米国：遺伝情報差別禁止法（2008）	医療保険	
ドイツ：遺伝子診断法（2009）	全ての保険	・生命保険、就業不能保険、年金保険以外の保険（医療保険等） ・生命保険、就業不能保険、年金保険について、給付額が30万ユーロを超えず、かつ、年金額が年額3万ユーロを超えない場合

（出典：吉田和央「遺伝子検査と保険の緊張関係に係る一考察——米国およびドイツの法制を踏まえて」生命保険論集193号（平成27年））

第9章

ヘルステック分野における
M&A・ベンチャービジネス

284　第9章　ヘルステック分野における M&A・ベンチャービジネス

Q 80　ヘルステック事業の M&A と ストラクチャリング

Q　ヘルステック事業を営む会社の M&A 取引等を行うにあたり、ストラクチャーを組む上で、どのような点がポイントになりますか。

A　ストラクチャーを組む上で、薬機法の許認可が重要な考慮要素の1つとなります。事業譲渡において、製造販売承認は承継可能ですが、業許可は承継できません。また、製造販売承認の承継に関しては特有の規制があり、留意が必要です。

解　説

　M&A 取引のストラクチャー選択に際し、薬機法上の業許可や製造販売承認の取扱いは、重要な考慮要素の1つとなる（業許可に関する一般的な説明は **Q 86** を参照されたい）。

　薬機法上の手続が最も簡便なのは、株式譲渡である。同法上、製造業、製造販売業などの業許可の保有者の発行する株式の異動については特段の直接の規制はない。また、株式譲渡の対象となる会社が保有する個別の品目ごとの製造販売承認に対しても、株式譲渡による直接の影響はない。

　合併・会社分割・事業譲渡等によって事業を承継する場合、薬機法には、承継人・譲受人に製造業、製造販売業などの業許可を承継させることに関する特段の規定がない。そのため、承継人・譲受人が必要な業許可を保有していない場合、新規に業許可を取得する必要がある。他方、製造販売承認については、業許可と異なり薬機法に承継に関する規定があり、承継が可能である（ただし、承継人・譲受人が必要となる製造販売業の業許可を保有していることが前提となる）。具体的には、製造販売承認の取得者において合併または分割があり、当該品目に係る資料および情報が承継される場合、承継人は当該品目に係る製造販売承認の取得者の地位を承継することができる（医薬品につき、薬機法14条の8第1項）。また、承認取得者がその地位を承継させる目的で当該品目に係る資料および情報を譲り渡したときは、譲受人は、当該承認取得者の地位を承継することとされており（医薬品につき、同法14条の8第2項）、事業譲渡においては当該規定に基

づいて製造販売承認の承継を行うことができる。製造販売承認の承継については、厚生労働省等に対する事前（一般に承継日の30日前）の届出が必要となる（医薬品につき、同法14条の8第3項）。ここでいう、承継される品目に係る資料および情報は薬機法施行規則69条各号において列挙されており、製造販売承認の承継に際しては、かかる列挙される資料および情報が承継人・譲受人に承継・譲渡されるよう、留意が必要である。

　製造販売承認について、承認申請中である場合や承認内容の一部について変更申請中である場合、承継が認められない。また、承認取得後1年が経過していない場合も、承継が認められないケースがある。また、製造販売承認の承継に応じた表示の切替えに一定の時間を要するケースもある。これらの事情から、事業譲渡や会社分割のクロージングに際して全ての製造販売承認を承継させず、一部の製造販売承認については、クロージング後一定日数が経ってから承継させるケースが、実務上多く見られる。このような場合、製造販売承認が、あたかもクロージングと同時に移転したのと同じような効果が得られるよう、契約上の手当てを行うことがある。

286　第9章　ヘルステック分野における M&A・ベンチャービジネス

Q 81　ヘルステック事業の法務 DD における留意点

Q　ヘルステック事業を営む会社の法務 DD を行うにあたり、許認可等以外で特に留意しなければならない点を教えてください。

A　一般的な法務 DD よりも知的財産権、コンプライアンス、製品事故や製品に関するクレーム、販売・仕入れ等の取引関係に特に留意をして法務 DD を行う必要があります。

解　説

　M&A 取引を実施する場合、通常、対象となる会社または事業の事業、法務、会計、税務等に関して DD（デュー・ディリジェンス）を実施し、当該会社または事業を買収するかどうかを判断する、ないし、買収を行う場合にかかるリスクを勘案の上、買収価格や契約書の内容を相手方と交渉をすることが多い。法務 DD における一般的な調査事項としては、M&A 取引の実行が対象会社または事業の許認可等の取消事由に該当するかまたは承継等に影響をしないかに加えて、①対象会社または事業に関する契約上の義務違反、解除事由、事前承諾事由等に該当するかどうか、②訴訟・クレーム等の隠れた債務が存在しないかどうか、③法令遵守に重大な違反がないか、④グループ会社から離脱等する場合には、当該離脱に伴う影響や必要な対応（従業員の福利厚生や IT システムの構築等）がないか等が存在する。

　特に、ヘルステック事業を営む会社の場合、当該事業に際して重要な特許権等の知的財産権を有しているか、ライセンス契約において一定の制約を課されていないか、当該知的財産権を発明した従業員等に対して適切な職務発明の対価を支払っているか、第三者からの知的財産権の侵害または第三者の知的財産権を侵害していないか、そのおそれがないかは重要な確認事項である。また、特許権については、第三者と当該特許権を共有している場合にはかかる譲渡には当該共有者の同意も必要となることから（特許法 73 条 1 項）、第三者と共同して過去または現在において重要な研究開発を行っていないかも確認が必要となる。

Q80 のとおり M&A 取引においては許認可等の承継方法等は重要な確認事項になるが、それに加えて医薬品や医療機器の製造販売業者の場合には厚生労働省の定める「医薬品、医薬部外品、化粧品及び再生医療等製品の品質管理の基準に関する省令」（平成 16 年 9 月 22 日。GQP 省令）、「医薬品及び医薬部外品の製造管理及び品質管理の基準に関する省令」（平成 16 年 12 月 24 日。GMP 省令）、「医薬品、医薬部外品、化粧品、医療機器及び再生医療等製品の製造販売後安全管理の基準に関する省令」（平成 16 年 9 月 22 日。GVP 省令）等の遵守状況、遵守体制等を確認する必要がある。また、医薬品等の販売においては、薬機法上の広告規制（薬機法 66 条等）や景品表示法等の広告規制や医療関係者等に対する贈賄罪等（医療法 81 条等）を防止するための体制や確認方法にも留意が必要である。更に、医薬品等の製品事故は重大な健康被害をもたらす可能性があることから、製品クレームの内容や頻度を対象会社から確認するだけではなく、独立行政法人医薬品医療機器総合機構（PMDA）のウェブサイトを通じて製品の回収状況や都道府県等の行政からの指摘事項等を確認することや行政からの立入検査の状況を確認することも有益である。対象会社または事業が、国や地方公共団体から介護報酬等の報酬や補助金を受領している場合には、当該報酬を受領するための要件または体制の確認、補助金受領の要件を確認し、報酬の減算や補助金の返還リスクを確認する必要がある。

　医薬品等の事業の場合には、原薬の仕入先等含めて各製品の承認を得ていることから、当該仕入先を変更するには一定の時間や手間を要する。また、販売に関してはコ・プロモーションを行ったり、独占販売権を与えることも多い。したがって、仕入先または販売先との間で、一定の数量の購入を義務づける最低購入義務、同種の製品の製造・販売を禁止する旨の競業避止義務、独占販売権等の合意や、一定の売上高に応じてのリベート等の合意を行っていないかに特に留意する必要がある。

288　第9章　ヘルステック分野におけるM&A・ベンチャービジネス

Q 82 バイオベンチャー企業への投資にあたっての課題

Q　バイオベンチャー企業が成長の過程でよく直面する資金調達の課題について教えてください。

A　成長過程のバイオベンチャー企業は、収益を上げる前の研究開発の期間が長期間に及んだり、研究開発の失敗リスクが存在することが多く、その事業価値を適正に評価するのが難しいことがあります。また、日本では株式上場以外のベンチャーキャピタルによる Exit 手段が乏しいと言われています。そのため、多額の研究開発費が先行的に必要となることが多い反面で、資金調達の困難さという課題に直面することが多くあります。

═ 解　説 ═

　ベンチャー企業が成長の過程で直面する最も大きな課題の1つとして資金調達の困難さが挙げられる。特に創薬系バイオベンチャー企業の場合には先行的に多額の研究開発費を必要とすることも多く、アーリーステージでは、公的助成金のほか、ベンチャーキャピタルや大手製薬企業からの資金調達が重要となる。

1　将来キャッシュフロー予測の困難さ・研究開発の失敗リスク

　一般論としても事業化に至っていないベンチャー企業の将来キャッシュフローの予測は困難であるが、特に創薬系バイオベンチャー企業の場合には研究開発期間が長期間に及び、予測も中長期のものとならざるを得ず、予測の不確実性もさらに高くなる。

　また、創薬系バイオベンチャー企業では臨床研究の失敗リスクも大きな投資リスクとなり得る。一般の製薬企業においても同様に臨床研究の失敗リスクがあるものの、複数の開発パイプラインを保有したり、上市済みの医薬品を販売して利益を上げることで、これらのリスクを分散している。バイオベンチャー企業の場合、臨床研究の失敗リスクをこのように分散させることは難しい。

　このような将来キャッシュフローの予測の困難性や臨床研究の失敗とい

う不確実性リスクがバイオベンチャー企業の企業価値評価を困難にする一因となっており、ベンチャーキャピタルとの資金調達の交渉においても論点となる（企業価値評価の手法については、**Q83**を参照されたい）。

　また、非臨床試験、臨床試験とフェーズが進み、多数の患者で有効性・安全性を調査する臨床試験のフェーズⅢ（第Ⅲ相試験）に至ると研究開発費はさらに高騰する。そのため、一定程度フェーズが進んだ段階で開発パイプラインを大手の製薬企業に導出（パイプラインの開発権利や開発後の製品の販売権を他製薬企業に与えること）して、契約一時金（アップフロントフィー）、開発の進捗に応じた成功報酬（マイルストーン）、上市後の販売ロイヤルティを得ることを目指すバイオベンチャー企業も多い。

2　投資家の Exit 手段

　先行的に多額の研究開発費を必要とすることの多いバイオベンチャー企業において、ベンチャーキャピタルからの資金調達は重要である一方、ベンチャーキャピタルとしては、10 年間など一定の限られた投資期間の中で利益を生み出す必要があり、保有している投資先バイオベンチャー企業の株式をいつどのように売却できるかという Exit 戦略が大きな関心事となる。しかし、日本では、米国等に比べてこの Exit 手段として株式上場によるものが多く、M&A による事例は増加傾向にはあるものの、いまだ少ない。

　そのため、バイオベンチャー企業としては、ベンチャーキャピタルから資金調達するに際して、必然的に株式上場を目指す計画とならざるを得ず、研究計画や資本政策にも影響を及ぼすこととなる。また、調達した資金を全て研究開発費として利用できるわけでもなく、管理部門の費用や上場準備費用への充当も必要となってくる。ベンチャーキャピタルとしても、Exit 戦略の選択肢が乏しい現在の日本市場の状況が、投資を困難にする一因にもなっている。

3　バイオベンチャー支援策

　上記 1、2 のような課題があるため、特にベンチャーキャピタルから投資を引き出すためには、事業の収益モデル、Exit 戦略とその実現可能性の説得的な提示が重要となってくる。そのため、バイオベンチャー企業としては、公的助成金の利用だけではなく、ベンチャーキャピタル等の投資家

との間の情報交換を通じた相互理解の推進、事業計画の作成支援といった
バイオベンチャー支援策（例えば、厚生労働省による医療系ベンチャー・
トータルサポート事業（MEDISO）や、科学技術振興機構による大学発新産業
創出プログラム（START）など）を積極的に活用することも検討すべきだ
ろう。

Q 83 バイオベンチャー企業のバリュエーションについて

Q バイオベンチャー企業が投資を受ける際の企業価値の評価方法について教えてください。

A 一般的な企業価値評価手法であるDCF法やマルチプル法により評価することが通常ではありますが、研究開発費が先行して赤字となりやすいことや研究開発失敗の不確実性リスクの高さという特殊性から、不確実性リスクをより精緻に織り込むRisk-Adjusted NPV法といった手法が用いられることもあります。

解　説

1　バイオベンチャー企業評価の特殊性・困難性

　一般的な継続企業の企業価値評価として、事業が生み出す将来のキャッシュフローの予測を割引率で割り引いて企業価値を算出するDiscount Cash Flow法（DCF法）がある。これは、企業価値というものを、その企業が将来にわたって生み出すキャッシュフローの現在価値の総和であると考えるものである。しかし、バイオベンチャー企業においては研究開発に要する期間が長期にわたることも多く、将来キャッシュフローの予測にあたり通常よりも中長期の予測が必要となるため、その予測について困難性が伴うものになりやすい。また、バイオベンチャー企業においては研究開発の失敗リスクという不確実性リスクの高さも、その企業価値評価を困難とする一因となっている。いかにしてこのような不確実性リスクをDCF法に織り込むべきかについては後述するように議論があるところである。

　他方で、非上場企業の評価においては、上場している類似企業や類似業種の株価から類推するマルチプル法も一般的に活用されている。DCF法とアプローチ方法は異なるものの企業価値評価の手法としてその理論的な根拠は担保されているため、両手法を相互補完的に利用することが多い。しかし、マルチプル法も、対象会社が多額の赤字決算や債務超過である場合にはその利用が困難となる。アーリーステージのバイオベンチャー企業

においては、多額の研究開発費が先行して嵩み、赤字決算となることも多く、マルチプル法が利用できない場面に多々直面する。また、従来なかった斬新な技術を持っていたり、いままでにない新種の医薬品を創出するなどして類似会社が見当たらない場合にもマルチプル法を利用するのは難しい。

2 不確実性下のバリュエーションメソッド

上記1で述べたような困難性はありつつも、バイオベンチャー企業を評価するに際して、DCF法がやはり主流であることに変わりはない。しかし、古典的なDCF法で算定する場合、特にアーリーステージでは研究開発リスクの不確実性リスクを勘案するために、評価者としては割引率[1]を高く設定してしまうことがあるといわれる。

そのため、より不確実性リスクを精緻に価値評価に織り込むために、DCF法と同様のコンセプトではあるが、事業シナリオを複数想定し、各シナリオに対応する将来キャッシュフロー予測とそのシナリオの発生確率を算出し、各シナリオ毎の期待価値を合算することでNet Present Value（NPV）の期待値を算出する評価手法（Risk-Adjusted NPV法と呼ばれることもある）が用いられることもある。もっとも、複数想定したシナリオの発生確率を客観的に算出することは困難であり、この手法にも限界は存在する。

他にも、金融工学の価格決定理論（オプション）の考え方を応用した評価手法であるリアルオプション法もその有用性が唱えられている。これは、事業・プロジェクトのある一定の段階で、その時点の評価によって事業を継続するか撤退するかを決定できるという経営判断の権利を、定量評価の対象となるオプションとしてその価値を導き出すことで、不確実性リスクを価値評価に織り込もうとするものである。もっとも、理論的には精緻な評価が可能になるものの、オプション価値を算出するには高度な専門的知識を要し、実務的に利用するには難しい部分もあろう。

---

1) 割引率の説明についてはより専門的な書籍に譲ることとするが、大要、将来の期待キャッシュフローを現在価値に割り引く（換算する）際に使う係数のことをいい、ファイナンス理論としては一般的にWACC（加重平均資本コスト）を用いるとされる。しかし、このような場面では、WACCを利用するのではなく、研究開発リスクなどの不確実性リスクを勘案したより高い割引率を設定する（その結果算出される現在価値が低くなる）ことがあるといわれる。

Q 84 大学との協働にあたっての留意点 ——大学との間の契約

Q 大学と協働して、バイオベンチャーを実施することを考えているのですが、大学との間で締結する契約について留意すべき点があれば教えてください。

A 協働形態に応じて共同研究契約やライセンス契約などの契約を大学との間で締結しますが、いずれの契約交渉にあたっても、利益を生むことを目的とする企業の立場と研究成果の社会還元という目的を有する大学との立場の相違を認識しておく必要があります。

══ 解 説 ══

1 共同研究契約

産学連携にも様々な形態があるが、典型的な形態として、大学と企業との間の共同研究がある。共同研究においては、企業も研究活動に参加しつつ研究費も負担するため、研究を開始する際には契約を締結することとなる[1]。従前は文部科学省が公表していた契約書の参考例[2]を利用することが多かったと思われるが、国立大学が独立行政法人化した平成16年以降は、大学が各々独自の研究契約書の雛形を作成するようになり、その内容も多様化してきている。雛形は各大学のウェブサイトで公開されているため、企業側も契約交渉に備えて事前にその内容は確認しておきたい。

他方で、近年、産学連携の共同研究・オープンイノベーションの拡大・深化を目指して、大学における産学連携本部機能の強化（産学連携本部において部局横断的な共同研究を企画・マネジメントできる体制の構築）が推進されている。具体的には、大学の抱えるマネジメント上の課題とその対応策を示した文部科学省・経済産業省の「産学官連携による共同研究強化のためのガイドライン」（平成28年12月5日、追補版につき令和2年6月30

----

1) なお、臨床研究法の対象となる臨床研究を実施する場合には、臨床研究法に基づき、法定の事項を記載した契約を大学と締結する必要がある。この点については、**Q 85** を参照されたい。
2) 文部科学省「共同研究契約書及び受託研究契約書の取扱いについて」（平成14年3月29日）

294 第9章 ヘルステック分野におけるM&A・ベンチャービジネス

日。以下「共同研究強化ガイドライン」という）が策定・公表され、また、大学におけるオープンイノベーション機構の整備事業に対して文部科学省による支援施策が実施されている。このような大学の産学連携本部機能の強化により、大学側の契約書担当部署においても、産学連携を効果的に推進するという視点がより一層生まれ、一律的に契約書雛形を重視するだけでなく、柔軟な契約交渉が行われることが期待される。

　共同研究契約の締結に際して頻繁に議論となる論点として、①発明の帰属、②不実施補償の有無、③費用負担、④研究成果発表、⑤守秘義務などがある。

(1) 発明の帰属

　発明の帰属については、特許法の原則と同様に、発明者主義が採用されることが多い。すなわち、発明者の帰属する契約当事者に特許を受ける権利が帰属し、両当事者の研究者にて共同で発明したなら特許を受ける権利を共有とすることが一般的である。もっとも、特に創薬系バイオベンチャーなど、企業側において将来にわたり独占的な特許権の実施を要望したい場合には、共有特許でも独占的実施権を得られるように規定しておく（大学による第三者への実施許諾を許さない）ことや、企業側の単独帰属とするように規定しておく（特許を受ける権利の事後的な譲渡）ことを議論することとなる。なお、共同研究強化ガイドラインにおいても、権利帰属については、可能な限り単独保有とするなどシンプルな保有形態を目指しつつ、共有の場合は、企業側の独占意向と大学側の活用意向等を勘案し、実施権の独占か非独占かを判断することが重要であるとしている。

　ただし、大学における職務発明については、多くの大学において発明審査会等で一定の審査を行った上で、大学の機関帰属とするか研究者の個人帰属とするかを決定することとされており、原則は大学の機関帰属ではあるものの、企業のように必ずしも全件が機関（大学）帰属となるわけではない点には留意を要する。また、学生を共同研究に参加させる場合には、大学の研究者と異なり学生は大学と当然に雇用関係があるわけではない（特許法35条3項[3]の「従業員等」に該当しない）ため、大学の発明規程等の包括的な同意取得では足らず、学生から参加時に個別に同意を取得することが一般的である。

(2) 不実施補償の有無

大学との共同研究契約に特有の論点として、共同研究の成果としての共有特許権について、企業が大学に対して支払う不実施補償の有無およびその金額の程度がある。これは、企業側は共有特許権を自己実施して利益を上げることが可能である一方で[4]、その立場上大学はこれができないことを主たる理由として、大学が共有特許権を実施しない（できない）ことについての補償を、実質的に実施の利益を得ることができる企業側に求めるものである。このうち、企業に独占的な実施を認める場合には企業において共有特許権からの利益を独占できるため、その金額の多寡は議論になるものの不実施補償（独占実施補償）の支払いを定めることが多い。他方で、企業による実施が非独占にとどまる場合には、研究費等を負担している企業側にも不公平感があり、不実施補償の有無について議論となることが多い。不実施補償について別途協議する旨の規定または特に規定しない契約も見られるが、研究費や各種費用の負担額の条件によって不実施補償を不要とする場合や大学による第三者への実施許諾の可能性（大学による対価回収機会）を考慮して不実施補償を不要とする場合もあるため、企業としては将来的に金銭的負担が生じる不確定なリスクをできるだけ回避すべく交渉するポイントとなろう。

(3) 費用負担

共同研究にかかる経費については、多くの大学において、共同研究の遂行に直接必要な経費（設備費、消耗品費、光熱水費等）に加え、一定の金額を間接経費として企業側に費用負担を求めることが通常である。間接経費負担額は、直接経費に一定割合（通常1割～3割）を乗じた金額とすることが多い。しかし、大学側からは共同研究の大規模化に伴い経費がこれ以上に必要となることが懸念されており、他方で企業側からは上記算定方法には必ずしも明確な根拠や考え方がないという批判もあるところである。

---

3) 特許法35条3項「従業者等がした職務発明については、契約、勤務規則その他の定めにおいてあらかじめ使用者等に特許を受ける権利を取得させることを定めたときは、その特許を受ける権利は、その発生した時から当該使用者等に帰属する」
4) 共有特許権については、契約で別段の定めをしない限り、各共有者がかかる共有特許権を自己実施することに他の共有者の同意は不要である（特許法73条2項）。

296　第9章　ヘルステック分野におけるM&A・ベンチャービジネス

この点、共同研究強化ガイドラインでは、人件費については共同研究に要する人員および工数からエフォートに応じた経費額を算出したり、その他の間接経費について過去の実績等に基づいた間接経費率を算出するなど、双方が納得できる形での透明性の高い費用負担設定を探るべきであるとされている。また、共同研究強化ガイドライン〔追補版〕においても、直接経費に対する間接経費の比率の設定に関して、大学側から企業側への丁寧な説明やできる限りエビデンスに基づいて進めることが重要であるとされている。

　また、共有発明の特許出願・維持費用については、大学が自ら事業化しないことに加え、特許出願をするか否かや特許出願するとしていずれの国に出願するか等は企業側の特許戦略に従うのが通常であることから、企業による実施が非独占的である場合であってもその負担は企業側に求められることが多い。

(4)　研究成果発表

　研究成果の発表については通常大学と企業とで互いのスタンスが異なる。研究成果の社会還元を目的としており研究成果の公表を原則とする大学に対して、企業は出願タイミング等の特許戦略や競合他社への情報流出防止のため、研究成果の公表について慎重にならざるを得ない。一般的に、学術発表する場合には、事前に相手方に通知し、内容のレビュー期間を設ける仕組みを契約上定めることが多い。もっとも、この点については、契約上の定め方よりも、共同研究の開始前・実施中から、学術発表の内容や時期の予定について互いの研究者間で情報交換を緊密に行い、事前にできるだけ認識をすり合わせておくことが重要となるだろう。

(5)　守秘義務

　共同研究においては企業側から経営戦略上または技術上重要な秘匿すべき情報を持ち込むことが想定される場合には、共同研究契約に守秘義務に関する規定を置くか別途守秘義務契約を締結する。しかし、契約の規定ぶり以上に、実際に大学側にて秘密情報管理の体制が整っており、情報漏洩リスクにきちんと対処しているか否かが企業側にとって極めて重要な関心事である。特に、大学には雇用関係にある研究者のほかに「従業員等」にあたらない学生も存在しており、学生が共同研究に参加する場合には、学

生に対する研修の場を設けたり学生から誓約書を提出してもらうなど、学生も含めた情報管理体制が必要とされるだろう。上述した大学のオープンイノベーション機構の構築には、このような秘密情報管理体制の構築も求められている。

2　特許ライセンス

大学が既に特許権を有しているまたは特許出願を行っている場合に、企業がそのライセンスを受けることで、技術移転による事業化を目指すことも多い。研究成果の広い社会還元を目指す大学の立場からしても、実用化することが最大の社会還元であり、実用化のために必要であれば、企業に独占的な実施権を与えることも通常は許容される。他方で、より基礎的・汎用的な特許権であれば、大学としては、非独占的な実施権を与えるにとどめるというスタンスになろう。

また、ライセンス料については、特に資金力の乏しいベンチャー企業の場合には、ストックオプションを対価として大学に付与することも選択肢に入ることがあるだろう。近年は、企業への出資が従前厳しく制限されていた国立大学においても、対価としてストックオプションの付与を受ける要件が緩和されてきている。他方で、大学が多額の経済的利益を得る可能性もあることから、大学の組織としての利益相反の問題が生じる可能性があり、大学の利益相反マネジメントに関する委員会の審査によって、その付与に一定の制限・条件が加えられることもある点に留意を要する。詳しくは Q85 を参照されたい。

298　第9章　ヘルステック分野におけるM&A・ベンチャービジネス

Q 85 大学との協働にあたっての留意点 ──利益相反・贈収賄

Q　大学と協働してバイオベンチャーを実施するに際して、大学教員に技術指導の報酬を支払いたいと思いますが、留意すべき点があれば教えてください。また、大学に対してライセンス料としてストックオプションを付与することはできるでしょうか。

A　企業から大学の教員個人または大学に対して報酬や株式等の利益を供与する場合には、大学における利益相反マネジメントの対象となることがあります。また、国公立大学の教員はみなし公務員となるため、賄賂罪の対象となることにも留意が必要です。

≡ 解 説 ≡

　本設問の解説では、大学における利益相反マネジメントおよび国公立大学における贈収賄について詳述する。大学との間で締結する契約に関する留意点については Q 84 を参照されたい。

1　大学における利益相反マネジメント

(1)　教員の個人的利益に関する利益相反

　産学連携活動が社会的に推進されている現在、大学の教員が産学連携活動に伴い個人的な利益を得る機会が増加し、当該利益と教員の大学における責任とが衝突する利益相反（Conflict of Interest）が日常的に発生している。このような利益相反は、大学で行われる研究の客観性や教育の公正性に疑義を生じさせかねない。そのため、近年は大学における利益相反のマネジメント体制が整備されつつあり、多くの大学で利益相反マネジメントに関する内規が策定されている。一般的には、教員に対して利害関係のある企業から得る個人的利益やそのような企業と関わる活動状況に関して大学への自己申告義務を課し、倫理審査委員会・利益相反委員会等による審査が行われるという仕組みとなっていることが多い。

　ベンチャー企業に関連して利益相反の生じる状況として、例えばベンチャー企業が大学教員に対して多額の報酬を支払っていたり、または大学

教員がベンチャー企業に出資もしくは代表取締役に就任しているという関係にある中で、当該ベンチャー企業が大学と共同研究を行ったり、大学が当該ベンチャー企業の製品やサービス等を購入するという場面では、利益相反問題が生じる可能性があろう。このような場合には、大学から①報酬や株式保有の制限・解消、②利害関係情報の一般公開、③独立した審査員による研究のモニタリング、④研究計画の見直しなどの措置が求められる可能性がある。また、大学側の手続としては、共同研究や製品・サービス購入に関する契約締結や決裁等の大学内の意思決定には利害関係のある教員は関与させないようにすることが考えられる。

　もっとも、利益相反関係にあるということ自体が法令や大学内規則に違反しているというわけではなく、常にその利害関係を解消しなければならないというものでもない。情報開示やモニタリングを通じて透明性を高めることで利益相反の状況をマネジメントすることが想定されている。他方で、どのような態様、どの程度の利害関係であれば許容されるのか、何らかの措置が必要なのか等、その判断は各大学に任されている。

　企業側としては、利益相反マネジメントは一義的には大学側の問題ではあるものの、共同研究・受託研究の公正性に疑義が生じて困るのはその研究結果を利用しようする企業側も同様である。産学連携活動に際して上記のような措置が講じられる可能性があることを認識し、企業側においても大学の利益相反に関する内規を事前に確認するなど留意が必要となろう。

(2)　医学系研究における利益相反

　医学系研究を行うという場合、通常の研究と異なり人間の生命・身体に関わる問題を直接扱うものであり、特に臨床研究においては、大学と企業のほかに被験者という存在も加わるため、利益相反の問題は深刻化し得る。そして、臨床研究に関する不適正事案が近年複数発生したこともあり、平成26年に文部科学省・厚生労働省が策定した医学系研究に関する最も一般的なルールである「人を対象とする医学系研究に関する倫理指針」（平成26年12月22日。以下「医学系研究指針」という）では利益相反に関する規程が設けられ、さらに平成30年には臨床研究法が施行された。また、医学系研究指針は、「ヒトゲノム・遺伝子解析研究に関する倫理指針」（平成25年2月8日）と統合され、令和3年3月23日付で「人を対象とする生命科学・医学系研究に関する倫理指針」（令和4年3月10日一部

300　第9章　ヘルステック分野におけるM&A・ベンチャービジネス

改正。以下「生命・医学系研究指針」という）が制定された。

　医学系研究については、利益相反関係に関する教員による定期的な報告にとどまらず、臨床研究の実施前に、計画の段階で利益相反をマネジメントすることが研究機関に求められている。生命・医学系研究指針では、研究計画書に利益相反状況を記載し、被験者へのインフォームド・コンセントが必要な場合には利益相反状況についても被験者に説明する必要があることとされている（生命・医学系研究指針第7および第8）。そして、各大学において、生命・医学系研究指針を受けて医学系研究の利益相反マネジメントに関する内規が策定されている。

　さらに、臨床研究法では、医薬品・医療機器等の有効性、安全性等に関する医学的課題を解決するための人を対象とする医学系研究を「臨床研究」としてその適用対象とし[1]、利益相反管理に関する研究機関や研究者の義務を設けている。特に、医薬品・医療機器の製造販売業者から研究資金等の提供を受けて実施するものなど一定の臨床研究は、臨床研究法上「特定臨床研究」とされ、その実施者には臨床研究法施行規則に定める臨床研究実施基準に従って行う法令上の義務が生じる（臨床研究法4条2項）。具体的には、研究責任医師は、利益相反状況について実施計画に記載するとともに、利益相反の管理基準と管理計画を作成して、これに従う必要がある。さらに、資金の提供に際しては大学・企業間で法定の必要事項を定めた契約を締結するとともに（同法32条）、利益提供に関する情報をインターネット等で公表することが求められる（同法33条）。

　生命・医学系研究指針や臨床研究法は研究の実施者に対する責務を規定するものではあるが、企業も利益相反状況を生み出す利害関係者の一員であり、企業側としても利益相反状況が公開されることがあることなどの上記仕組みについて留意しておきたい。また、企業側も大学と共同して医学系研究、特に特定臨床研究を行う場合には、企業側の研究者も研究実施者としてその責務を負うことに留意されたい。

---

1) 研究の目的で検査、投薬その他の診断または治療のための医療行為の有無および程度を制御することなく、患者のために最も適切な医療を提供した結果としての診療情報または資料を利用するにとどまる研究は観察研究と呼ばれ、臨床研究法の対象外である。また、医薬品・医療機器の承認申請を目的とする臨床研究は治験と呼ばれ、治験については臨床研究法ではなく薬機法および厚生労働省「医薬品の臨床試験の実施の基準に関する省令」（平成9年3月27日。医薬品GCP省令）で厳格に規制されている。

なお、生命・医学系研究指針および臨床研究法については **Q 90** も参照されたい。

(3) 大学の組織としての利益相反

国立大学においては、その公共性から企業への出資は従前制限されていたものの、近年は規制緩和が進み、平成31年1月に施行された科学技術・イノベーション創出の活性化に関する法律では、研究開発の成果を事業活動において活用する大学発ベンチャーへの支援の一環として国立大学法人が株式・新株予約権を取得することが可能であることが法律上明記された（科学技術・イノベーション創出の活性化に関する法律34条の5）。米国等の大学と比較するといまだに事例は少ないものの、大学がライセンス料の対価としてストックオプションを取得する事例も近年は増加している。

他方で、大学教員の「個人としての利益相反」だけではなく、大学組織が株式やストックオプションを取得したり企業から多額の寄附金を受領する場合にも、大学組織が得る利益と大学が本来なすべき研究や教育等の公益とが相反する「組織としての利益相反」状態が生じる可能性がある。日本の大学は主に個人としての利益相反のマネジメント体制の構築を進めてきたが、近年は大学組織が多額の経済的利益を得る機会が増加しており、組織としての利益相反についてもマネジメント対象とする大学が増えてきている[2]。このような大学では、委員会による審査の結果、その実施に条件が付されることもあり得るため、企業側においても事前に大学の利益相反マネジメント体制を確認しておく必要があろう。

2　国公立大学と賄賂罪

国立大学法人および公立大学法人の役職員はいわゆる「みなし公務員」とされ、刑法上の贈収賄罪の適用がある（国立大学法人法19条、地方独立行政法人法58条）。国立大学法人および公立大学法人の役職員に対して、

---

2) 近年、産学連携の共同研究の拡大・深化を目指して、大学における産学連携本部機能の強化（産学連携本部において部局横断的な共同研究を企画・マネジメントできる体制の構築）が推進されており、利益相反マネジメントの強化もその重要な要素のうちの1つとされているが、そこでは「個人としての利益相反」のみならず「組織としての利益相反」のマネジメントの重要性も説かれている（文部科学省・経済産業省「産学官連携による共同研究強化のためのガイドライン」（平成28年12月5日））。

製品購入をしてもらう、入札情報を教えてもらうなどその職務について便宜を図ってもらうために金品や役務等を提供した場合には、贈収賄の問題が生じる。近時も、製薬企業の従業員が、公立大学病院の教授に対して医療用医薬品を積極的に使用してもらうよう依頼し、当該病院に奨学寄附金として金銭を提供したことが贈賄罪（刑法198条）に当たると判断され、有罪判決を受けており（津地判令3・6・29公刊物未登載）、贈収賄に関しても留意が必要である。

第 **10** 章

ヘルステック法務における
留意点

304 第 10 章 ヘルステック法務における留意点

Q 86 医療機器の製造販売に関連する業許可と承認等

Q 当社ではヘルステックを用いた医療機器の開発を進めており、当社が主体となって市場に流通させることを目指しています。当社が取得すべき許認可等を教えてください。

- ▶

A ある医療機器の市場への流通について責任を負う事業者は、製造販売業の許可を取得の上、当該医療機器の品目ごとに承認もしくは認証の取得、または届出を行う必要があります。さらに、自社で製造する場合には、製造所ごとに、製造業の登録が必要となります。それ以外にも、販売業、賃与業、修理業などの業許可があります。

═══ 解 説 ═══

1 医療機器の「製造販売」についての業許可と承認

　ある医療機器を市場に流通させる場合、誰かがその医療機器の市場への流通について責任を負う必要がある。薬機法は、医療機器を市場へ流通させるに際しては、「製造販売」業の許可を有する事業者がその医療機器について「製造販売」の承認（リスクが低い場合は、認証または届出）を取得して「製造販売」することを求めており（薬機法 23 条の 2 第 1 項、23 条の 2 の 5 第 1 項）、この「製造販売」の承認を有する事業者がその医療機器について一義的な責任を負うこととなる。ここでいう「製造販売」とは、自ら製造（他に委託して製造する場合を含む）または輸入した医療機器を、それぞれ販売し、貸与し、もしくは授与し、または医療機器プログラムを電気通信回線を通じて提供することと定義されている（同法 2 条 13 号）。すなわち、「製造販売」とは、自ら製造して販売することのみではなく、市場で流通させることを意味するものであり、第三者に委託製造させたものを販売したり、外国で製造されたものを輸入して日本で販売する場合も含まれる。

2 医療機器の「製造販売」についての業許可

　事業者は、医療機器の「製造販売」を行うにあたり、まず厚生労働大臣から製造販売業の許可を取得する必要がある。医療機器の製造販売業の許可には、事業者が製造する医療機器のリスクの程度に応じ、第一種医療機器製造販売業許可、第二種医療機器製造販売業許可および第三種医療機器製造販売業許可の3種類がある（もっともリスクが高い場合には、第一種医療機器製造販売業許可を取得する必要がある）。

3 医療機器のクラス分類

　薬機法は、医療機器のリスクの程度によって、医療機器を、「高度管理医療機器」、「管理医療機器」および「一般医療機器」に分類しているが、これらの医療機器は、さらに、厚生労働省告示が定めるクラス分類ルールによって、リスクの程度に応じたクラス（I～IV）に分けられている（もっともリスクが高い製品は、クラスIVに分類される）。

4 製造販売の承認・認証・届出

　製造販売業の許可を有する事業者は、実際に医療機器を製造販売しようとする場合、厚生労働大臣より、当該医療機器に係る製造販売の承認を取得する必要がある（薬機法23条の2の5第1項）。ただし、リスクが低い場合には、登録認証機関から製造販売の認証を取得することで足り（同法23条の2の23第1項）、もっともリスクが低い場合には、厚生労働大臣に対する届出で足りる（薬機法23条の2の12第1項）。

　上記2～4の整理については、下記の表を参照されたい。

医療機器の種類	該当する医療機器のクラス	製品の製造承認等	業許可の種類
高度管理医療機器	クラスIV	承　認	第一種医療機器製造販売業許可
	クラスIII	承認または認証	
管理医療機器	クラスII	承認または認証	第二種医療機器製造販売業許可

| 一般医療機器 | クラスⅠ | 届　出 | 第三種医療機器製造販売業許可 |

※　厚生労働大臣が基準を定めて指定する高度管理医療機器または管理医療機器については、登録認証機関からの認証を受ければ足りる（薬機法23条の2の23第1項）。

5　製造業の登録

　事業者が、医療機器を自らの製造所で製造する場合、製造所ごとに厚生労働大臣の登録を受ける必要がある（薬機法23条の2の3第1項）。製造所としての登録が必要となる「製造」には、主たる組立その他の主たる製造工程のほか、設計、滅菌、最終製品の保管なども含まれる（薬機法施行規則114条の8）。なお、医療機器そのものではなく、部品や材料などの部材の製造は、原則として、登録が必要となる医療機器の製造には該当しない。

6　その他の許認可

　上記のほか、薬機法上の医療機器に関わる業許可等としては、販売業、貸与業および修理業がある。

　また、医療機器については、薬機法以外の法律による規制がかかる場合がある。具体的には、電気用品安全法や、放射線を用いる場合の放射線関連の法律などの適用があり得る。

Q 87　新製品が「医療機器」に該当するかの確認方法

Q　今までにないヘルステックを用いた新製品の商用化を検討しているのですが、「医療機器」に該当して薬機法の規制対象となるかどうかが分からず、判断に困っています。どのように確認すればよいでしょうか。

A　法令適用事前確認手続または産業競争力強化法で規定されるグレーゾーン解消制度を活用することが考えられます。「医療機器」に該当する場合、規制対応のためのコストは増しますが、一方で、消費者に対して効果効能としてアピールできる範囲が広がることになります。

═══ 解　説 ═══

1　法令適用事前確認手続（ノーアクションレター制度）

　法令適用事前確認手続とは、民間企業等が、実現しようとする自己の事業活動に係る具体的行為に関して、その行為が特定の法令の規定（以下「照会対象法令」という）[1]の適用の対象となるかどうかについて、あらかじめ当該照会対象法令を所管する行政機関に対し照会書を提出し、その機関が回答を行うとともに、その回答を公表するという各府省を対象とする手続（ノーアクションレター制度とも呼ばれる）であり、厚生労働省においては、平成14年3月29日に当該手続の運用が開始された。民間企業等は、当該手続を通して、厚生労働省に対し、民間企業等の自己の事業活動に係る具体的行為が、①許認可等の要否（許認可等を受けない場合、罰則の対象となるかどうか）、②届出・登録・確認等の要否（届出をしない場合または登録・確認等を受けない場合に罰則の対象となるかどうか）、および③不利益処分の対象となる可能性の有無（ある行為をした場合またはしなかった場合に取消等の対象となるかどうか）について照会をすることができる。

1）厚生労働省が管轄とする照会対象法令の一覧は、厚生労働省のウェブサイトで公開されている。

308 第10章 ヘルステック法務における留意点

2 グレーゾーン解消制度

　グレーゾーン解消制度とは、現行の規制の適用範囲が不明確な場合においても、事業者が安心して新しい事業活動を行い得るよう、事業者が、具体的な事業計画に即して、当該事業を所管する省庁をとおして、あらかじめ規制の適用の有無を確認できる制度（産業競争力強化法7条）である。グレーゾーン解消制度は、平成26年1月20日に施行された産業競争力強化法において規定された制度であり、照会対象法令が限定されていない点で法令適用事前確認手続とは異なる。この制度の特長は、規制の適用の有無について、事業者を支援する事業所管省庁が、事業者に代わって、規制所管省庁に対する照会を行う点にある。

3 照会書の作成

　いずれの手続においても、所定の期間内（原則、法令適用事前確認手続の場合には30日以内、グレーゾーン解消制度の場合には1ヵ月以内）に回答を得るためには、行政機関が、回答に必要な情報を事前に把握していることが必要である。したがって、照会書を提出する場合には、準備の段階から、照会の対象となる行政機関に連絡をとり、行政機関と協力して照会書を作成することが望ましい。

Q 88 新製品のボトルネックとなる規制の解消方法

Q 現在開発しているヘルステックを用いた新製品は、海外では類似の製品が既に商用化されているのですが、日本では、国内の法規制がボトルネックとなり商用化が難しいのではないかと懸念しています。このような状況において、ボトルネックを解消する方法はないのでしょうか。

A 産業競争力強化法に規定される企業実証特例制度を活用することが考えられます。

解 説

1 企業実証特例制度の概要

企業実証特例制度とは、新事業活動を行おうとする事業者による規制の特例措置創設の提案を受けて、安全性等の確保を条件に、企業単位で、規制の特例措置の適用を認める制度である。企業は、この制度を通じて、事業所管省庁とともに、事業者にとってボトルネックとなる規制について、どのような措置を講ずればその規制が求める安全性等を確保できるのかを検討し、提案の実現に向け、規制所管省庁への働きかけを行うことができる。

2 企業実証特例制度の手続

企業実証特例制度を活用するにあたり、事業者は、①新たな規制の特例措置の求め（産業競争力強化法6条）と②新事業活動計画の認定（同法9条）の2段階の申請手続を経ることになる。

具体的な流れについては、後記の図を参照されたいが、事業者としては、まず規制の特例措置の求めとして、事業を行うにあたり要望する規制の特例措置や、規制が求める安全性等を確保するための措置を記載した「新たな規制の特例措置の整備に係る要望書」を作成し、該当する事業所管省庁に提出し、その後、規制の特例措置を活用するにあたり、新事業活動の内容、利用する規制の特例措置等を記載した「新事業活動計画の認定

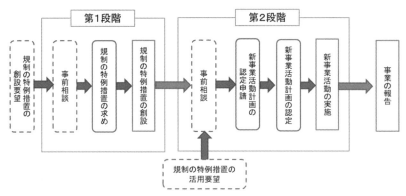

(出典：経済産業省「産業競争力強化法『企業実証特例制度』及び『グレーゾーン解消制度』の利用の手引き」（平成26年1月20日））

申請書」を作成し、事業所管省庁に提出する必要がある。

Q89 ヘルスケア関連の研究実施にあたっての留意点

Q 当社では、ヘルステックを用いた新製品の開発に際し、人を対象とした研究を行うことを予定しています。当該研究を行うにあたって、留意しておくべき法令等があれば教えてください。

A 人を対象とする医学系の研究に際しては、薬機法、臨床研究法といった法令が適用される場合があります。また、これらの法令が適用されない場合でも、厚生労働省や文部科学省などの関係省庁が策定した指針を遵守して、研究を行う必要があります。また、企業内の研究において、医行為に該当する行為を行うことはできないので、留意が必要です。

═══ 解 説 ═══

1 概 要

　人を対象とする医学系研究は、一般に臨床研究と呼ばれる。臨床研究は、医学・健康科学および医療技術の進展のために必要不可欠であり促進される必要がある。それと同時に、データ操作等が行われないよう適正性を確保する必要があり、また、研究の対象となる被験者の尊厳・人権を厳格に守る必要がある。これらの調和を図るため、臨床研究を規律する法律や倫理指針が策定されている。

2 治験についての規制

　医薬品や医療機器の製造販売の承認の申請に際しては、疾病に対して効果があり（有効性）、また人体に安全であること（安全性）等を確認するために、実際に人に使用して試験を行うことが必要とされる場合がある。この製造販売承認の申請のための資料収集を目的とする人を対象とする試験は、臨床試験の一種であり、治験と呼ばれる。治験については、主に、薬機法と、厚生労働省の「医薬品の臨床試験の実施の基準に関する省令」（平成7年3月27日）や「医療機器の臨床試験の実施の基準に関する省令」（平成17年7月20日）（以下「GCP省令」（Good Clinical Practice の略）と総称

する）が規制する。

　医療機関に治験を依頼する企業は自らが治験実施計画書を作成して厚生労働大臣に届け出るが（薬機法80条の2第2項）、実際の治験は治験実施契約を締結して医療機関に実施してもらうことになる。薬機法およびGCP省令においては、①治験実施委員会による治験の審査、②各種の治験実施基準（人員・施設に関する基準や健康被害が生じた場合の補償、モニタリング・監査の実施など）、③被験者からのインフォームド・コンセントの取得、④記録の保存、⑤個人情報の保護、⑥疾病等の報告義務などが規定される。

3　臨床研究法

　平成25年以降、治験以外の臨床研究の不正事案が複数明るみに出たことを受けて、治験以外の臨床研究についても、法規制を行う必要性が指摘されるに至った。また、諸外国に目を転じると、欧米では、治験でない臨床研究についても、範囲に差はあるものの、法規制の対象とされている。かかる背景のもと、平成29年4月、治験等以外の臨床研究を法律で規制する臨床研究法が制定され、平成30年4月から施行されている。

　臨床研究法は治験以外の臨床研究の全てに適用されるものではない。臨床研究の質を確保するという要請と共に、法規制による研究の委縮を防止する必要もあり、両者のバランスを取る必要がある。そこで、臨床研究法では、治験以外の全ての臨床研究ではなく、特に以下の2つの類型の臨床研究を「特定臨床研究」として、規制の対象としている（臨床研究法2条2項）。

　第一に、臨床研究に参加する被験者に対するリスクの高さという観点から、①薬事承認が得られていない医薬品・医療機器等、および、②薬事承認は得られているものの承認の適応範囲外の症例等を対象とする医薬品・医療機器等を用いた臨床研究が、特定臨床研究とされた。第二に、臨床研究の不正事案を踏まえ、医薬品の製造販売業者またはその子会社から研究資金等の提供を受けて実施する臨床研究が、特定臨床研究として規制される。

　特定臨床研究に関わる企業が留意すべき規制は、資金提供に際しての契約の締結と情報の公表である。すなわち、医薬品・医療機器等の製造販売業者は、その製造販売する医薬品・医療機器等についての特定臨床研究に

研究資金等の提供を行うときは、①法定の必要事項を定めた契約を締結するとと共に（同法32条）、②研究資金等の提供に関する情報のほか、実施医療機関等およびその関係者に対する金銭その他の利益の提供に関する情報を、インターネット等で公表することが求められる（同法33条）。

4　生命・医学系研究指針

　GCP省令や臨床研究法が適用されない臨床研究や、人の基本的生命現象（遺伝、発生、免疫等）を解明するヒトゲノム・遺伝子解析研究は、「人を対象とする生命科学・医学系研究」として、文部科学省、厚生労働省の示した「人を対象とする生命科学・医学系研究に関する倫理指針」（令和3年3月23日。令和4年3月10日一部改正。以下「生命・医学系研究指針」という）によって規律される。

　生命・医学系研究指針では、研究の実施にあたり、研究機関において、①研究計画書の作成、②倫理審査委員会による当該研究計画書の審査、③研究対象者からのインフォームド・コンセントの取得といった手続が要求される。

5　医行為を含む臨床研究の実施と企業

　企業が人を対象としてヘルスケアに関わる研究を行う場合、当然ながら、企業が医行為に該当する行為を行うことはできない。そのため、企業が医行為に該当する可能性があるような研究を行う場合、企業は、必ず、当該研究を医療機関に委託しなければならない。企業が、例えば自社の社員を対象に医療機器を使用する研究を行う場合などには、医行為に該当するおそれがないか、慎重に確認することが求められる。

314　第10章　ヘルステック法務における留意点

Q 90 介護保険制度の概要

Q 介護保険制度の概要とその適用について教えてください。

A 介護保険制度は市町村によって運営され、要介護者等が介護サービスを受けるにあたり保険給付を受けることができるものです。ヘルステック製品については福祉用具として介護保険給付が受けられる場合があります。

解　説

1　介護保険制度

　介護保険制度とは、加齢に伴って要介護状態等になった者に対し、必要な保健医療サービスおよび福祉サービスに係る給付を行う制度である（介護保険法1条参照）。介護保険の運営主体、すなわち保険者は市町村等であり、被保険者から所得に応じて納付される保険料および税金等を財源として、運営されている。

　介護保険の被保険者が、介護保険の給付を受けるには、市町村等から要介護認定または要支援認定（以下総称して「要介護認定等」という）を受けた後（同法19条）、居宅サービス計画、介護予防サービス計画および施設サービス計画（ケアプランの詳細については Q 20 を参照）を作成することが必要である。なお、施設への入所を希望する場合は、介護保険施設との間で契約を締結することになる。介護保険制度においては、要介護度等に応じて支給限度基準額が定められ、その範囲内であれば、所得・収入に応じて1割から3割の自己負担で、居宅サービス、施設サービスおよび介護予防サービス等介護サービスを受けることができる（同法41条、44条）。

　介護サービスの利用の手続については、次頁の図も参考になる。

2　介護保険制度とヘルステック製品

　介護サービスには種々のものがあるが、例えば、居宅サービスとして、福祉用具として認定されているヘルステック製品を利用する場合、 Q 23

Q90 介護保険制度の概要 315

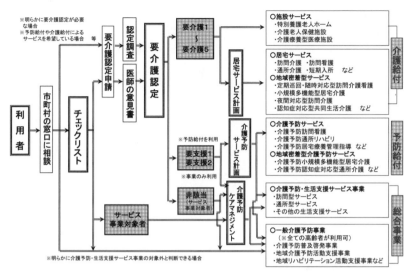

(出典：厚生労働省「公的介護保険制度の現状と今後の役割」(平成30年))

のとおり、介護保険給付の対象となり、認定された要介護認定等の度合いに基づく支給限度基準額の範囲内で収入・所得に応じて1割から3割の自己負担をすることによりサービスを利用することができる。また、施設サービスとの関係では、Q27 のとおり、介護支援ロボット等を導入することが報酬の加算にあたって考慮される仕組みが一部導入されている。

316 第 10 章 ヘルステック法務における留意点

Q 91 医療機器と医療保険制度

Q ヘルステックを用いた医療機器を開発しているのですが、医療保険制度の概要と適用について教えてください。

A 開発された医療機器が保険収載された場合、保険の適用対象となります。保険収載の手続および保険適用上の取扱いは、医療機器（保険医療材料）の評価区分によって異なります。

═══ 解 説 ═══

1 医療保険制度

医療保険制度に関連する法律には、健康保険法、国民健康保険法および国家公務員共済組合法等があるが、各法律間で制度の基本的な仕組みは大きく異なるものではないため、以下、健康保険法を例に説明する。被保険者である患者に対し診療サービスである療養の給付[1] が提供された場合、当該患者は病院や薬局等の保険医療機関等に対し一部負担金を支払い、それを除く診療報酬が保険者から審査支払機関である社会保険診療報酬支払基金を通じて支払われることになる。

2 診療報酬

診療報酬とは、療養の給付に要する費用から被保険者の一部負担金相当額を控除したものである。療養の給付に関する費用は告示に従って算定されるが（健康保険法 76 条 2 項）、医療機器が、かかる告示に定められることをいわゆる「保険収載」といい、医療機器が保険収載されるための手続と保険適用上の取扱いは、医療機器（保険医療材料）の評価区分によってそれぞれ異なる[2] [3]。

---

1) 療養の給付には、①診察、②薬剤または治療材料の支給、③処置、手術その他治療、④居宅における療養管理およびその療養に伴う世話その他の看護、⑤病院または診療所への入院およびその療養に伴う世話その他の看護が含まれる（健康保険法 63 条 1 項各号）。

即ち、医療機器（保険医療材料）については、前掲脚注1）の①から④の診療報酬の項目である技術料とは別に、当該医療機器（保険医療材料）に着目した報酬を保険請求できるか否か、また、既存の告示に算定項目、機能区分・基準材料価格が存在するかに応じて、以下の評価区分に分類される。

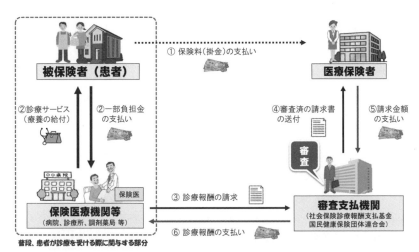

（出典：厚生労働省「我が国の医療保険について」（令和元年））

A1：包括	A2：特定包括	A3：既存技術・変更あり
B1：既存機能区分	B2：既存機能区分・変更あり	B3：期限付改良加算・暫定機能区分
C1：新機能	C2：新機能・新技術	
R：再製造		
F：保険適用に馴染まないもの		

（参考：厚生労働省「医療機器の保険適用等に取扱いについて」（令和4年2月9日）を元に作成）

---

2) 厚生労働省「医療機器の保険適用等に関する取扱いについて」（令和4年2月9日）
3) 厚生労働省「医療機器・体外診断用医薬品の保険適用に関するガイドブック」（令和3年3月）

318　第10章　ヘルステック法務における留意点

医療機器（保険医療材料）の評価区分		A			B			C		R
		A1	A2	A3	B1	B2	B3	C1	C2	
技術料と別に費用を保険請求可能					✓	✓	✓	✓	✓	
保険収載手続（審査担当）	厚生労働省担当部署の審査	✓	✓	✓	✓	✓	✓	✓	✓	✓
	保険医療材料等専門組織			✓		✓	✓	✓	✓	✓
	中央社会保険医療協議会							✓	✓	✓

(参考：厚生労働省「医療機器の保険適用等に関する取扱いについて」（令和4年2月9日）を
　　　元に作成)

　A区分の保険医療材料（例：縫合糸（A1）、眼内レンズ（A2））について
は、技術料に当該製品の価格も包摂して保険請求することになる。他方、
B区分（例：ペースメーカー）およびC区分（例：特殊加工の施された人工
関節（C1））の保険医療材料は、技術料とは別に当該製品の価格を保険請
求することができる。

(1)　A区分、B1区分及びB2区分

　保険収載手続については、上記図表に記載したとおり、A1、A2およ
びB1区分に該当する製品は、原則として厚生労働省の担当部署の審査の
みで保険収載が行われる。

　他方で、A3区分では算定にあたり告示に定められている留意事項等に
変更を伴い、B2区分では機能区分の定義または算定にあたり告示に定め
られている留意事項等に変更を伴うところ、保険収載に際して保険医療材
料等専門組織の審査も経ることになる。

　また、平成30年度より、当該保険収載までに最終評価することが難し
い技術を用いる医療機器等について、B1として保険収載後に、使用実績
を踏まえて新規機能該当性について評価を行うチャレンジ申請を行うこと
が可能とされている[3]。保険医療材料等専門組織においてチャレンジ申請
を行うことの妥当性が認められる場合、保険収載後にデータ集積状況や臨

床成績等の定期報告を行った上でチャレンジ申請を行い、保険医療材料等専門組織の決定および中央社会保険医療協議会の承認を経て再評価が行われる。

(2) B3区分、C区分およびR区分

B3区分、C区分およびR区分の保険収載については、保険医療材料等専門組織の審査と中央社会保険医療協議会の承認が必要となる。なお、新規性の高いヘルステック製品については、C1およびC2区分に分類されることもあり、 Q48 で取り上げている医療機器プログラムJoinも、C2の区分で保険収載されている。

B3区分の製品は、既存機能区分に対して期限付改良加算を付すことについて審議が必要となる。

C区分の保険医療材料も、技術料とは別に当該製品の価格を保険請求することができるが、保険収載の際に新たな医療機器の機能区分の設定が必要となる。中でも、当該製品を用いた技術が既存の診療報酬項目に収載されていない場合、C2に区分される。

R区分は、使用済の単回使用医療機器を医療機器の製造販売業者が適切に収集・処理を行い再び使用できるようにする「再製造」のための区分である[4]。R区分の製品は、希望のあった医療機器の機能区分設定等について審議が必要となる。

---

3) 厚生労働省「平成30年度保険医療材料制度改革の主な概要」
4) 中央社会保険医療協議会保険医療材料専門部会（第103回）資料（令和元年10月9日）。令和2年4月1日付で、再製造区分で申請された医療機器（「再製造ラッソー2515」）が第1号事例として保険収載されている（厚生労働省「医療機器の保険適用について」（令和2年3月31日））。

第11章

新型コロナウイルス感染症を
めぐる法規制

322 第 11 章 新型コロナウイルス感染症をめぐる法規制

Q 92 唾液を用いた PCR 検査の医行為該当性

Q 唾液を用いた新型コロナウイルスに関する PCR 検査を提供する民間企業
も増えていますが、民間企業が医師の関与なく PCR 検査を提供する場合
に、何か法的な規制はありますか。

A 民間企業も、医師でない者が反復継続する意思をもって行うことが禁止さ
れる「医行為」（医師法 17 条）にあたらない範囲内において、医師の関与
なく唾液を用いた PCR 検査を提供することが可能です。実際に、新型コロ
ナウイルス感染症への罹患の診断目的ではなく、無症状者を対象としたスク
リーニング目的での唾液 PCR 検査（自費検査）サービスを提供する民間企
業も存在します。

解 説

1 民間企業による PCR 検査サービスの増加

厚生労働省は、令和 2 年 7 月 17 日より、新型コロナウイルス感染症の
無症状者に対して、唾液を検体とした新型コロナウイルス感染症の PCR
検査を活用できることとした。それ以降、経済活動が活性化する中で、企
業の入社式や研修や学校の修学旅行、個人の冠婚葬祭、船舶や航空機への
搭乗等にあたって、直前に検査することで安心感が得られるということ
で、無症状者を対象に唾液を用いた PCR 検査を実施するというスクリー
ニング検査の需要が高まった。このような状況下で、多くの民間企業がス
クリーニング目的の唾液 PCR 検査（自費検査）サービスに参入し、検査
体制の一翼を担っている。内閣官房発表の「新型コロナウイルス感染症対
策の基本的対処方針」（令和 3 年 11 月 19 日。令和 4 年 3 月 17 日変更）で
も、「日常生活や経済社会活動における感染リスクを引き下げるために
は、ワクチン接種や検査による確認を促進することが有効であり、政府
は、都道府県と連携しながら、ワクチン・検査パッケージ制度又は対象者
全員検査を推奨する。」とされており、今後も、検査体制強化のため、民
間検査機関等の活用が促進されることが見込まれている。

2 PCR 検査の「医行為」該当性

 Q32 のとおり、「医療及び保健指導に属する行為のうち、医師が行うのでなければ保健衛生上危害を生ずるおそれのある行為」に該当する場合、「医行為」として、医師でない者が反復継続する意思をもって行うことは禁止される（医師法 17 条）。現在、民間企業が提供する新型コロナウイルスに関する PCR 検査サービスの中には、検査精度や運用を医師または医療機関が監修している旨を銘打つものや、医療機関と連携して検査を実施するものも見受けられるが、民間企業の医師ではない従業員等によって提供される PCR 検査サービスについては、上記の「医行為」に該当しない範囲内とする必要がある。

　「医行為」の典型例として診断等の医学的判断が挙げられるが、実際に民間企業が提供するサービス内容を見てみると、「本検査は、提出された検体（唾液）内に新型コロナウイルスが含まれるか否かを判定するものであり、新型コロナウイルス感染症への罹患の有無を診断するものではありません。」といった注記を付すものが散見される。これは、当該民間企業が提供する検査が、あくまでも無症状者を対象としたスクリーニング目的であり、新型コロナウイルス感染症への罹患の有無の診断、すなわち「医行為」に該当する行為を行うものではないことを明確にするものと思われる。そのほか、陰性証明書は発行しないこととするなどして、当該検査によって診断を行うものではないとする工夫も見られる。このような整理の下、医師でない者がスクリーニング目的での唾液 PCR 検査を反復継続して行うことも、実務上許容されている。

3 PCR 検査等における精度管理マニュアル

　現在、スクリーニング目的での唾液 PCR 検査を提供する民間企業が見られるが、内閣府の主催する規制改革推進会議では、非医療機関である民間企業が提供する PCR 検査精度を信頼してよいものなのか、という利用者からの声があることも指摘されている[1]。

　厚生労働省は、一定の検査精度を確保するため、令和 2 年 10 月から令

---

1) 内閣府規制改革推進会議「第 2 回　医療・介護ワーキンググループ議事概要」（令和 3 年 9 月 27 日）

324　第 11 章　新型コロナウイルス感染症をめぐる法規制

和 3 年 3 月にかけて、多様な PCR 検査における測定性能や施設の能力の違いの実態の把握と改善を目的とする「新型コロナウイルス感染症のPCR 検査等にかかる精度管理調査業務」の委託事業を実施した。当該調査を踏まえて策定された「新型コロナウイルス感染症の PCR 検査等における精度管理マニュアル」には、PCR 検査等の品質・精度の確保において留意すべき事項が記載されており、新型コロナウイルス感染症の検査実施機関はこのマニュアルを参考にすべきとされている[2]。

2）厚生労働省新型コロナウイルス感染症対策推進本部「『新型コロナウイルス感染症の PCR 検査等における精度管理マニュアル』について」（令和 3 年 4 月 16 日）

Q93 新型コロナウイルス抗原定性検査キットの体外診断用医薬品該当性 325

Q93 新型コロナウイルス抗原定性検査キットの 体外診断用医薬品該当性

Q 新型コロナウイルスの抗原定性検査キットは、薬機法の規制対象に該当するのでしょうか。また、新型コロナウイルスの抗原定性検査キットを、薬局やドラッグストアで販売することや、インターネットで販売することはできるのでしょうか。

--->

A 新型コロナウイルス感染症の診断に使用することが目的の抗原定性検査キットは、薬機法における体外診断用医薬品に該当するため、その製造や販売については薬機法の規制対象となります。

また、令和4年3月末時点において、体外診断用医薬品として承認されている新型コロナウイルス感染症の抗原定性検査キットは、全て医療用医薬品であり、一般人に対する販売は、特例的に薬局において対面販売することのみが許容されている状況です。

═══ 解 説 ═══

1 体外診断用医薬品

体外診断用医薬品とは、「専ら疾病の診断に使用されることが目的とされている医薬品のうち、人又は動物の身体に直接使用されることのないもの」をいう（薬機法2条14項）。具体的には、人から採取した試料を検体として、検体中のタンパク質、核酸、酵素、抗原等の様々な物質を検出または測定することにより、疾病の診断に使用される検査薬が想定されている[1]。

新型コロナウイルス感染により体内で生成される抗原の有無を測定する検査キットは、原則として、新型コロナウイルス感染症の罹患の有無の診断のために使用されることが想定され、体外診断用医薬品に該当する。

なお、新型コロナウイルス感染により体内で生成される（抗原ではなく）抗体を測定する検査キットについては、新型コロナウイルスの罹患の有無

---

1) 厚生省薬務局長「体外診断用医薬品の取扱いについて」（昭和60年6月29日）

326　第 11 章　新型コロナウイルス感染症をめぐる法規制

を検査するものではなく、すなわち診断に用いるものではないために、体外診断用医薬品に該当しないものとされている[2]。

2　新型コロナウイルスの抗原定性検査キットの販売

　薬機法上、体外診断用医薬品を製品化して製造販売（製造または輸入をしたものの販売。薬機法 2 条 13 項）を行うには、事業者として製造販売業許可（同法 23 条の 2）を取得した上で、当該製品に関して個別の承認等[3]を得る必要がある。また、承認等を得た体外診断用医薬品を一般人に対して販売することができる者は、薬局、店舗販売業者または配置販売業者に限られる（同法 24 条、25 条）。

　さらに、体外診断用医薬品は、通常の医薬品と同様に、医療機関等での使用が想定される医療用医薬品（同法 4 条 5 項 2 号）と、一般人が自ら購入できる OTC 医薬品（要指導医薬品および一般用医薬品。同項 3 号・4 号）に大別され、その販売方法の規制内容が異なる。OTC 医薬品[4]であれば、薬局やドラッグストア（店舗販売業者）において医師の関与なく一般人に対して販売が可能であるものの、令和 4 年 3 月末時点で、OTC 医薬品として承認された新型コロナウイルスの抗原定性検査キットは存在せず、全て医療用医薬品として承認されている。医療用の抗原定性検査キットは、医療機関等での使用が想定されているものであることから、従前、薬局でも販売はなされていなかった。

　しかしながら、新型コロナウイルス感染症の流行下における特例的な対応として、令和 3 年 9 月 27 日、厚生労働省において、医療用の抗原定性検査キットを薬局で販売することを認めた上で、薬剤師による適切な情報

---

2)　厚生労働省医薬・生活衛生局監視指導・麻薬対策課長「新型コロナウイルス抗体検査キットに係る監視指導について」（令和 2 年 12 月 25 日）。なお、抗体検査キットのうち新型コロナウイルス感染症の診断を行うことが可能である旨の広告や標榜を行うものについては、未承認の体外診断用医薬品との誤認を与えるおそれがあり、行政指導の対象となるとされている点に留意が必要である。

3)　体外診断用医薬品は、その診断性能の重要性に応じてクラス I からクラス III に分類され、クラス分類に応じて承認（薬機法 23 条の 2 の 5 第 1 項）、認証（同法 23 条の 2 の 23 第 1 項）または届出（同法 23 条の 2 の 12 第 1 項）のいずれかが必要となる。なお、令和 4 年 3 月末時点において、新型コロナウイルス感染症の抗原定性検査キットはクラス III に分類されており、製造販売には厚生労働大臣の承認が必要となる。

4)　OTC 医薬品である体外診断用医薬品としては、妊娠検査薬や排卵日予測検査薬などが存在する。

Q93　新型コロナウイルス抗原定性検査キットの体外診断用医薬品該当性　327

提供・指導を行うことや、記録の保存等、具体的な販売方法に関する留意点が示された[5]。これにより、薬局であれば、新型コロナウイルスの抗原定性検査キットの販売が認められることとなったが[6]、薬剤師による対面販売を必要としていることから、一般消費者に対するインターネット販売はできないものとされている。

3　研究用抗原定性検査キット

上記1のとおり、専ら疾病の診断に使用されることが目的とされるものが体外診断用医薬品に該当するところ、診断目的ではなく学術研究目的の検査薬であれば体外診断用医薬品には該当しないこととなる。

もっとも、研究用と称すれば、それをもって直ちに体外診断用医薬品に該当せずに薬機法の規制を免れるというものではなく、研究用途とは考えにくい販売方法や標榜を行う抗原定性検査キットについては、行政指導や取締りの対象となる[7]。

新型コロナウイルス感染症の流行開始当初、研究用と称し、薬機法上の承認を得ていない抗原定性検査キットがドラッグストアやインターネットを通じて一般人向けに販売される実態があったものの、今後、こうした販売については、取締りが強化されることが想定される。

5）厚生労働省新型コロナウイルス感染症対策推進本部、医薬・生活衛生局総務課「新型コロナウイルス感染症流行下における薬局での医療用抗原検査キットの取扱いについて」（令和3年9月27日）、厚生労働省新型コロナウイルス感染症対策推進本部、医薬・生活衛生局総務課、監視指導・麻薬対策課「新型コロナウイルス感染症流行下における薬局での医療用抗原定性検査キットの取扱いに関する留意事項について」（令和3年11月19日）

6）OTC医薬品ではなく医療用医薬品である以上、そもそも販売業許可を有していない者はもちろんのこと、ドラッグストア（店舗販売業者）による販売も法的に認められない（薬機法25条1号）。

7）厚生労働省新型コロナウイルス感染症対策推進本部、医薬・生活衛生局監視指導・麻薬対策課「新型コロナウイルス感染症の研究用抗原定性検査キットの販売に関する監視指導及び留意事項について」（令和3年12月22日）

328　第 11 章　新型コロナウイルス感染症をめぐる法規制

Q 94　新型コロナウイルス感染症のワクチンや治療薬の緊急承認制度

Q　厚生労働省は、新型コロナウイルス感染症のワクチンや治療薬等、新型コロナウイルス感染症関連の医薬品について優先的に承認審査を実施しているようですが、迅速な承認に向けて今後どのような施策が予定されているのでしょうか。

--->

A　緊急時に医薬品等を迅速に承認するための制度として、既に特例承認制度（薬機法 14 条の 3 等）が存在し、実際に複数の新型コロナウイルス感染症のワクチンや治療薬に対して特例承認制度に基づく承認がなされてきました。

　もっとも、特例承認制度にも課題があることが指摘され、パンデミック等の緊急時においてより迅速な承認を行うことを可能とする制度として、新たに緊急承認制度を創設する薬機法の改正が行われる予定です。

═══ 解　説 ═══

1　新型コロナウイルス感染症のワクチン・治療薬の承認審査

　新型コロナウイルス感染症の感染拡大を受け、令和 2 年 4 月以降、新型コロナウイルス感染症に関するワクチンや治療薬の承認審査を最優先することとされ[1]、主に既存の特例承認制度を活用して、複数のワクチンや治療薬が承認されてきた。

　特例承認制度は、国民の生命および健康に重大な影響を与えるおそれがある疾病の蔓延等の健康被害の拡大を防止するために緊急に必要であり、かつ、その使用以外に適当な方法がない医薬品等であって、外国において既に販売が認められている医薬品等について、承認申請資料の提出の一部猶予等の特例を与えた上で、迅速な承認を与える制度である（薬機法 14 条

---

1)　厚生労働省医薬品審査管理課、医療機器審査管理課「新型コロナウイルス感染症に対する医薬品等の承認審査上の取扱いについて」（令和 2 年 5 月 12 日）、同「新型コロナウイルス感染症に対する医薬品等の承認審査上の取扱いについて（その 2）」（令和 3 年 6 月 17 日）

の3等)。

　したがって、諸外国においていまだ販売が認められていない医薬品等を、日本において世界に先駆けて開発しようとする場合には、特例承認制度を利用することはできない。

　また、特例承認制度においても、通常の承認の場合と同様に、承認審査において当該医薬品等の有効性・安全性を「確認」する必要があるものとされていることから、例えば、ワクチンに関して、外国で既に販売され使用されている医薬品等であっても、日本人に使用した場合の有効性および安全性を示す臨床データが十分でない場合には、これを確認するために日本国内での治験を追加で実施しなければならない等の課題が指摘されていた。

2　緊急承認制度の創設

　上記1の状況の中で、令和3年12月27日、厚生科学審議会の医薬品医療機器制度部会において、「緊急時の薬事承認の在り方等に関するとりまとめ」として、以下の方向性で、緊急時に迅速な薬事承認を可能とする新たな薬事承認制度（以下「緊急承認制度」という）を創設することとする検討結果を示した。

- ・　上記1記載の特例承認制度の課題がある中で、国民の生命と安全を守るため、緊急時における医薬品のリスクとベネフィットを比較考量した上で医薬品の供給を許容することが可能な緊急時の薬事承認制度が必要であること
- ・　他方で、①安全性については、緊急時であったとしても、通常の薬事承認[2]と同等の水準で「確認」した上で承認すべきであるものの（安全性の確認）、②有効性については、緊急時に時間的猶予がなく、例えば、探索的な臨床試験成績等により、有効性が「推定」され、その「推定」される有効性に比して安全性が許容可能であり、医薬品等としての使用価値が認められる場合（有効性の推定）には、承認を可

---

2) 通常の薬事承認においては、①申請に係る効能、効果または性能を有すると認められるか、②その効能、効果または性能に比して著しく有害な作用を有することがなく、使用価値があると認められるか（薬機法14条2項3号イ・ロ）が審査され、その有効性および安全性が「確認」されている。

330 第11章 新型コロナウイルス感染症をめぐる法規制

能とすることが考えられること

・ 具体的な制度設計としては、①緊急承認制度の発動要件となる「緊急時」の定義は、上記1記載の特例承認制度と同様のものとすること、②検証的臨床試験、日本人試験、使用成績調査等、承認後に有効性を確認できるデータ収集を行う承認条件を付すこと、③短期間の承認の期限を付すこと、④特例承認制度と同様の特例措置（承認時のGMP適合性調査、QMS適合性調査やGCP調査の実施を承認要件としないことや、国家検定、容器包装、注意事項等情報の記載に関する特例等）を設けること等が適当であること

上記のとりまとめにおいて示された方針により、薬機法改正法案が令和4年3月1日に第208回通常国会に提出され、同年5月13日に成立している。これにより、緊急承認制度が薬機法に盛り込まれることとなった。

Q95 新型コロナワクチン接種の任意性 331

Q 95 新型コロナワクチン接種の任意性

Q 社内での新型コロナウイルス感染拡大防止策として、従業員に新型コロナワクチン接種を義務付けることは可能でしょうか。また、対面の顧客対応業務を行う従業員に対して新型コロナワクチン接種の証明資料の提出を求めることは可能でしょうか。

- ▶

A 新型コロナワクチン接種は、最終的には個人の判断で接種されるものであり、従業員に対してワクチン接種を強制することはできません。従業員からワクチン接種の証明資料（自治体が発行する接種済証等）の提出を求めることも、事実上ワクチン接種を義務付けることとなり得るため避けるべきであり、任意のアンケート等にとどめるのが望ましいです。

═══ 解 説 ═══

1 新型コロナワクチン接種の任意性

予防接種法上、新型コロナワクチンの接種対象者は、予防接種を受けるよう努めなければならないとされている（予防接種法9条1項、同法附則7条、同法6条1項）。しかし、これはあくまでも努力義務であって、新型コロナワクチンの接種対象の国民は、実際にワクチンを接種する義務まで負っていない。厚生労働省のウェブサイト「新型コロナワクチンQ&A」では、「今回のワクチン接種の『努力義務』とは何ですか。」という質問に対して、「接種は強制ではなく、最終的には、あくまでも、ご本人が納得した上で接種をご判断いただくことになります。」と回答されている（令和4年3月末現在）。

また、厚生労働省が労使団体や業種別事業主団体等の経済団体に対して発出した「緊急事態措置区域として東京都が追加されたこと等を踏まえた職場における新型コロナウイルス感染症対策の徹底について」（令和3年7月13日）でも、「ワクチンの接種は強制ではなく、接種を受ける方の同意がある場合に限り接種が行われるものであり、職場や周りの方などに接種

332　第11章　新型コロナウイルス感染症をめぐる法規制

を強制したり、接種を受けていないことを理由に、職場において解雇、退職勧奨、いじめなどの不利益な扱いをすることは許されるものではない。そのため、事業場内でワクチン接種の情報提供等を行う際は、接種には労働者本人の同意が必要であることや、医学的な事由により接種を受けられない労働者もいることを念頭に置いた対応を行っていただきたい」とされており、企業が従業員に対して新型コロナワクチン接種を強制することは許されない。

　もっとも、ワクチン接種を拒否した従業員に対して何ら不利益取扱いを行わない前提で、従業員に対して新型コロナワクチンを接種するよう奨励することは妨げられないと考えられる[1]。

2　個人情報保護法上の留意点

　新型コロナワクチン接種の有無は、個人情報保護法上の個人情報に当たる（個人情報の定義については、**Q8**参照）。個人情報を取得する際には、利用目的をできる限り特定した上で（個人情報保護法17条1項）、原則として利用目的を本人に通知または公表しなければならず（同法21条1項）、また、本人の同意がない限り、目的外利用は原則として禁止される（同法18条1項）。したがって、企業が、対面の顧客対応業務に従事する従業員を決定するために各従業員の新型コロナワクチン接種情報を取得しようとする場合には、かかる目的を従業員に明示しなければならず、明示していない別の利用目的（例えば、新型コロナワクチン接種済みの従業員にのみ特別手当を支給するため等）に利用することはできない。

　なお、新型コロナワクチン接種の有無が要配慮個人情報（同法2条3項）にあたる場合、原則として本人の同意を得ずに取得することが禁止される。もっとも、新型コロナワクチン接種の有無は「病歴」（同法2条3項。病気に罹患した経歴を意味する[2]）にはあたらず、「疾病の予防及び早期発見

---

1) 政府も、国会答弁において、事業主から労働者に対する新型コロナワクチン接種の「『勧奨』そのものを禁じる法令はないが、政府としては、新型コロナウイルス感染症に係る予防接種（中略）については、国民が自らの判断で受けるべき」との見解を示しており（令和3年2月19日付閣議決定「衆議院議員岡本充功君提出予防接種の任意性に関する質問に対する答弁書」）、このことからも、各従業員が本人の自由な意思により新型コロナワクチンを接種するよう奨励を行うことは禁じられていないと考えられる。

2) 個人情報保護法ガイドライン（通則編）2-3(4)。

のための健康診断その他の検査」（個人情報保護法施行令2条2号）や「心身の状態の改善のための指導又は診療若しくは調剤」（同施行令2条3号）でもない。また、個人情報保護法ガイドライン上、健康診断等を受診したという事実は要配慮個人情報に該当しないとされていること[3]を踏まえると、新型コロナワクチン接種を接種したか否かという事実も同様に、要配慮個人情報に該当しないと考えられる。

3　従業員のワクチン接種情報の収集方法

上記2のとおり、個人情報保護法との関係では、利用目的の明示等の個人情報の取扱いに留意すれば、従業員に対して新型コロナワクチン接種の証明資料を義務付けることは妨げられない。また、政府の見解でも、ワクチン接種を受けていないことを理由とした不利益な取扱いは適切でないとしつつ、従業員や取引先、飲食店や交通機関等の利用者に対して「『接種証明の提示を求めること』そのものを禁じる法令はない」としている[4]。

ただし、上記1のとおり、新型コロナワクチン接種には従業員本人の同意が必要であることや、病歴・体質等によりワクチン接種を受けられない従業員もいることを考慮すると、企業が従業員に対して接種済証や接種記録書等のワクチン接種の証明資料を提出するよう求めると、事実上ワクチン接種を強制されていると従業員から主張されるリスクがある。かかるリスクを低減させる方法として、新型コロナワクチン接種の有無に関する匿名の社内アンケートを実施したり、従業員に記名させるとしても、回答が任意であり、ワクチン非接種を理由とした不利益取扱いは行わない旨明記することで強制力を可能な限り排除したアンケートを実施したりすることが考えられる。

3）個人情報保護法ガイドライン（通則編）2-3(8)。
4）前掲注1）閣議決定

執筆者一覧

[第 2 版　執筆者]

●編集・執筆担当

浦岡　洋（うらおか・よう）

森・濱田松本法律事務所　弁護士（2001 年登録）
　1999 年　東京大学法学部卒業
　2008 年　南カリフォルニア大学ロースクール修了
　2009 年　ニューヨーク州弁護士登録

岡田　淳（おかだ・あつし）

森・濱田松本法律事務所　弁護士（2002 年登録）
　2001 年　東京大学法学部卒業
　2007 年　ハーバード大学ロースクール修了
　2007 年〜2008 年　Weil, Gotshal & Manges 法律事務所（シリコンバレーオ
　　　　　　　　　　フィス）にて執務
　2008 年　ニューヨーク州弁護士登録
　2011 年〜　青山学院大学大学院経営学研究科客員教授
　2017 年〜2019 年　経済産業省「AI・データ契約ガイドライン検討会」委員
　2021 年　経済産業省「AI ガバナンス・ガイドライン　ワーキンググループ」
　　　　　委員
　2021 年〜　特許庁工業所有権審議会試験委員

大室　幸子（おおむろ・さちこ）

森・濱田松本法律事務所　弁護士（2004 年登録）
　2003 年　東京大学法学部卒業

代　宗剛（だい・むねたか）

森・濱田松本法律事務所　弁護士（2005 年登録）
　2003 年　東京大学法学部卒業

大野　志保（おおの・しほ）

森・濱田松本法律事務所　弁護士（2006 年登録）
- 2005 年　東京大学法学部卒業
- 2011 年　カリフォルニア大学バークレー校ロースクール修了
- 2011 年～2012 年　Dewey & LeBoeuf 法律事務所（ニューヨークオフィス）にて執務
- 2012 年　Winston & Strawn 法律事務所（ニューヨークオフィス）にて執務
- 2012 年　ニューヨーク州弁護士登録

堀尾　貴将（ほりお・たかまさ）

森・濱田松本法律事務所　弁護士（2009 年登録）
- 2006 年　同志社大学法学部卒業
- 2008 年　京都大学法科大学院修了
- 2016 年　ノースウェスタン大学ケロッグ・スクール・オブ・マネジメント修了（Certificate in Business Administration）
- 2016 年　ノースウェスタン大学ロースクール修了
- 2016 年～2017 年　Jenner & Block 法律事務所（シカゴオフィス）にて執務
- 2016 年　イリノイ州弁護士登録
- 2017 年～2020 年　厚生労働省医薬・生活衛生局（監視指導・麻薬対策課、医薬品審査管理課、医療機器審査管理課）に出向
- 2020 年～　AMED「人工知能等の先端技術を利用した医療機器プログラムの薬事規制のあり方に関する研究」検討会委員
- 2020 年～　厚生労働省「再製造 SUD 推進検討委員会」委員
- 2021 年～　厚生労働省科学特別研究事業「国際整合性を踏まえたプログラムの医療機器該当性判断に係る論点抽出のための研究」研究協力者

●執筆担当

末岡　晶子（すえおか・あきこ）

森・濱田松本法律事務所　弁護士（2000 年登録）

1994 年　慶應義塾大学法学部法律学科卒業

1994 年～1998 年　厚生省（現・厚生労働省）勤務

2003 年　ハーバード大学ロースクール修了

2003 年～2004 年　Simpson Thacher & Bartlett 法律事務所（ニューヨークオフィス）にて執務

2004 年　ニューヨーク州弁護士登録

2004 年～2005 年　Pavia e Ansaldo 法律事務所（ローマオフィス）にて執務

2005 年～2006 年　経済産業省経済産業政策局産業組織課に出向

2016 年～　国立大学法人東北大学出資事業推進委員会委員

2017 年～　国立大学法人東北大学産学共同・事業化推進委員会委員

2021 年～　経済産業省電力・ガス取引監視等委員会制度設計専門会合専門委員

2021 年～　東京都薬事審議会委員

久保田　修平（くぼた・しゅうへい）

森・濱田松本法律事務所　弁護士（2002 年登録）

2001 年　東京大学法学部卒業

2008 年　コーネル大学ロースクール修了

2008 年～2009 年　米国三菱商事会社法務部に出向

2009 年　ニューヨーク州弁護士登録

吉田　和央（よしだ・かずお）

森・濱田松本法律事務所　弁護士（2008 年登録）

2004 年　東京大学法学部卒業

2007 年　東京大学法科大学院修了

2012 年～2014 年　金融庁監督局保険課に出向

2015 年　コロンビア大学ロースクール修了

2017 年　ニューヨーク州弁護士登録

徳田　安崇（とくだ・やすたか）

森・濱田松本法律事務所　弁護士（2011 年登録）
2007 年　東京大学法学部卒業
2010 年　東京大学法科大学院修了
2013 年〜2014 年　株式会社東京証券取引所上場部に出向
2018 年　コーネル大学ロースクール修了
2018 年〜2019 年　Kirkland & Ellis 法律事務所（シカゴオフィス）にて執務
2019 年　ニューヨーク州弁護士登録
2020 年〜2022 年　厚生労働省医薬・生活衛生局（監視指導・麻薬対策課、医
　　　　　　　　薬品審査管理課、医療機器審査管理課）に出向

嶋村　直登（しまむら・なおと）

森・濱田松本法律事務所　弁護士（2013 年登録）
2011 年　早稲田大学法学部卒業
2016 年〜2018 年　ソフトバンク株式会社法務統括部に出向
2017 年　情報処理安全確保支援士登録
2020 年　カリフォルニア大学バークレー校ロースクール修了
2020 年〜2021 年　Pillsbury Winthrop Shaw Pittman 法律事務所（ロサンゼル
　　　　　　　　スオフィス）にて執務
2021 年　ニューヨーク州弁護士登録
2021 年　Certified Information Privacy Professional/Europe（CIPP/E）
2021 年　Certified Information Privacy Professional/United States（CIPP/US）
2022 年　カリフォルニア州弁護士登録

吉田　瑞穂（よしだ・みずほ）

森・濱田松本法律事務所　弁護士（2013 年登録）
2009 年　京都大学法学部卒業
2011 年　京都大学法科大学院卒業

奥田　亮輔（おくだ・りょうすけ）

森・濱田松本法律事務所　弁護士（2014 年登録）
2012 年　京都大学法学部卒業

338　執筆者一覧

中野　進一郎（なかの・しんいちろう）

森・濱田松本法律事務所　弁護士（2015 年登録）
　2013 年　東京大学法学部卒業

南谷　健太（みなみたに・けんた）

森・濱田松本法律事務所　弁護士（2015 年登録）
　2011 年　東京大学経済学部経済学科卒業
　2014 年　慶應義塾大学法科大学院修了

兼松　勇樹（かねまつ・ゆうき）

森・濱田松本法律事務所　弁護士（2017 年登録）
　2015 年　慶應義塾大学法学部法律学科卒業

川井　悠暉（かわい・ゆうき）

森・濱田松本法律事務所　弁護士（2017 年登録）
　2014 年　大阪大学法学部卒業
　2016 年　京都大学法科大学院修了
　2020 年～2021 年　第一三共株式会社に出向

齋藤　悠輝（さいとう・ゆうき）

森・濱田松本法律事務所　弁護士（2017 年登録）
　2016 年　一橋大学法学部卒業

芝村　佳奈（しばむら・かな）

森・濱田松本法律事務所　弁護士（2017 年登録）
　2016 年　東京大学法学部卒業

本嶋　孔太郎（もとしま・こうたろう）

森・濱田松本法律事務所　弁護士（2019 年登録）
　2017 年　東京大学法学部卒業
　2022 年～　第一三共株式会社に出向

［初版　執筆者］

●執筆担当

井上　ゆりか（いのうえ・ゆりか）

森・濱田松本法律事務所　弁護士（2016 年登録）

2009 年　ミシガン大学工学部電気工学科（ドイツ語副専攻）卒業

2010 年　ミシガン大学工学研究科医用生体工学専攻修了

2014 年　東京大学法科大学院修了

2021 年〜　シカゴ大学ロースクール留学中

川﨑　靖之（かわさき・やすゆき）

森・濱田松本法律事務所　弁護士（2018 年登録）

2017 年　東京大学法学部卒業

ヘルステックの法務Q&A〔第2版〕

2019年12月10日　初　版第1刷発行
2022年6月10日　第2版第1刷発行

編　　者　森・濱田松本法律事務所
　　　　　ヘルスケアプラクティスグループ

発 行 者　石　川　雅　規

発 行 所　㍿商 事 法 務

　　　　　〒103-0025 東京都中央区日本橋茅場町 3-9-10
　　　　　TEL 03-5614-5643・FAX 03-3664-8844〔営業〕
　　　　　TEL 03-5614-5649〔編集〕
　　　　　https://www.shojihomu.co.jp/

落丁・乱丁本はお取り替えいたします。　　　印刷／広研印刷㈱
© 2022 森・濱田松本法律事務所　　　　　　Printed in Japan
　　　　　ヘルスケアプラクティスグループ
　　　　　　　　　Shojihomu Co., Ltd.
　　　　　ISBN978-4-7857-2970-7
　　　　＊定価はカバーに表示してあります。

JCOPY ＜出版者著作権管理機構　委託出版物＞
本書の無断複製は著作権法上での例外を除き禁じられています。
複製される場合は、そのつど事前に、出版者著作権管理機構
（電話 03-5244-5088、FAX 03-5244-5089、e-mail: info@jcopy.or.jp）
の許諾を得てください。